黄河國家治理文獻集成（民國卷）第三十一册
總第九十五册
《黄河國家治理文獻集成》編委會　編

黄河視察日記

王應榆　著
董杰　編

清史稿·河渠志

趙爾巽等　撰
董杰　編

河工方略

余家洵　編著
董杰　編

内蒙古出版集團
内蒙古人民出版社

圖書在版編目（CIP）數據

黄河視察日記 / 王應榆著 ; 董杰編. 清史稿·河渠志 / 趙爾巽等撰 ; 董杰編. 河工方略 / 余家洵編著 ; 董杰編. -- 呼和浩特 : 内蒙古人民出版社, 2025. 8.
（黄河國家治理文獻集成）. -- ISBN 978-7-204-16286-4

Ⅰ. K928.42; TV-092; TV81

中國國家版本館 CIP 數據核字第 2025MG8858 號

黄河視察日記　　清史稿·河渠志　　河工方略

王應榆　著　　趙爾巽等　撰　　余家洵　編著

編　　者　董　杰
策劃編輯　王　瑶
責任編輯　王　瑶
裝幀設計　劉那日蘇　吉　雅　安立新
責任監印　包鐵柱
出版發行　内蒙古出版集團　内蒙古人民出版社
地　　址　呼和浩特市新城區中山東路 8 號波士名人國際 B 座 5 層
網　　址　http: //www.impph.cn
印　　刷　内蒙古愛信達教育印務有限責任公司
開　　本　880mm × 1230mm　1/16
印　　張　30
字　　數　370 千
版　　次　2025 年 8 月第 1 版
印　　次　2025 年 8 月第 1 次印刷
印　　數　1—1000 册
書　　號　ISBN 978-7-204-16286-4
定　　價　255.00 元

如出現印裝質量問題，請與我社聯繫。聯繫電話：（0471）3946120

編纂委員會

主　　任　陳利保

副 主 任　周承英　吴義學　王　瑶

成　　員　賈大明　何可欣　董立群　羅　婧　王曉俊　董麗娟
　　　　　白　玲　特日格勒　徐　飛　李月琪　王麗燕　李　琳

主　　編　董　杰

副 主 編　張曉東　曹　玲

委　　員（按姓氏筆畫排序）
　　　　　王　丹　王智慧　王鑫義　白胡日查　朱紫陽　李　萌
　　　　　李新蕊　姚亞菲　陳　思　曹佳興　梁芹洋　張文文
　　　　　張　岩　張博原　張　祺　張曉英　喬恩懋　賀　莎
　　　　　楊　怡　楊建國　楊　承　霍燕平　魏雪剛

引言

千古河流成沃野，幾年沙勢自風湍。

得益于黄河冲積所帶來的疏松土質和有機物，中華先民利用石製工具開始了農業生産，并逐步發展出旱地粟作農業，『能够最大程度保障食物供給的穩定性，奠定了中華文明起源和形成的堅實基礎』〔一〕。而利用河水灌溉，提高區域可預測農業産量，『在産業史上起着最有决定性的作用』〔二〕。隨後，技術進步、經濟發展、人口增加，讓先民的文化生活大爲豐富。嚴文明先生評價道：『這是一場影響深遠的革命。』〔三〕在這場革命中，平衡水、沙、産、人四者之間的關係，始終是黄河治理的核心問題。四者關係一旦失衡，就容易引發諸多灾患。

歷史上，黄河下游因人口稠密、經濟發達，一直是學術界關注的重點。但自河源至今内蒙古托克托縣河口鎮的黄河上、中游區域，雖遠離王畿，人口稀疏，却也一直備受關注，人們逐步認識到黄河全流域治理是國家的重要任務。《漢書》載：『堤防之作，近起戰國，雍防百川，各以自利。』〔四〕没有全流域的協同治理，僅靠各地分段築堤，則黄河河患無法解决。秦建立了中國歷史上第一個中央集權大一統王朝，秦始皇東巡碣石，刻石銘記『决通川防，夷去險阻』〔五〕，開啓中央政府調動各要素治黄之先河，這『在中國，實質上是國家的一種職能』〔六〕。同時，國家通過對黄河的有效治理，爲沿黄流域人民群衆乃至其他地區人民群衆提供了重要的公共物品和産業支撑，成爲人民群衆眼中中央政府的功過評價指標之一。因此，治黄在增强沿黄各族群國家、政治、文化認同的基礎上，强化了中國大一統國家的合法性，成爲歷代國家治理能力的一個重要測度。

一、黄河治理維護了國家的社會穩定

從秦并六國到漢朝建立大一統國家，中國統一的多民族國家形成并得到初步發展。當時中央政府對所轄疆域有『北邊郡』和『内郡』之稱。内蒙古額濟納旗出土的居延漢簡有載，『豤（墾）田以鐵器爲本北邊郡毋鐵官印器内郡令郡以時博賣予細民毋令豪富吏民得多取販賣細民』，可以看出北邊郡是與内郡相對應的行政管轄區域。《史記》卷二十八『封禪書第六』載：『上乃遂去，並（并）海上，北至碣石，巡自遼西，歷北邊至九原。』〔七〕。《史記》卷三十『平準書第八』載：『天子北至朔方，東到太山，巡海上，並（并）北邊以歸。』〔八〕司馬遷多次提及北邊，足見統治者對北邊治理的重視。

漢武帝時，齊人延年提出從今内蒙古引黄河水經今北京一帶，向東注入渤海，以衛北部邊疆。『是時方事匈奴，興功利，言便宜者甚衆。齊人延年上書言：「河出昆侖，經中國，注勃海，是其地勢西北高而東南下也。可案圖書，觀地形，令水工準高下，開大河上領，出之胡中，東注之海。如此，關東長無水災（灾），北邊不憂匈奴，可以省隄（堤）防備塞，士卒轉輸，胡寇侵盜（盗），覆軍殺將，暴骨原野之患。天下常備匈奴而不憂百越者，以其水絶壤斷也。此功壹（一）成，萬世大利。」』〔九〕《史記》卷二十四『樂書第二』載：『天馬來兮從西極，經萬里兮歸有德。承靈威兮降外國，涉流沙兮四夷服。』〔十〕如今，包頭地區出土了『四夷盡服』瓦當，出土文物與傳世文獻的呼應，成爲黄河治理維護祖國北部邊疆穩定的見證。

《史記》卷三十『平準書第八』載：『嚴助、朱買臣等招來東甌，事兩越，江淮之閒（間）蕭然煩費矣。唐蒙、司馬相如開路西南夷，鑿山通道千餘里，以廣巴蜀，巴蜀之民罷焉。彭吴（吳）賈滅朝鮮，置滄海之郡，則燕齊之閒（間）靡然發動。及王恢設謀馬邑，匈奴絶和親，侵擾北邊，兵連而不解，天下苦其勞，而干戈日滋。』〔十一〕清代《汾陽縣志》卷十三『藝文』收録曹學閔《開修黄蘆嶺車路紀德政碑記》，上載：『永寧州，界連西陲，北達邊外歸綏諸路，商賈遠貿粟麥，泛皮船隨黄流南下，聚于州西磧口，一府之民仰利賴焉。而東至太原，南抵平陽，州縣凡二十餘，亦視汾爲橐鑰，蓋所繫非特一方生計矣。』〔十二〕民國時期，東北淪陷後，開發西北刻不容緩，而『黄河中游之水利，自應加以擴充及整理，藉（借）收桑榆之效，以挽狂瀾於（于）萬一』〔十三〕。

因黄河流域自然條件優越，歷朝歷代都十分重視對此地的開發，通過强有力的國家干預方式推動各類産業的發展，爲中國北部疆域的形成和社會穩定奠定了基礎。

二、民族交往、物資交流、技術轉移促成黄河治理共同體

《史記》卷十五『六國年表第三』載：秦始皇三十三年（前214），『築長城河上，蒙恬將三十萬』[十四]。這數十萬人中，擁有一技之長的人員不在少數。由此，邊地人口不斷增多，而豐富的物産則促進了商品交流與統一市場的形成。西漢《鹽鐵論·力耕第二》記録了『异物内流』的情形：『是以贏（騾）驢馲駞（駝），銜尾入塞，驒騱騵馬，盡爲我畜，鼲鼦狐貉，采旃文罽，充於（于）内府，而璧玉珊瑚瑠（琉）璃，咸爲國之寶。』[十五]此後，黄河北岸的『贏（騾）驢馲駞（駝）』『驒騱騵馬』『鼲鼦狐貉』『采旃文罽』與西南織錦、中原麻織、農作物等物資相互交流，逐步形成統一的國内大市場，加强了邊疆與其他地區的經濟聯繫，促進了邊疆特色産業的發展。

隨着民族交往交流交融的增强，清代以降，黄河流域内蒙古段輸入到内地的也不僅僅是『异寶』了。《綏遠通志稿·水路》載：『自乾隆以還。口外墾殖日廣。民殷物阜。出境之油、糧、鹽、鹼（碱）、甘草各貨。入境之日用雜貨。山西與歸綏往來之商運。凡經河路者皆以托屬河口爲唯一之碼頭。』[十六]從清乾隆年間到民國時期，由内蒙古經黄河運到山西的貨物有糧、油、鹽、碱、藥材、皮毛等，其中以糧油爲最大宗。糧食品種主要有糜黍、穀子、高粱、豆類及玉米、大小麥

等，油料主要是胡麻。内蒙古供貨支綫有從阿拉善盟阿拉善左旗吉蘭泰鹽池到山西吕梁市磧口鎮的運鹽駝路，五原縣、臨河區一帶各大幹渠的運糧水道，杭錦旗、達拉特旗的甘草馱運綫，鄂托克旗的運鹼駝路。内蒙古段各條支綫以供貨爲主，山西段若干支綫以運銷爲主。

《臨縣志》載：『清朝乾隆至民國年間，陝、甘、綏、蒙等地的物資，通過此航綫運達磧口，再用牲口馱運到離石、吴城，轉運至東路（汾、平、介、孝等縣）。據民國 20 年（1931）統計，每年從綏遠磴口航至磧口的貨船不下 4000 餘艘』，『是陝、甘、綏、寧與晋西北物資集散之重鎮』。〔十七〕可見，内蒙古在甘肅、寧夏與陝西、山西等沿黄上下游物資交易中起到了重要的聯結作用；同時也吸引了山西、陝北、河北、山東、甘肅等地的農民遷移至此，并將開渠打壩、引水澆地等農業生産技術、手工技術和商業貿易經營方式帶到這裏。他們在此扎根，除了從事農業生産外，還挖甘草、下窑背炭、在黄河上拉船、在沙漠中拉駱駝、打短工放冬羊、開碾磨油坊，等等。不同地域、不同民族的人們合力修築河渠、引水興業，逐漸形成休戚與共的共同體。其間積累的産品交易、商業管理、社會治理等方面的經驗，在今天依然有借鑒意義。

清代『首重治河，探河源以窮水患』〔十八〕，但更深層次的考量是『宣揚大一統及增强國家認同』〔十九〕。黄河流域人口基數大、分布廣，而全流域治理理念將不同地區、不同民族的人們凝聚成命運共同體，而『大一統』理念正是這一治理實踐的核心主題。

三、黄河流域拓展了中國的發展空間

早期統治者因巡幸及邊防建設所需，統籌管理沿黄河運與秦直道等沿黄馬道，維持着中央政府對北邊的有效治理。河套平原引黄渠道的建設爲秦漢王朝屯田事業提供了基本的水利保證，并將這些區域變成防禦北部邊患的大後方與根據地。于是，沿黄馬道、沿黄河運與萬里茶道、草原絲路等陸路運輸聯通起來，促進了中華文明與其他文明的交流互鑒，拓展了新的發展空間。

新中國成立之後，沿黄各族兒女在中國共産黨的領導下團結合作、艱苦奮鬥，實現了大河安瀾。黄河流域建立起行之有效的防洪抗汛機制，支撑着沿岸的産業發展，改善了周邊生態環境。當代治黄史證明，正是由于中國共産黨的正確領導以及集中力量辦大事的制度優勢，纔從根本上減輕了河患的威脅。進入新時代，黄河流域在築牢安瀾根基的同時，以蓬勃活力拓展着中國的發展空間。沿黄九省區在協同發展中不斷釋放潛力，讓黄河流域成爲國家區域協調發展戰略中不可或缺的重要一極，爲中國的發展源源不斷地注入新動能。

綜上所述，黄河流域的治理不是單純的河道治理、生態環境治理或社會治理，而是一種關涉水、沙、産、人四者關係的系統性、協同性治理，是推動國家可持續發展的動力，也是厘清國家治理與邊疆治理兩者動態交互實際效果的絶佳視角。而黄河工程等『中國本土理論資源、學術積纍』〔二十〕，有助于研究國家治理的演進歷程。進入新時代，黃河治理與國家治理的關係研究不斷開闢新視角、持續涌現新成果，其中鑄牢中華民族共同體意識、邊疆治理與黃河流域生態保護和高質量發展成爲非常重要的研究視角。因此，基于這一角度搜集整理黃河國家治理文獻，意義重大。《黃河國家治理文獻集成》，應運而生。

本叢書系統梳理了黃河治理的歷史脉絡與經驗，既爲新時代黃河流域生態保護和高質量發展提供了歷史鏡鑒，更以文獻爲載體，傳承了治理智慧、凝聚了民族力量，是服務國家發展戰略、鑄牢中華民族共同體意識的重要學術實踐。

《黃河國家治理文獻集成》編委會

二〇二五年一月

〔一〕韓建業：《中華文明的起源和形成》，載《中華民族共同體研究》2022年第4期，第80-91+172頁。

〔二〕中共中央馬克思恩格斯列寧斯大林著作編譯局：《馬克思恩格斯選集》第二卷，人民出版社，2014年，第240頁。

〔三〕嚴文明：《黃河流域文明的發祥與發展》，載《華夏考古》1997年第1期，第49-54+113頁。

〔四〕（漢）班固：《漢書》卷二十九『溝洫志第九』，中華書局，1964年，第1692頁。

〔五〕（漢）司馬遷：《史記》卷六『秦始皇本紀第六』，中華書局，1963年，第252頁。

〔六〕冀朝鼎：《中國歷史上的基本經濟區與水利事業的發展》，朱詩鰲譯，中國社會科學出版社，1981年，第7頁。

〔七〕（漢）司馬遷：《史記》卷二十八『封禪書第六』，中華書局，1963年，第1398-1399頁。

〔八〕（漢）司馬遷：《史記》卷三十『平準書第八』，中華書局，1963年，第1441頁。

〔九〕（漢）班固：《漢書》卷二十九『溝洫志第九』，中華書局，1964年，第1686頁。

〔十〕（漢）司馬遷：《史記》卷二十四『樂書第二』，中華書局，1963年，第1178頁。

〔十一〕（漢）司馬遷：《史記》卷三十『平準書第八』，中華書局，1963年，第1420-1421頁。

〔十二〕（清）方家駒修，（清）王文員纂：《汾陽縣志》卷十三『藝文』，清光緒十年刻本，第57-58頁。

〔十三〕王華棠、劉錫彤、吴樹德：《黄河中游調查報告》，華北水利委員會編印，1934年，第1頁。

〔十四〕（漢）司馬遷：《史記》卷十五『六國年表第三』，中華書局，1963年，第758頁。

〔十五〕王利器：《鹽鐵論校注》，中華書局，1992年，第28頁。

〔十六〕綏遠通志館：《綏遠通志稿》第十册，内蒙古人民出版社，2007年，第176頁。

〔十七〕臨縣志編纂委員會：《臨縣志》，海潮出版社，1994年，第273、321頁。

〔十八〕趙爾巽等：《清史稿》卷一二六『河渠一』，中華書局，1977年，第3715頁。

〔十九〕劉惠：《乾隆朝重構黄河河源的實踐與國家認同》，載《清華大學學報》（哲學社會科學版）2018年2期，第147-154+195頁。

〔二十〕許耀桐：《當代中國『治理』概念的演進探析》，載《國家現代化建設研究》2023年3期，第100-111頁。

出版前言

黄河，中華民族的母親河，她不僅孕育了中華文明，更見證了中華民族數千年的發展歷程。習近平總書記深刻指出：『從某種意義上講，中華民族治理黄河的歷史也是一部治國史。』這一重要論述，爲新時代黄河文化的保護傳承以及流域治理提供了根本遵循，也深刻揭示了黄河治理在國家發展和民族復興進程中的核心地位。在學習貫徹習近平新時代中國特色社會主義思想，積極響應國家黄河流域生態保護和高質量發展重大戰略，大力推進北疆文化建設的背景下，《黄河國家治理文獻集成》的編纂出版，具有重要的歷史意義、學術價值與現實指導意義。

黄河治理，自古以來就是國家的頭等大事。從遠古時期大禹治水，到當代運用科學技術進行系統治理，中華民族在數千年的時間裏，積纍了豐富的治河經驗，留下了浩如烟海的文獻遺産。《黄河國家治理文獻集成》收録了元代至民國時期古籍、朱批奏摺、期刊圖片等多模態文獻資源。這些文獻内容豐富、維度多元，既包含記載河工技術、治理方略等的專書，又有漢文朱批奏摺、工程檔案以及不同區域的調查研究報告等。民國時期的文獻則標志着現代水利科學開始融入黄河治理，展現了我國水利事業在時代變革中的創新與發展。近代照片的收録則以更加直觀的方式將黄河治理、黄河沿岸的風貌呈現給讀者。

該文獻的出版，不僅是對瀕危黄河文化遺産的及時搶救與保護，更是對我國水利史、國家治理史、邊疆治理研究學術鏈條的重要補充，具有較高的文獻價值和學術意義。尤爲重要的是，這一集成工作，深度契合鑄牢中華民族共同體意識這一全黨全國各族人民的共同任務。各民族在治理黄河的歷史進程中，緊密協作、共同探索，這些珍貴文獻便是各民族交往交流交融和中華文明認同的生動見證。對這些文獻進行整理出版，能够讓各族人民更加深刻地認識到，在歷史長河中，各民族共同爲黄河治理貢獻了力量，共同守護了家園，從而進一步增强對中華民族共同體的認同感與歸屬感，夯實鑄牢中華民族共同體意識的歷史根基。

《黄河國家治理文獻集成》以『國家治理』爲核心綫索，構建起一個全面、系統、多維的文獻體系：在時間跨度上，聚焦從元代至民國這一傳統治河向現代水利轉型的歷史時期，爲深入研究我國水利事業的發展脉絡提供了清晰的時間坐標；在内容分類上，細緻劃分爲技術專著、工程檔案、區域研究、朱批奏摺、科學報告、圖片等類别，涵蓋黄河治理的各個方面，從不同角度展現了我國在黄河治理上的探索與實踐；在版本選擇上，秉持嚴謹、科學的態度，確保文獻内容的準確性與代表性，爲學術研究奠定堅實基礎。

在編纂過程中，叢書特别注重『全流域治理』的理念，不僅收録了有關下游防洪治河的重要文獻，還涵蓋了中游地區水土保持以及上游地區灌溉開發等方面的珍貴記載。這種對黄河全流域治理的全方位關注，與當前『共同抓好大保護，協同推進大治理』的要求高度契合，充分體現了叢書在傳承歷史文化遺産的同時，緊密服務于當代國家發展戰略的時代價值。

在出版過程中，嚴格保持原書的版式與行款，最大程度地還原文獻原貌。對于部分出現黴變、殘缺的頁面，運用先進的數字化修復技術進行精心處理，在保留原始批注與印章痕迹的基礎上，兼顧了文物的真實性與文獻的可讀性。

此外，爲了更好地服務讀者，方便學術研究，本叢書新增了目録、提要等内容，這些新增部分由編委會精心撰寫。新增目録一般編製二級，個别圖書編製三級；原書有目録而内文無對應標題的，根據原書目録照録；原書目録爲關鍵詞或者其他情况的不編製目録；原書目録與内文不一致的，以原書内文爲準；原書無目録的，按卷端、版心或其他部分輯録；一册書中收録多種圖書的，以書名爲一級標題，編製二或三級。在文字使用上，統一使用現代漢語規範繁體字，對于原版文獻中的异體字、避諱字也使用現代規範繁體字，無對應規範繁體字的保留原字。

《黄河國家治理文獻集成》的出版，是對黄河文化遺産的一次系統性、搶救性保護，具有重大而深遠的現實意義：從學術價值層面來看，叢書成功構建起一座連接傳統與現代治黄文獻的橋梁，爲黄河流域生態保護、水利工程史、國家治理史、邊疆治理、中華民族共同體學等多個領域的學術研究提供了豐富、翔實的基礎文獻，有力推動了相關學科的發展與創新；從文化價值角度而言，生動展現了北疆文化與黄河文化在歷史長河中的交融共生，爲内蒙古『北疆文化』品牌建設提供了堅實的文獻支撑，進一步豐富了中華文化的内涵與外延；從實踐價值方面考量，書中所藴含的治河理念爲我們在新時代背景下實現人與自然和諧共生、推動黄河流域可持續發展提供了寶貴的歷史經驗與智慧啓示。

在此，我們要衷心感謝各藏書機構的大力支持，正是他們提供了珍貴底本資源，纔使得本叢書的編纂出版成爲可能。同時，我們也要向文化遺産智能應用服務中華民族共同體建設『英才興蒙』團隊致以崇高的敬意，他們歷經五年的辛勤耕耘，以嚴謹的治學態度和專業的學術素養，對文獻進行了系統的整理和輯録，爲叢書的内容質量提供了堅實保障。此外，我們還要特别感謝内蒙古自治區黨委宣傳部、内蒙古出版集團將本叢書納入『北疆文庫』重點項目，并在出版過程中給予全方位支持與幫助。

我們衷心期待，這套凝聚着無數心血與智慧的《黄河國家治理文獻集成》，能够在新時代的『黄河大合唱』中奏響歷史的强音，爲黄河流域生態保護和高質量發展注入强大的歷史動力，讓黄河文化在保護中傳承，在傳承中創新，在創新中不斷發展，綻放出更加絢爛的光彩。同時，希望這套叢書能够成爲促進各民族文化交流、鑄牢中華民族共同體意識的重要載體，助力各民族更加緊密地團結在一起，共同爲實現中華民族偉大復興的中國夢而努力奮鬥，讓中華民族共同體意識在黄河文化的滋養下，扎根于每一位中華兒女的心中，成爲推動中華民族不斷前進的强大精神力量。

提要

黄河視察日記

《黄河視察日記》，王應榆著。王應榆（1890—1982），字燧材，號芬庭，廣東南栅人。1907年加入同盟會。1933年，任黄河水利委員會副委員長。著有《西北視察》《黄河視察日記》《治理黄河意見》等。

《黄河視察日記》以日記的形式，記録了王應榆從1932年到1933年沿途考察黄河各地水利情況等内容，并提出了黄河治理建議。

清史稿·河渠志

《清史稿·河渠志》是《清史稿》的一部分，共四卷。《清史稿》由趙爾巽等人撰寫，修于1914—1927年間。趙爾巽（1844—1927），字公鑲，號次珊。清同治進士，授翰林院編修。1914年，任清史館總裁，主編《清史稿》。

《清史稿·河渠志》記述了清代河渠治理情況，包括決口治理、水利設施建設、河道疏浚等内容。其中卷一記録黄河，卷二記録運河，卷三記録淮河、永定河、海塘，卷四記録直省水利。

河工方略

《河工方略》，余家洵編著。余家洵，我國著名水利學家，1940—1945年任同濟大學土木系主任，著有《基礎工程學》《水利工程學》等。

《河工方略》共九章，圍繞河流治理展開，包括治河目的、方法、材料、建築物等内容，還探討了不同河流的治理要點，介紹了多種河工技術。

目録

王應榆著

黄河視察日記

孝園署簽

王應榆著

黃河視察日記

南京 四牌樓蓁巷二十三號

新亞細亞學會出版科印行

新亞細亞學會水利叢書之二

本書插圖

——珍貴照片四十九幅——

濟陽鐵匠莊之埽壩
服務四十年之老河工
黄河下流之楷壩
利津佛頭寺埽壩與料垜
河堤之木料
惠民縣楊房之埽工
鈎頭高家之坍塌石壩
山東濼口黄河鐵橋
齊河水牛莊之石壩
黄河堤壩工作情形
濮陽八壩頭之磚壩
八壩頭磚壩工作
濮陽決口之工作
賈魯河風景
劉莊之石壩
黄河邊之居民
陳橋古迹

沁水之灌溉閘
八孔窰
新洛陽橋
洛河口
洛河口黄河邊邙山崖
洛陽龍門口
龍門石佛
潼關市街
長安市街
草灘壩附近渭水之風景
蘭州黄河鐵橋
蘭州臥橋
蘭州白塔山
山西陽泉之煤廠
蘭州附近汾水風景
黄河流冰

堯廟遠眺
黄河龍門口
黄河之龍門一
黄河之龍門二
黄河之龍門三
黄河之龍門四
黄河之龍門五
黄河之龍門六
嘑沱河上游雲中橋
大同郊外風景
綏遠省城
佛塔
黄河之結冰(包頭所見)
渡冰
包頭居民紡絨線
包頭之駝馬市

著者王應榆先生肖像

黄河視察日記

國家之生存要件有三：曰經濟，曰政治，曰軍事，三者缺一不可，而在今日尤以經濟爲最要。我國幅員廣大，土地肥沃，人口衆多，若從經濟建設着眼，富强殊爲不難。然我國在東三省無恙時，照十九年海關統計，入口粮食一萬三千萬兩，棉織物一萬四千萬兩，棉花一萬二千餘萬兩，木材七千餘萬兩，糖亦如之。總計農林入口物，共值五萬五千萬兩。再加東省輸入内地者三萬萬兩，共八萬餘萬兩。長此下去，不自爲謀，卽人不我迫，我亦不能自存，况在政治方面，非藉經濟不能教養防災；在軍事方面，非有物資不能言攻守。由此言之，中國目前問題，實以農林爲救亡要務，而農林之本，在于水利。考黄河貫流青甘陝甯晉豫燕齊綏九省，長七千餘里，因人謀之不臧，致利少而害多。言治河者，雖代有其人，類多舍本而求末，其原因蓋由於多事空論而少實際之考察，故所知仍不澈底。古語有云：胸有全河而後能治河。此誠不易之論，言治河者首推李延年，延年以導流塞外，東達於海爲清源之策，惜漢武帝未能採用，延年之議亦只主『上流清水分渠』而非全盤計劃。左宗棠建議鑿涇通河，旋因去職，無由實現，以致黃河災害至今猶烈，殊深遺憾。余於民國四五年間漫遊西北，深考黃河治理之得失利弊，六年曾上書黎大總統，條陳治河方略，終以變亂相尋，未蒙採用，時時引以爲憾。去年春，戴季陶先生以治河造林之事見詢，冬間薦余爲治黃委會委員。適值滬戰爆發，朱子橋先生以賑災事忙，不能兼顧，而馬雲亭先生又不幸捐館，致河會不克成立，治河工作無由進行，然國府以治河爲國家百年大計，不能不求根本之治理，乃特派余爲黃河水利視察專員，以考察全河最近情況，歷來治理之方法得失，以及地方人士及專家之意見，以爲治理之資料。余以不敏，何敢當茲。惟余生平素喜遊歷，足跡所至，嘗東抵於海，北達瀚漠，西越天山，南至珠崖，貫行黑龍松花黃河長江粵江各流域，並屢於黃河水利關係經濟政治軍事之深，故不自度量，常欲盡力河工，聊盡匹夫之責。果能由此興利除災，得以挽回每年八萬萬餘之漏巵，俾軍事得以整理，物資得以無缺，國防得以鞏固，雖功不必自我成，而我對國對民亦有多少裨益，於心安矣。

十月十一日

今日午後五時，自京渡江，七時津浦車北發，於車中看治河策議。書中係述古今治河意見，在以前者爲賈讓三策，齊人延年議開大河，禹貢錯指，問水集，治水荃諦，潘季訓河防一覽。在近代者爲戴埋爾隄防建議，處置泥沙法：費禮門造林整理河道，設河工試驗室法；恩格斯馭制黃河法；方修斯新內隄理論；李儀祉之減淤防濫利農固床保漕議。

賈讓三策，上策係言徙民以避水，將冀州之民，當水衝者，決黎陽遮害亭，放河使北入海，以爲如此雖敗害城郭田廬冢墓以萬數，然較治河十數郡歲費鉅萬，仍不免於大決者，爲愈多矣。若以數年治水之費，足償所徙之民，定山川之位。且大漢制地萬里，豈與水爭咫尺之地。中策係言引水灌田，以分水勢，而免河患。以爲多穿槽渠於冀州地，使民得以溉田，分殺水怒。旱則開東方下水門，溉冀州；水漲則開西方高水門，分河流。下策係繕完故堤，增卑濟薄，勞費無已。

齊人延年係言河出崑崙，經中國，注渤海，地勢西北高而東南下，可案圖書，觀地形，令水工準高下開大河上領出之朔中，東注於海。如此，關東長無水災，北邊不憂匈奴，可以省堤防，備塞士卒轉輸，免胡寇侵盜，覆軍殺將，暴骨原野之患。天下常憂匈奴不憂百越者，以水絕斷故也。

禹貢錐指係言穿渠漕溉河，水勢分流，急則沙泥通利，緩則淤澱塞決。滎陽之下，既有鴻溝；華陰以止，復有諸渠。分水太多，河流迂緩，河身日高，故洪水暴至，即不能容。橫隴既通，又不能下流向海，故有橫隴之決。

問水集係明劉天和所作，主用隄防；惟渠堤宜遠不宜近。以為宋元迄今，隄防形址，斷續橫斜曲直，殊可駭異，蓋皆臨河為堤，河既改而堤即壞。無已，擇屬吏之良者，上自河南之原武，下迄曹單沛上，於河北岸七八百里擇諸堤去河最遠且大者，及去河稍遠者各一道，內缺者補完，薄者幇厚，低者增高，斷續者連接創築，務使七八百里間，均有堅厚大堤二重。苟非異常之水，北岸可保無虞。劉又言：堤岸宜植柳。植柳有六法：一臥柳，二低柳，三編柳，四深柳，五漫柳，六高柳。

治水荃諦係明萬恭所著。彼主張治河宜先繪圖，自孟津二千里達海，製成之圖，名曰黃河圖，自張家灣一千八百里達瓜儀之圖名曰漕河圖。皆州截而縣記之，渠識而灣書之，且布沿革之故於上，勒石於總河、四堂，使司斯役者胸先有全河，則治之斯易。並主利用水之本身力以濬河，如願深北，則南其堤而北自深；如願深南，則北其堤而南自深；如欲深中，則南北其堤，兩束之，衝中堅焉而中自深。且宜因時制宜，不可泥古，其穿渠地點，可行之於秦晉峽中而不能行之孟津以下。蓋河南以下，大穿則全河由渠而舊河淤；小穿則水性不趨，水過則平陸耳。誠宜使之合勢以驅其淤。故曰：『河合，國家之福也。』

潘季馴，明人，本治河多年經驗，著河防一覽一書。萬曆二十年，上書駁斥浮議。

大要言多濬支渠，以殺水勢，宜行於渭水，不宜行於黃河。如水漲之時，暫開決口，水落復塞。但塞決如升天，費亦不貲，復不主張另覓新河。謂新河經數年後，新者舊矣。河何擇於新舊？舊則汚，新不汚，非所解也。並謂：堤所以使水不泛，而循軌以入於海，正所以導之，水之漲多在伏秋，消多在冬盡。上源雨多則漲，霽則消，海口沙塞之說不確。至沙墊底高之說，不能合理，如欲抗水，非塞決築堤不可。又疏既不能，則宜築，不宜濬。蓋工大而不能將沙安頓，隄之不築，水復旁溢，則沙復停，不可勝挑也。

戴理耳，英人，雖非水利專家，實係爲科學方法視察黃河之開始者。關於隄防之建議，有標本兩治法。彼謂堤防決壞原因：一爲埽工楷料質料過輕，易爲水冲陷；二爲埽壩突入河中，受水冲突之力甚強，故主張多置石塊於堤壩之下，以護堤基，置石料於楷料埽壩之上，以鎮堤身，河水灣曲，水流直衝之部，易致決壞，舊日多於險出之後，建以重堤。茲宜修理遙堤，庶使內堤崩決，得之保險，此治標之法也。治本之法，在使低水河床與堤身隔遠，至少有二百英尺。凡低水河床，逼近堤身之處，宜築挑丁壩，改變流水方向，俾近岸之一邊，得以沉澱，低水河床漸移到內堤之正中，則河灣曲，亦爲之減少矣。其處沙泥之法，以爲造林爲根本，非短時期能望其成功。黃河所挾之沙泥，又不能全部使之隨水入海，宜於低窪之地，引河入內，使泥沙沈澱後，引水復入原河，如此繼續推行於兩岸各地，則河之兩岸，皆成爲高出普通水面之平原，而沙泥亦得安置矣。

弗禮門，美國人，於民國八年建議：造林須有統系，工作注重上游。整治河道，在使黃河流行直槽中，於現有內堤之內，另築直線新堤。在此新舊二堤之中，存留空地，任深水溢入，俾可沈澱淤高，可資將來之屏障。如遇特別洪漲，更可於河槽與新堤間，築挑木壩，以護新堤。此法如何，誠宜於河岸上所二三英里之一段試驗之。

制馭黃河，爲德恩格斯所著，謂费氏之新狹河床，未經刷新之際，洪水面必至壅積漲高，其何以保障，使勿泛濫？彼以爲黃河之病，不在堤寬，而在無固定之中水位河槽，故宜於近內堤之間，固定中水位河槽之岸。河彎過曲，則裁之所直；河流分歧，則塞支強幹；並宜修治搶險工程，栽植青草，以資掩護；而安設涵洞，引水灌田，宜有完善計劃。蓋涵洞爲堤防弱點，不可不愼也。

方修斯之黃河導治計劃，係主張降低其水位，於導治之始，築以新內堤以束洪水，內堤之距離在五百至七百米達間，以攻洗沙泥，深河床。其高宜低於舊內堤。洪水一來，可使其漫溢，用舊河床爲充大段冲毀宜設讓水段，使最高洪水，得以旁洩。堤上敷草，堤旁植柳，其工作之先，宜劃黃運間之一段試驗之。

李儀祉以爲黃河之根本治法，應考慮者不出五端：一、如何固 河床；二、如何保持其應有之深；三、如何減其淤；四、如何防其濫；五、如何有利於農。欲使河床固定，第一必使橫斷面得宜；第二必使維護得法。其橫斷而宜以瀉水絜沙之情定之。本水位處之本槽，非常洪水處之洪水槽，欲使保其應有之深，則在導治與維持。若減其沙量，固其床址，治導得宜，維護不懈。減淤之法，培植森林，其效甚微，宜盡力於植畔柳，開溝洫道路。防河之泛濫，在堤防及溝洫與導治。

以上方法，容自後視察，以事實以證其可否，編成整個意見，然後請專家議定再從而計劃焉。

十二日

早七時，過徐州，其關於地理歷史已載於他籍，余以任務無關，不復記載。午後三時，過大汶河，余極注意於此可否開鑿一運河以上連朱仙鎮，下接小清河。三時半過泰安，經界車漸上漸高，工程不易，此念已爲打消。午後六時廿分，抵濟南，寓膠濟鐵路飯店。飯後以函及電話詢張含英君。張現任教育廳科長，原學水利工程，山東荷澤人，余在南京時已有信請其搜集各種關於黃河種種材料：一、山東段治河歷史；二、現今黃河利害情形；三、山東段治理黃河辦法；四、山東河局組織沿革；五、工款由來；六、山東境內有無適當可作蓄水湖地。余欲知所詢各事究竟，故約其晤談，適已外出；夜深接其電話，約明早八時相會。

十三日

早八時，張含英君來談，對於上詢各事，答復已有頭緒，俟兩日內搜集完備，即行送來。隨商定於拜見各常局後，擬十五或十六日乘汽車下至黃河海口，上沿河岸，至彭家樓渡河，經荷澤至柳河視察。九時，以電話請問省府祕書長，約與韓主席見面時間，覆以明早八時晤談。十一時，與張君及王君柏臣乘汽車往濟南各處遊覽。先參觀小清河水電廠。此廠為張君所籌辦，用款僅四千八百元。機器除發電機外，餘均本省製造，價廉物美。雖規模不大，已足引起用水生電之興趣矣。小清河風景頗佳，由電廠沿河而上，則有黑虎潭，水由地噴出如珠，積之成池，湧出成潭，清冽無比。正午，到濟館用　，味極佳，此為眞正濟味也。飯後，往豹突泉，水由地中突起，清冽如黑虎潭，惜此地為小肆所佔，有殺風景耳。隨復往參觀圖書館，內藏中國古書甚多，且為難得之本。海樓藏書，將來亦擬移置於茲。漢魏及各代古物不少，由太昊至今，歷代古錢，尤為完備。以錢而觀，可以窺見中國平準情形；漢石刻尤佳，經館長解析，頗引人入勝。午後二時半，送張君歸，並約定明早七時半相會，往晤各常局。本日與張君談及事之成敗，繫乎人才，請其將山東及所知水利專材表列見示。以備將來印入報告書用備政府及有意水利者之聘用。送張君返後，余因身體初愈，回寓休息。關於其他記載，悉委王君柏臣任之。

十四日

午前八時，偕張君含英王君柏臣往省府拜見韓主席復渠。韓治魯極有精神，命令極嚴，每日午前六時卅分即上辦公廳，全省亦如之。早會時間尚早三十分，每日上午四時半，下午三時半，共八小時。用人甚當，全省無貪官污吏。有一分力做一分事，在國中殊難得也。所談係見面寒暄及黃河情形。九時到河務局，適局長外出，其總務科趙錄仁工程科潘鎰芬出見，暢談甚久，詳述山東境內黃河情形，河口淤積狀況及治理方法。余請其以計劃及現時計劃不能即行緣由，以書面及材料見告。並告以余定於十六乘船到利津，十九日乘車回濟，以便水陸實地視察。十一時往遊千佛寺，寺在南門外約四五里南山。登山一覽，全城在望，遠可眺黃河。汽車到山腳，改乘肩輿，寬大有蓬，兩人抬之，横行而上，其行甚速，上山約一里卽到寺。每年夏曆九月一日到十五日，膜拜及遊覽者甚衆。余等巡遊寺中一週，卽上山巔，登峯四眺，濟南附近，悉入目中，而城中屋樹參差，景象殊勝。加以天氣晴和，心曠神怡。遊覽約一小時，卽下山入城午膳，並購買濟南風景人物片。午后一時，回寓午睡。三時復往晤實業廳長王芳亭、民政廳長李蔭軒；幷往建設廳與廳長張洪烈暢談水利甚久。其科長曹理卿、技正周禮亦出會晤。張廳長對於黃河頗有計劃，對于東平蓄水意見，與余相同。其所以不能實行者，以東平人口約十二萬，其地可蓄水者必令其遷移，此問題不能解决也。余問：山東近年以來，修理河道，致力不少，水利如何？彼答：各水係以防洪爲主，有水利可言者，祇一小淸河耳。其他以虹吸引水灌溉，因財力及各方未能了解，不易施行。四時，往拜財政廳長王向榮，所謂入門拜主也。又梁漱溟先生素主辦理村治；此次在魯試辦，成績甚佳。余本來欲往拜見參觀，因往返時間，須費兩日，乃以電話與之相譚，彼云：渠有事於十九、二十日來濟。余原擬自利津回濟卽往上遊赴汴，遂亦決留待之。回寓接韓主席召宴帖，約明午前十時赴宴。

十五日

午前七時，河務長張連甲來訪，談及河口沙淤日甚，若不急治，前途危險；埽壩不堅，非改石壩，崩決堪虞。余詢以兩事預算如何？答云：河口之沙，用伸出壩冲沙法，須款約五百萬；改石壩及修河，約七百萬。余問：河口之沙，外受風濤之力，是否照計劃做去，一定可以收功？答以殊不敢必。彼又言：山東地段，每年治河費四　萬元，除養河兵八百及機關費用外，以二十四萬爲修守防汎工料，因此卽改用石壩一層，亦甚遲緩。彼又言：兩岸蓄水或修改河床，最宜注意者爲民人安土重遷，誠以未見其利而已失去其地也。十時，余應約赴省府韓主席宴，彼此縱譚水力利用及近代經濟軍事工業，主客至歡。午后三時，往小清河工程局，訪局長宋文田君，談及山東河流？皆係便濬疏，運河與小清河係航運用，而小清河用處頗多，但非加工程，不能有效。現由建設廳規劃，已經動工。但該河冬季水量甚淺，擬由黃河開一壩水，缺時將河水放入，雖復閉之。五時河務局長約晚膳，該局祕書科長段長均與焉。年均在五十以上，服務至少十餘年，於局經驗頗富。若能再行補充科學智識，或以熱心水利之初畢業學生從之見習，則將來治河工程，必有相當裨益。飯後，令備準明日視察事件，兼搜集當視察之圖案，以備與實地對照。九時，新聞記者來訪，余答以此來目的有二：一以視察所得以供治河計劃之資料；二希望運用政治之力，使計劃得成事實。記者去後，適周鍾岐君來，歎然道故，十一時就寢。

十六日

早七時半，偕張君含英，王君柏臣，河局工務科長潘君鎰芬赴濼口乘船，沿河視察。河水在此時期為一年之中上水位，在濼高於平地三四尺，漲時再高三四尺，有時濼口漲至一丈左右。由濼而下。沿河彎曲之外方，多築有順水埽，即挑丁埽。以石為料者，曰石埽，以柳編作者，曰柳埽；以粱桿作者，曰掃埽。石埽建築費多而維持費少，且甚堅固。柳埽則須有石脚，耐久力次之。掃埽則年年用費，且甚危險；經濟若不充裕，則不宜用之。現時各段已漸改石壩。據工程科長言：如照現時做去，十餘年後魯省可全爲石壩，但慮水道變遷，或不能源源撥款，則難預定。黃河水流甚急，余等乘船每小時行三十里。河岸均駐河兵，以一半作工，一半防汎，兵衣制服與工兵同，皆駐隄上。餉分兩級：作工者每月十元，防者每月八元，所有各種堤壩，均由兵作。壩工既畢，則堆土堤上，以備險時補壩補堤之用。所過各段，段長及兵均出迎接。午后四時抵清河鎮，鎮之七五里有大王廟。此處以前曾出險三次，河水衝突甚激，現雖修有石壩，然若不作挑丁壩將對岸之土沖削，則仍恐有不穩也。是晚，宿於舟中。

十七日

午前七時半，由清河鎮出發。舟中，余感覺山東段河之治理，有三要件：一作湖瀦水；二固定河道；三墾放河口淤地。作湖地點，以東平北部爲宜，但實作之先，宜預測量其面積容積，可用若干年限，及需用民力幾何，作一周密之籌算。該湖作好後，則洪水可以減輕，而濼口影響更大。蓋濼口水之起落，較他處爲多，固定河道方法甚多，而比較易行而有效者，係鞏固堤壩。堤壩鞏固則一宜改埽壩爲石壩。現時魯段全段，均用肥城石每方工價三元運至濼口需費七元，合共十元，而濼口附近之石，工價雖稍貴然省運費至少在半數以上，因當局不願破土人之迷信，常用貴料；堤上受其影響，此非計之得也。二、宜注意水流曲彎處，須使特別鞏固，否則水流一有搖動，則下流線對衝點完全改移，工程既大，危險增多。三則河槽宜有全河計劃。劃定兩岸合理堤綫以後，修理新築之堤均令倘此規定之線。蓋現時各段各部門前自掃河槽轉動，前功盡廢。至因劃定河綫，該地人民之損失，最好由募資補償，以備遷徙。河口淤積之地，肥沃異常，且免泛濫，最宜將其墾放，以地之所得，以爲疏濬口沙之用，至其所需之墾民，卽以東平移民充之。關於墾放設施：如治安交通，墾放機關，金融機關等，亦須有適宜之籌備，凡領荒者，限年開墾。定以條例，使資遵守。此事已請張君含英一一記之。九時半，舟到蝎子灣，分段長呂振東君出迎。君年已六十餘，在河工服務四十年，所述關於河壩做法及搶險出險處置甚詳，已由張君詳記。余巡視該工後卽下船。時風浪正大，不能開行，祇得泊待。十二時午膳，請潘科長轉告河工服務人員之有經驗者，務將所有心得及方法，筆之於書，彙成報告，以爲將來之參考。蝎子灣以前係埽壩，經地方人士募款購石，改成石壩，自是以安。果能處處如此，則河防之險，當無問題，是在執政者之引導耳。午后三時三十分開船，六時三十分抵王旺莊，該段分段長周震玉君來迎。周年六十八，光緒九年入營服務河工四十餘年，精神頗好。余囑其將生平致力河工經驗及履歷開來，以爲參考，并資表彰，以鼓勵一般河工人員。余上岸後，在防汛所略坐。時月明如晝，水光接天，不

濟陽鐵匠莊之埽壩

覺百感交集，因請張王爾君攝影，以誌鴻爪。張君並講述夜映之法。此片擬題爲黃河夜景之一，時夜氣已寒，回舟就寢。

服務四十年之老河工

（周靈玉馬清林）

十八日

早七時，發王旺莊，九時三十分過高家墕。此地曾於民國十年決口，決口原因，係以河之彎度過大，外方受直衝之力太甚，而堤又屬埽壩，抵抗力弱所致。當時山東省長爲田中玉，河務局長爲勞之常。勞係津浦路工程師，調此工作，作成新工程計劃，條陳當局，估價九十五萬元。當局因遲疑不決。至明年洪水汎後，孫秉琦任省長，張慶堂任河務局長，始決定照勞計劃

實行。此計劃係以石築壩，將河改向南行，另開新河，使流直向。全部工程係由托得

黃河下流之堵壩

(Toad)介紹亞洲建業公司承築，包價一百五十萬元，迅開新河及各埠合用二百萬元，八個月竣工，用石一萬二千餘方。築時，係先構木架，然後放石，自此之後工程極為鞏固。十時三十分自高家壩開船，十一時抵大馬家，利津縣長羅津蒿君赴省未返，電派科長張慶堂，公安局長吳鍾嶽，民團副隊長王華潭，教育局長王惟廉偕同縣黨部整理委員吳清澄諸君到來歡迎，並招午膳。去年水漲，曾將此對面之一塊淤積冲去，水向汎所直衝，汎所崩塌。幸得數千人民會同河兵搶險，始告無虞。據

說：黃河工程，如預備材料充足，而又天氣不惡，人民齊集，必無可虞。年前高家壩之決，亦由於張宗昌久不發餉，無人負責，材料無款預備因而出險云。午後一時，離大馬家，一時二十分抵利津。利津爲黃河最東之縣，東達於海；海口地方遼闊，且有海灣，因特招利津河尾堤工委員會主任岳光鼎，利津紅十字會會長王汝濮，濱浦利霑棣墾丈局股長史泉如詢問水消淤地情形，治安狀況，墾丈辦法及魚鹽利益甚詳，以便據此以作開發淤地及治河尾計劃。余以爲河口淤積之地，地利既多，若整理之後，以其所得之利治河，總可足用，惟須得人辦理耳。河口淤塞原因，據各方報

利津佛頭寺埽壩與料垛

告：一因河道散漫，沙泥不行；二因蘆葦叢生，阻水去勢；三因人烟稀少，民力有限。若於此着想設法，則治理不難。岳光鼐對於河工，至爲努力，如組織聯鄉會與軍隊聯合剿匪，修築民埝，至爲難得。對於修築堤埝，更具一報告以供採納。是夜宿利津閻家船中，預備明日回濟。

河堤之木料

十九日

早七時，自利津之閻家乘汽車起程，沿南岸回濟。汽車路係利用河堤，堤之兩岸，柳樹成陰，風景至美。農田皆種高粱與黃豆，農民以之和而作食，味雖不佳，而養料頗豐。沿途汛站相望，車機不佳，行動遲緩，至午方抵長鎮。鎮有店鋪，亦有集。集者，南人所謂趁墟也。車中張君含英爲予言：

惠民縣楊房之埽工

曹州昔日甚富庶，清末有王朝俊者，往日留學返國，不作官，在地方辦有學校三間：一爲感化院，招爲匪者教之，匪多受感化；一爲中學，以教小學升學諸生；一爲女學，以教女子。自此以後，民智日開，人才輩出，匪遂絕跡。至今地方已能自治，猶思念不已也。在長鎮午膳後，即去電劉莊，詢問遵河堤而行，可否直通開封。蓋欲一面視察河道，一面取直徑前進也。午後四時抵濟南，仍寓鐵道飯店。六時，梁漱溟先生來談。梁係研究地方自治有心得者，現在鄒平辦理鄉村研究院，成績極佳，有心人也。對於國內問題梁君主張應由下層入手，余

意應由政治入手，實殊途而同歸，蓋政治不改善，則農村亦無由改善；反之農村不

鈎頭高家之坍塌石壩

能建設，則政治亦無基礎，故二者宜並重而不宜偏廢也。談至十時而散，猶有餘味，約明晨再談，即請張王兩君預備後日往開封車輛。時新聞記者來訪，問余視察情形，余答以治河應注意上流與尾閭，山東境內之段，自改用石壩已足固堤，惟海口沙地宜開發，使農工商業發達，人口多衆，以本身之力治本省之河，則基礎可以久固，祇須將交通辦好，治安辦好，則衆至如歸，大可以供作東平湖周圍人民移墾之用。是夜十二時就寢。

二十日

午前，往訪梁漱溟先生。梁原籍廣西，生長北平，研究學問，至有條理，見面後爲余言：中國現時舊組織業已崩壞，而中國與外國風尚習慣心理思想不同，且有至強之保守性。因保守潮流之蕩動，中國舊時之方法，不能應付環境，他國之情形又不免鑿枘，在此情形之下，誠宜尋得適宜之路，注意於其他及社會運動，此事見效則政治亦可因之得以前進。蓋中國向來社會係消極的散漫的，茲欲求安定，則宜改爲積極的有組織的。然此非從文化社會事業上做去不爲功，苟此事有政治力補助推進，進步自然迅速；否則在國民方面，亦應努力做法，收效雖遲，基礎以立。至於政治方向若不注意於此，則無眞實生機。機械式之做法，與潮流相反，結果必致失勢。顧社會運動，在有領導人，并宜注意於經濟生活方面。對於國家之進步，着急無益，希望無益，等待更無益，祇要有意義的做去，有全部打算在胸中，勝劵最後一定可操。總之要將社會文化事業做好，導政治於良善，乃可以言救國也。午後，飭預備往開封汽車整理材料并寫辭行帖。

二十一日

早七時，乘汽車發濟南，十至至濼口渡口。此為黃河下游水之起落與流速之最大者。津浦鐵路橋在渡口西兩里餘，堤均為石壩為濟南屏蔽，故此處工程，格外堅固。余同行者，有潘君鎰芬，張君含英，王君柏臣及測量員李君潤之，助手齊志尙及隨從共七人，車兩輛，分兩船渡河。十八里至趙莊，有減水閘一道，工程良好，係大石砌成，為光緒十五年魯巡撫張曜所造，係備洪水來時，以分水勢之用。閘成，土人視河水如猛獸，均臥閘下，請求勿放水，用是始終未成減水功用。所謂智者所為，衆人不識也。二十五里至江廟，此地險荒地甚多，縱橫各十里，在徒駭河之上流，若築壩作湖蓄水，澄清之後，再使流入徒駭河，一則可以減少洪水量，二則補充徒駭航運，至為有益；而於濼口泛濫，影響尤切。十里至齊河。此地魯建廳曾有以虹吸法接水灌溉之議，惜未實行。七十里至宜莊，在此午膳。自此以上，多民埝。蓋人民利用淤地，築埝耕種而全河亦得其束水之利。七十里至香山。六十里至陶城堡，爲運河與黃河交匯點；距河邊約五里，設水閘一度。昔日南方糧船，通過黃河，即將河內堤閘放，駛入堤閘之間，將堤塞好，開閘北上，當時爲南北交通之衝，頗爲繁盛。其堤閘之間，土壩縱橫，用以防決，設計至爲周密。今則運河舊道，已經淤塞，柳樹生植其中，令人不勝滄桑之感。現今離陶城堡之北，一百八十里之臨清，始有船可以行駛。由閘南行五里至黃河邊，復渡至南岸，循隄行三十五里，至南岸與運河會合處，即爲十里堡，此地在光緒十七年以前，運船來往經此，民殷物富，惜因河身日高，河水倒灌，

山東濼口黃河鐵橋

淤塞不能行船，遂日衰落。今則須上至濟甯，方可行舟，其渾水亦改道由姜溝入河矣。車於午后四時到此，休息片時，約地方紳士譚芝眷來詢其東平湖形勢，略得大概，約明晨六時往戴家廟附近實地觀察。蓋余意以爲山東境內，誠宜覓一蓄水之湖，以調節洪水，而東平湖卽最合宜。但對於土地人口兩方，非先查確，不能擬定計劃也。在十里堡住一段所，爲前鹽道兼河督署，結構極佳，頗爲舒適。濼口之西，約十里處，名大王廟，河水灣度成銳角，殊爲危險；宜照高家壩方法改造，款約三四十萬元。

齊河水牛莊之石壩

二十二日

早七時，往視東平湖。湖與治運有連帶關係。治運委員會計劃，余極表贊同。計劃書內，係擬以湖容納大小清河之水，以免泛濫，而供運用。以一半淤積成田，以資出產。但余不主張漲塞一半，擬利用有餘容量，以爲黃河蓄水之用。蓋濼口水之起落，非在其上流有蓄水之所不可。且余擬利用舊運河爲入水之口，一面淤積堤高耕地，一面以經澄過之水入湖，於適當時期，再由姜口放使入河，助河沖洗。余等登大金山，舉目四望，頗類太湖風景。惟人民生活，則不啻天壤矣。湖畔田地多荒蕪，雨水來時無去路與蓄積，過去則旱。若開以溝渠，即可救濟。惜地方人士，均不注意及此，殊可慨也！大金山多石，將來築堤至爲有用。八時五十分回十里堡，早膳後，沿南岸上行，九十里至楊廟，再五十里至水泊。水泊即宋江故里，泊祇留小水池，非復舊觀；梁山亦遙遙可望。此地尚時有萑苻出沒。六十里至臨濮，濮水已爲黃河所消滅。沿途土地瘦瘠，河多泛而田乾，惟人家稠密，爲南去荷澤分途。再西南行五里至董莊午膳，更三十五里至劉莊。山東河防段，至此爲止，以西則屬河北界。河北段長林丹忱來迎。此處河彎爲九十度，以前曾決口一次，直決荷澤，故荷人出資五萬，購買石料，以築石壩及石挑水壩。然余意以爲宜照高家壩法修築，加費約十萬元，可以一勞永逸。再十五里至安頭村，渡河過北岸。對岸前兩日適有險象，近搶修中，船不能攏，改放下五里上岸，至時已七時入黑矣。孫局長到岸迎接，八里至河局，局在濮陽大壩旁，民國二年曾糜費六百萬之鉅。國家撥費治河，而當其事者即乘機中飽。政治不入軌道，貪污之甚令人可驚。到局與孫局長談，詢以東水應用石幾何？孫云：

黃河堤壩工作情形

約十七萬方。每方石在鞏縣碼頭交貨價爲四元，運費須三十元，共三十四元，全部工程共須二百餘萬。此數確否，尚待測計。

濮陽八壩頭之磚壩

二十三日

早七時，在河北視濮陽大壩。此壩報銷六百萬，爲徐世光手經理，以實約計之，最多不過二百萬。以下黃河工程耗公帑至巨，而實心作事者，殊不多見。歷來均以無粘力之砂與比重輕於水之高粱桿作成埽壩，又無工程常識，故水過中位，即不能抵抗，時常出險。出險後則又故意張大水威，乘機報銷。請款不准，則萬民塗炭，准則隨意妄報，用於水下材料若干，被水冲去若干，實則多非實數。歷來常事多屬此類，

良可慨也！隨往視搶險工作，見正在以磚砌壩。此法究不穩當，然勝於埽壩多矣。次

八壩頭磚壩工作

往視新築橫堤，此係孫局長以作試驗東水之用。余以爲此法甚佳，一則可以東水，二則可以積淤。但壩與水成直交，恐壩頭欠穩；且非兩岸同修，則對方即有不利，故不如將橫壩改爲直壩，不惟可將邊水推向流線，且可加長流速，收驅沙之效。余等在橫壩頭渡河，時已十一時矣。渡河之南岸，視十三壩。此壩不堅，孫局長告余，明年恐有不妥。余以今日路途難行，時已不早，遂上汽車告別。二十里至東明，有陳平故宅遺址。城小而陋，居民不多。過此則途多沙邱，想係黃河改道時所溢出者。在此縣

無汽車行駛，帶來嚮導，不識道路，幸帶有地圖指南針，得不致失途，途中各莊，均築圍牆，鄉人不肯言路。聞匪時時在此橫行，人民貧苦，不堪言狀。一百二十里至考城，風氣至爲閉塞，余見牆上貼有放足標語，市廛亦蕭條。時已午後，余因途中無所覓食，即在此午餐。餐畢就道。此間通開封條有汽車道頗好，行駛極快，約四十里過黃河，舊道縱橫，溢壩頗多，但各省當局，以其地僻而不便，往往疏於注意，一日出險，江淮被害。七時抵開封，投宿旅店，河南河務局長陳汝珍率同祕書科長來訪，略爲寒暄，約明日往謁省當道，並遊開封附近。十一時就寢。

濮陽決口之工作

賈魯河風景

二十四日

早九時，往河務局，適本日爲霜降節，舊例本年無決堤，則舉行安瀾會，各分局長暨河務人員均齊集，請余同拍一照，以資紀念。十時乘汽車出南門五十里至朱仙鎮，再二十里至賈魯河。此河爲賈魯所開，故名。在津浦路未通車前，爲河南與江淮重要運道，其下游通尉氏周家口以入淮，久已淤塞，每年水不能排洩，受害甚深。馮玉祥在豫時，飭現任河務局長陳汝珍以死力將該河挑濬，兩岸植柳，在此以下三十里，可以行船。此種工程，如用經費，須八九十萬，茲不費公帑一文，而人民踴躍

如此。推而廣之，若能善爲指導，則中國一切均無困難也。午後一時，回朱仙鎮午膳，

劉莊之石埽

朱仙鎮爲古時中國四大鎮之一，昔日極爲繁盛，光緒年間尚甚繁華，今則一片荒涼，祇餘斷牆碎瓦，予人憑弔。當南宋時，岳武穆北伐至此，爲十二金牌召回，於民族文化歷史，爲吾人刻至深之印象。余午膳之館，名朱仙第一樓。此館係一舊尉氏劉姓之第，雖頹敗不堪，而棟樑之雕刻，瓦椽之講究，可想見當時之華麗。據館伴云：劉家盛時，有常鋪七十二家，錢莊八十三家，數十年間，零落至爲人傭，以賣屋料過生活。盛衰如此其速，令人慨感也！飯畢，往遊岳廟，現作殘廢兵院，有殘廢官兵四百餘

人，係民國十八年所致，多斷脚折臂扶杖而行。戰爭之殘酷，處處留有餘痕。有副官出而招待，引往參觀，並指說歷史之陳跡。廟內有碑一塊，係當日岳武穆送張將軍靖者，書法神飛，詞至慷慨。碑後有樓一座，傳係岳女公子被害處。此廟係人民所立，結構極佳，用以紀念我國民族精神，至有意義。遊畢回省，謁省主席劉經扶。劉係同學，談別後狀況暨治河辦法甚久，復往建設廳拜張靜愚廳長，適往漢口，由其科長宋泚出見，並云：張廳長昨派渠在路口歡迎，車過不晤，臨去時並囑代爲招待一切云云。六時赴陳局長晚宴畢，回寓稍息，步遊汴市。汴爲昔日魏之大梁，自河決後，舊

黃河邊之居民

址已沒地中，所謂侯生夷門，欲問故處而不可得。十時就寢。

二十五日

早十時，出開封北門，至河邊，乘船往陳橋，河身廣闊，多淺沙，至下流二十餘里始能靠岸，加以逆風，行兩餘鐘始達。上岸行兩三里上隄，隄之內約五里，復有一隄，兩隄中間成一長圓地，東西二十里，多鹼，人稀，適宜儲水及淤積。若將隄加固，放水入內，五年可淤成一百方里膏腴之地，每畝值三十元，可得四百五十萬元。只需收買民地及修隄費約二三十萬元，即可做到，回登岸處，西行六七里即陳橋鎮，人口逾千。元以前，河未改道，尚與開封相連，頗

陳橋古跡

爲繁盛。昔時有橋及廟各七十二座，宋趙匡胤發祥於此，有黃袍加身處，繫馬槐及策馬所渡之橋。當時驍桀，空餘痕迹，而國本規模不立，子孫昏庸，終宋之世，漢族不能自振，若與朱元璋相較，不可同日而語也。參觀諸遺跡既畢，返渡河南。天巳蒼茫矣。

二十六日

早，遊禹王台，名曰古吹台。名稱之來，無可稽考。有兩治水機，外係圓形，內構螺旋，不知何用，然功德及民，萬古不滅。入其台想見爲人。該台轄地甚多，園藝場亦在此。常春秋佳日，士女如雲，來此瞻仰。西南望，有梵塔，係建於元代，雄偉異常。離禹王台往遊龍亭，相傳係宋故宮。其南有二湖：一楊湖，以紀念楊建業者；一潘湖，以紀念潘仁美者。龍亭據北城高處，可覽全汴，中置方石一座，周刻龍文，係昔年御座。亭下有隧道甚多，隨處可通，係便昔日各殿地下往來者，結構頗爲奇特。或云：此係明周藩謂有王氣，故建於此以應之。隨搭車往遊河南博物院，有洛陽、新鄭、殷圩各地古物及種種石碑。殷圩多銅器，新鄭爲骨甲文，精緻無比。古人無紙，有事則刻骨以誌，有卜則刻文於龜之腹，放以求之。銅器刻式之美，構造之精，非吾人所能想像。十時半，離汴北行十八里至河隄。沿隄而行，四五里見豫建廳所安置虹吸，引黃河之水入賈魯河，以便下游灌溉航運。雖規模不大，此風一開，將來黃河下游各省受福不淺也。午後二時，抵鄭決口，距平漢路黃河橋二十餘里。當時爲李瀚章督修，用去一千二百萬兩，光緒十三年十二月興工，至次年同月完畢，盤費一年工夫，有紀念亭，刻碑以紀其事。過此以後，約行五六里，隄之西爲沙邱，車繞小路而過，至午後三時三十分，始抵車站。由開封北端河隄起至鄭決口止，河隄修理極平，樹棟等樹，兩行並植，至爲齊整。查魯豫燕三省治河之款，以豫爲最少，每年祇十萬元，而成績斐然可觀，足見事在人爲耳。到黃河南岸，火車適已北上，河橋長六百餘丈，不便行人通過，因與站長商借搖車兩輛，經十五分鐘，始達彼岸。車上視河流，頗有履冰之凛。至北岸，有汽車一輛停候，係預電約者，即改乘之以往武涉，視察沁水。沁水導源於山西沁源太行山，東南入於黃河。下流居民，設水閘，引流灌溉田畝，頗得其利。惜上游不知建築谷閘，以調節洪水，往往雨多則溢，雨過則涸。今年大水，為八十餘年所未見，植物被淹，所失不貲，地方人民請河局加高其隄，以防後患；平漢路局為保護黃河橋起見，亦捐助石萬餘方。然治本究以植林蓄閘為要。午後五時，抵武涉縣城，前清有道尹駐此，昔為重鎮。地方人士對於水之利害，認識至真，故余感覺治河宜運用政治與人民之力，則事半而功倍。縣城之東，有木欒店，繁庶過於縣城。昔日隴海

沁水之灌溉閘

汴未通洛衛，商業幾輻，至今仍為縣之精華所萃。余連日疲勞，今晚特早就寢。

二十七日

早八時，沿沁水隄上行，十里至柳村視水閘。該閘有隧道兩道，裝置頗妥；若有一道決口，尚有第二道可以防範。此等水閘在沁水兩旁鄉民多裝設以資灌溉，楊村附近，種白菊花極多，據土人言每歲武涉縣出產，銷行全國。武涉爲古懷州所產懷山藥，著名全國；而藥方多以懷作淮，誤也。由楊村回武涉城，轉向古柏嘴，原非大道，汽車行動至艱，路程祇四十餘里，需時至四小時，而震動之劇，令人至爲難受。午後三時，抵古柏嘴。此處爲河南中段，河身最狹。其南隔河爲武常山，係屬土山，即邙山山脉，童禿枯槁，沙土入河之量至多，誠宜速作森林，用以保護河道，且以材木供給隴海平漢兩路枕木。辦法宜直接國營，或強令人民自種，不植者過期取銷其土地所有權。此山東接平漢，南接隴海，北面黃河，輸運便利。古柏嘴之東，有淤地一大塊，方三十方里，以之爲淤地，祇在北面築一堅隄，三面憑武常山，以渾水放入，清水放出，可淤成膏腴耕地。看畢而行，二十里至温縣，縣城東十里爲趙圃，係子夏故里，地方人爲之立碑，文曰卜先生之故里。又二十里至大王廟，汛方午膳，今路少時多，無用飯處。膳後四時三十分，復沿河隄西行，崎嶇不減前路，六時至平化村。村距孟縣縣城五里，里長阮藩齋預來迎候，因天晚人疲，遂就汛歇焉。化平村有人口三萬餘，村長十里，若能善爲領導，協同政府治河，爲力當不少也。孟縣昔與孟津合爲一縣，以河分南北，治理不便，遂分治焉。孟縣人口四萬餘，地面偏小，經商者頗多。地產生地、地黃、白菊，人民強悍，昔日多盜，軍匪不分，此兩年來始稍斂迹。孟縣昔時頗受河害，舊城於金時沒於水中，自孟縣在黃河北岸修排水石壩，挑水南行，始告安定。然孟津土隄，又被壓毀，可知治河須有整個計畫，兩岸須同時工作，方能始終有益，否則不特土地財產有害，而兩岸人民易成仇敵也。余本擬今晚渡孟津休息，因路難車緩，不能再進，故是夜宿孟縣一堡。

二十八日

早六時，由孟縣一堡出發，自孟縣渡河至孟津渡口，過渡去處有二：一白坡，一落洞斗。白坡在西路。遠而順流，余係坐汽車，不嫌道遠，原擬向白坡前進，但道路原祇行走大車而汽車不能直達，仍須取道於孟縣城，行五里至城南行，有碑曰韓文公之故里，出城之西北，有韓莊，韓族人數百家，係韓文公後裔，但韓送李愿回盤谷序，則自稱昌黎韓愈，余因趕道，不暇詳訪。過城西行十五里，至落駕頭，其前臨渡口，越淤沙二十里，有渡過孟津，以旣經失路，祇好將錯就錯，過至鐵謝。鐵謝之西，有光武陵約距二里，適入洛陽汽車將開，不能前往參謁，殊爲可惜。由鐵謝東南行，五里至孟津縣城。城西二十里爲周武王會諸候誓師處，名叩馬寨，以伯夷叔齊叩馬而諫，故名。再過三里，有首陽山，夷齊採薇餓死於此。距縣城一里許，有河馬負圖處，有羲皇廟，內塑伏羲像及河馬像。馬龍首馬身，背現星點，相傳伏羲感此而作八卦。廟內有周文王大禹伏羲像，石碑數塊，雕寫極精。由縣城趨洛，道中多古大坟及石碑，雖銅駝荊棘，然當時洛陽之盛，概可想見。午後三時，抵洛寓長春旅館，飯畢略睡，六時往城中大觀園沐浴。浴畢，步行街中，出城往飯館晚餐，餐畢即回寓整理視察材料，隨即就寢。

二十九日

早九時，往國府謁魏文官長，詳述視察情形。大意謂歷來談治河者，多未親睹全河，有理論而無計劃，講方法而不計及經濟，故祇有防而實未治。十時返寓，寫友信及家書。十二時午膳。一時半往遊洛陽名勝。洛陽為周公旦所營，瀍西澗東，背邙而洛作王城以朝山東諸侯，其東之命墉城，為成周以處殷民，其後東周東漢曹魏西晉北魏隋煬武曌朱梁後唐均曾建都於此，古蹟不少。雖滄海桑田，不能認識本來面目，然古碑古物，觸目皆是，而殷漢梁北魏諸陵及王公寢墓，均有可見。中國文明之根源地也。故余時間倉卒，亦抽閒一遊，同伴為王君柏臣等坐車先到東關，有土窰一大座，內住貧戶，車夫告余曰：此趙匡胤誕生地也。生時彤雲蔽天，名八孔破窰，以有八戶也。再過不遠，有宋太廟，其鄰為東大寺，規模甚大，棟宇華美，但頹牆半圯，不堪入目。再行不遠為銅駝巷，銅駝久已不存，巷內有老聃故里。又北三里許，有

司馬懿陵，碑曰：晉宣帝平原之陵。士陵一座，餘無所存。再北約半里，有呂祖廟，形勢

八孔窰

頗佳，前臨瀍水，然瀍已乾涸，祇有河痕；若雨潦暴發，則又洪水奔騰矣。由城者再入城邊，轉往西行，至周公廟。周公多才多藝，余幼讀書傳，未嘗不懷想其人，今親至汴洛，睹其廟食，渴慰可知。但此廟原在金墉，後被遷於此，失其本址，稍可憾耳！此地已，作文化院，以備研究古代文化，亦至得也。又西一里，為西宮，係唐上陽宮紅葉題詩處，植樹頗多，常稱幽美。袁世凱造兵房於此，吳子玉亦在此駐兵數年。有廣寒宮在西花園，現軍事機關，多在此處。由此轉西南，循洛水隄返城。洛陽新舊橋，祇餘橋

孔，任人憑弔，不能通過。——孟洛上游少森林，潦至則勢滔天，過則若溪水也。回寓已六時，飯後，夜十一時就寢。

新洛陽橋

洛河口

洛河口黃河邊之邙山崖

三十日

早。乘隴海東行車至鞏縣。六時開車，七時五十八分到達，往訪縣長，詢以伊洛河口情形，據稱：黃河河底日高，洛爲倒漾，山洪暴發，則泛濫爲災，舉目四顧，山均童秃，不特水量不能調節，而土崖崩塌，風化至烈。隨坐船往洛汭視察，見河水衝削，邙山倒落極速。查河沙之來，以河套爲最重，而泥土之加入，以邙山爲至多，故在河南講求減少河泥，非於伏牛山脈南之邙山一帶造林，及令山田田畔廣植楊柳，並急於邙山河畔趕造石壩不可。視畢，由洛步行回鞏縣車站。蓋上水行船，非兩小時不可，而不能趕及午后一時之火車也。午後，乘車回洛。伊洛工賑事務所長郭涵，孟津河工委員靳友蘭監察委員萬寶禎許鼎臣等來訪余，詢以伊洛瀍澗詳情，並告留水及森林興利之關係，請其以所知條陳，以便彙入報告。郭隨出伊洛河流概況及工程師蔡亮工查勘孟津縣黃河工程計劃書兩份贈送。諸人去後，余即作書寄許公武曾養甫諸兄暨發家書兩扎，飯後準備明日赴龍門諸事，十時就寢。

三十一日

早七時，自洛往龍門視伊水。自洛陽南門外渡洛河，古洛陽橋，久名於世，至今祇留一孔，以存鴻爪。其西為新洛陽橋，吳子玉在洛時所建。橋成，吳在橋觀望，洪水忽至，兩端冲斷，吳在中間正急急中，其步兵隔岸以竹排救之，始脫險。現所存者，即吳當時所立處也。渡洛後，南行十五里至關公廟，關坟即在其中。關雲長在樊城為呂蒙所害，吳以關頭獻魏以取容，魏重關之為人，鑲以木身，塟葬於此。關廟建築宏麗，柏樹成林，墓在廟後，園圍護以紅牆，坟前結構莊嚴，坟有小門，棺置其內，神思感觸，忠憤之氣，緬念無窮。余與張含英王柏臣諸君游覽，復乘手車南行，再十里至龍門，有土人引游古迹，先到潛溪寺，棟宇相聯，頹破已甚，賣碑帖者正搭印中。余購買十餘事，即乘此登山。路小崖懸而石又滑，余穿皮鞋，行動至不安，祇好攀扶緩上，而引導者爲一前清孝廉，年五十餘，手提水煙袋，步履蹁躚，顧語余曰：斯眞「一登龍門，身價十倍矣」。少頃至頂，遠眺伊水悠悠，蜿蜒無盡，因詢以水患情形，據稱龍門每年水高一次，約五六丈，龍門之內，亦高一丈或三四丈，若築壩分水，則可減少。余細察一望均是童山，且有地可供蓄水，可植森林，而荒若此，有司之過也。余覺黃河本

洛陽龍門口

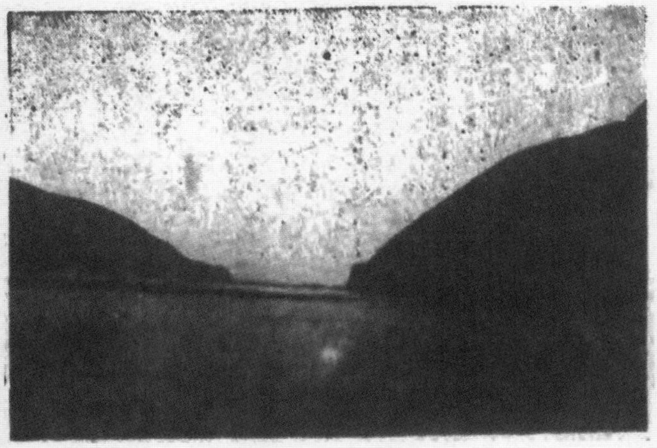

流重要工作，宜由中央辦理；支流宜歸省及縣領導人民辦理之，在河南經過縣分不少，類多以為多作一事，不如省一事。此種現象非力加革除不可。余以上山之路太難，故改由南面而下，繞山腳北返。沿路石洞甚多，內均鑿有佛像，而以天竺洞為最大。佛高八十尺，菩薩高七十尺，全銅高五十尺餘，大小佛甚多。此種石洞石佛，多係唐製，碑則歷代均有。時已正午，遂入龍門寨午膳，膳畢回城，已四時矣。余乘機往訪國府秘書許靜芝先生，暢談約一句鐘返寓。復往沐浴，浴畢晚膳，回寓收拾一切，作日記及致友人書。十一時離洛乘火車往潼關，所謂肴函之險，余境夢中而過矣。

龍門石佛

潼關市街

十一月一日

早七時，余睡車適過函谷，北河南看，火車穿山越谷，鐵道離舊路頗高。在昔紆迴於此，終日始得七八十里，而征人之苦，每嘆難前，今則便利何可以比計。九時車到潼關，穿山洞，在西門外停車。軍隊檢查行李頗嚴，余有護照，尚無繁擾。潼關在肴山山脈之北，其北隔黃河渭水，城半枕山，夙稱天險，曹操曾於此割鬚棄袍，歷史上夙稱三秦之鎖鑰，到潼入秦安棧。余自視察以來，未嘗一日休息，每晚最早十時就寢，餘多在十二點，早上五六時即起，頗覺疲倦。余於街上及城樓步行一遭，午膳後稍睡，五時起復出散步，晚膳後即預備往西安汽車包車，車費原價一百五十元，車站長祇收半價。給價以後，約定明晨八時起程，今日得一夕安寢矣。

二日

早八時由潼關西行，七十里至華陰。大華山亘其北，峯巒參天，沿途森林風景至美。六十里至華縣，一路見新植白楊甚夥，據土人言：昔年陝多樹，雨暘時若，自前三年大寒，樹多凍死，故天旱異常。正午十二時過渭南，午膳，一時復西行，二時三十分過臨潼城。城北爲驪山麓，即華清池，秦宮漢池故址，地噴溫泉，楊貴妃常於此沐浴焉。池有七，第一二在第一旅館內，佈置幽潔，餘均由民衆自由入浴，第七池傳即楊妃浴處。余遊覽畢，因攝一影以爲紀念。復西行，三時過灞橋，復前行，過滻橋，兩橋雄麗，中間林野相間，又二十里，抵長安，寓西北飯店。少頃，李正之、劉潛兩君來談，是晚未作他種工作。

三日

早九時，往拜李儀祉先生。李係中國現代水利專家，對於治河，頗有研究，涇惠

長安市街

渠之成，大有力焉。余因賈筱俠兄之導，直造其公館。李適患痔，扶病強出，余感不安，仍請其臥床譚話。李君年祇五十餘。有心人也，故談約二小時，適壽君士章至，經李介紹略談，余即告辭，與壽約在水利局見面。午前十一時餘往水利局，工程師總務科長培汪儒與壽均在局，余詢問關中水利情形甚詳。余本擬後日往觀涇惠渠，聞壽云：白朗博士後日可到，不如同往更便。余覺機會甚好，遂決意候之。正午，與劉君伯龍王君柏臣賈君筱俠共午膳後，往劉賈各寓，隨接許公武兄自南京拍來一電

并接公私函各件。許電係言政治會議推余爲西北專校籌備員暨農林大學校長，兼黃河造林局長事。余於教育本非所長，願以西北需此甚殷，亦願權時担任，以待賢者。午后四時，應李儀祉先生約赴義仙亭飯店晚宴。李不能親到，由壽代表，七時回寓，九時休息。

四日

早九時，往省政府拜其秘書長耿壽伯君，暢談約兩小時，並請耿詢楊虎城主席會晤時間。耿即以電話轉達余意，當復今夜請余晚宴會談。余因欲赴草灘壩，及往觀渭水，長安無汽車可僱，耿即派汽車一輛，武裝兵八名，保護出城，北行二十五里，至壩上之試驗場。因經濟困難，並無所有，祇有辦事員居此而已。此地遍地皆鹼，昔有水渠一道，名民生渠，可灌地百八十里，資以植稻，今已淤塞，不能復用矣。如欲恢復，約費十餘萬元，即可灌地約三萬頃。由此北行，五里至渭水之濱：河面極闊，岸無草木，易於崩塌。情形與黃河同，水不混濁。據熟知渭水者言：渭水自亞白鎮以東均濁，其西則清，故治渭之法宜準黃河中段之法，以固定河槽，冲刷積沙，否則遍地泛濫，且不能航行。午後一時回城，已二時矣。四時赴新城大樓楊主席宴，賓客甚多，約三十餘人。楊問余：中央對於黃河如何辦法，余告以中央對於黃河，亟圖治理，祇以從來未得瞭然全河情形，故派余視察。七時宴畢，返舍，以函詢水利局以陝中圖籍見贈，以便查知關中水利情形。余因連日勞頓，虛火發生，稍感不舒，飲生植麥芽少許稍適，九時就寢。

五日

早九時，赴友人早膳，席中均陝人，談及陝省連年天旱，民不聊生，軍政各費均感困難。官吏向人民催迫過甚，人民不勝誅求之苦，多棄田而逃。漢中方面，粮食大賤，銀物貴騰，亦相率逃命，若今年能得霖雨，遍及全省，尚可圖救，否則不知如何了也。所幸隴海鐵道繼續西展，臨時救災較前略易。然現時拆屋賣料以度日者不在少數，每間房料祇值一元。座中無不唏噓太息。正午有稱慈善家白隆博士者，乘飛機自晉到陝，長安各處，滿貼標語，各機關地方團體均往歡迎，若救星之蒞臨，一般急迫待救之情形，可以想見。余發生一大感想，西北有如許之土地與人力，不自爲謀，而專候慈善家之賑濟，殊可悲可憐也。現時救濟之法有二：一爲政治之整理；二爲鐵道公路之溝通，否則日言水利，亦無益也。長安昔日街道多爲石路，自開馬路之後，將石移去，一遇風起，灰塵飛揚，行人苦之。賈君筱侯今日與我出遊到碑林，見收容古石碑甚多。琳瑯滿目；搭碑工人，忙碌異常。余在長安感覺人民生路幾全斷絕，而搭碑人尚有一綫生機。余等乘手車，風塵蔽目。賈君爲余言：昔日長安城內有一富人，其女出外厭惡灰塵，富商以女故特捐資購石築全城道路，舊時之石路，道頗整潔，不知何時得再見也。午後四時，往水利局請其將涇渭洛三河情形以書面見告，不意職員均往迎白朗，不過一人，祇留詢件以備回答。返寓後，余以身體初愈，在家休息，派人到飛機場購買往蘭州飛機客票。是晚早睡，因明晨須早起往視涇惠渠也。

六日

早，往視涇惠渠，八時自長安出發，西北行五十里，九時渡渭水，爲咸陽城，四週多周秦漢唐陵墓，文王孝景周公等墓均在焉。又五十里渡涇水，爲涇陽城。沿途風塵，蔽天遮日，且甚寒冷。涇陽人民受人禍天災，拆屋賣料，所餘孑遺，憔悴萬狀，余前往視察，適華洋義賑會會長白朗亦至，遂與同行，沿途人民，對白歡迎極熱烈。按涇渭渠開鑿之議，起於明，倡由李儀祉先生，而華洋義賑會以金錢之力助成之。人民處於垂斃，得其救濟，若生死肉骨，故對之若天帝。現在陝人心理，不暇談高論，不及談國家，誰與有飯食，即擁戴之，若國家再不能善保其赤子，將來欲其盡力於民族國家，恐難言也。余對於此事，刺激至深，以政府不能加小惠於人民，而日賴內外慈善團體爲之施布，余親睹此情，不勝痛苦。飯後十二時半，由涇陽偏北行，土人云：昔年沿途村莊甚密，今多墟廢。六十里至社樹，其地元時出一將軍姚姓，爲駙馬亭臺宮室，仍存遺迹，屋千餘，而有人居者僅百戶，蓋逃荒也。自涇惠渠成始漸有重返者。又二十里至岳家山，涇惠渠卽導源於此。涇惠渠者，係以白公渠鄭國渠削曲改直，開一石洞，以爲渠口而加以水閘。預計幹枝各渠，需費一百四十萬，可灌地一百二十餘萬畝，已支用華洋義賑會四十萬，陝政府四十萬及賑款共一百零三萬元。目前幹渠已就，支渠仍未著手，故祇可灌十餘萬畝。若再得四十萬元，當可竣事。此渠當初照李之意，欲在烏兒嘴處起鑿山五里，水口提高，可灌四百餘萬畝，需款四百萬元，嗣因經費無着，採用現時辦法。余由岳家山下谷，至涇水邊，察看標差爲一千二百尺。五時三十分，由岳家山返，六時涇陽，七時咸陽，距長安三十里，車忽損壞，修理甚久，到長安已九時矣。

七日

在寓休息。午前壽君炎章來約遊字畫陳列所。所內陳列，精美者殊少，想多以漫藏爲戒。午後往修志館，晤霍竹亭先生。霍朝邑人，對於黃河及北洛情形知之甚詳，渭河自龍門之下，河面開闊，河槽不定，同時汾洛河諸水會合，往往爲患。至潼又作一東，始行固定云云。午後四時，赴青海駐陝辦事處主任方雲石君處宴。方係粵東潮州人，到青二十餘年，鄉里情深，敍譚至爲親切，而柏臣君與之講談鄉話，更動鄉思，七時三十分回寓，與筱候君閒談，十時安睡。

葦灘壩附近渭水之風景

八日

早八時三十分，再訪李儀祉先生。余觀黃河改源，不宜取道於涇而宜擇渭，以渭鑿山較易，航運便利，而沖刷河泥太多，於下流河床不利。到涇則水清而利害相反，特詢則治渭有何辦法。經答以治渭工程不大，由長安接黃河至陝州一段，約一百萬元卽可使航運便利。九時三十分過長安新城南，見木料舊傢私耕牛大車甚多，排列出售，問諸途人，言係人民將屋料與車傢私發賣，以所得作路費逃難。所謂老弱轉於溝壑，壯者散而之四方者，不圖於今日見之。過新城後，到省政府，請耿秘書與歐亞公司商量，許將至蘭航綫，循渭水而去，經涇水而回，以便考察。耿與駐陝公司黃主任至善，允盡力請其辦到。當去函商懇。旋得覆云：去時遵辦，回時須到蘭請甘政府再與公司商量。復與耿暢談種種，彼此至覺有趣。午後二時，出東門訪康寄遙居士於寂園。園爲康母墓前起屋宇，視死如生，殊爲難得，康爲陝華洋義賑會分會長，熱心公益，年來奔走求賑，人民頗沾其惠。康素食。留余晚膳，五時回拜趙守鈺廳長。趙山西人，彼謂汾水若在淩井口作閘，以口上作湖蓄水，至爲有效。彼對於河套一帶至熟。七時回寓，知飛機本日未到，不能依時由長安飛行。須八時到此，十時後起程。余將各事準備完畢，方就寢。

余對於陝災情形，至爲留意詢問，據一般人云：原因係起於十八年戰爭。時焉因軍隊乏食，將陝中各縣存糧，悉索以應軍需，凡商人販糧入陝亦在途中收沒，隨因天旱，商人裹足不前，內外空虛，遂以至此。其致旱之由，則因森林缺乏，天氣乾燥，水利不興所致。雖曰天災，實人事也。

蘭州黃河鐵橋

九日

早十一時五十分，自長安飛蘭，循渭水而上，俯視甚清晰。由長安至寶雞，兩面開闊，河水較大，多淤而散漫；以上則山勢仄狹，河道甚小。至天水，飛機轉西北飛蘭，沿途均童山禿禿，是以沙泥遇雨則沖洗入河，其治理之法，莫要於植林。然如何而能使森林普遍，則在政治與經濟兩方能適宜配置也。午後三時四十分抵蘭，省主席及林廳長均派人到機場，以汽車迎接。在省府少息，即往拜林廳長，蓋係舊識

也。劉建設廳長汝璠派人招待余在公路局寄住。七時，財廳長譚時欽與林來訪，謂

蘭州臥橋

不如在譚府爲便，再三挽余往寓。余亦隨之，是晚九時卽歇。

十日

早，偕柏臣兄出城，北過黃河鐵橋。該橋係西城要道，下臨黃河，河水甚清，羊皮筏順流而北，以往河套。橋北爲白塔山，白塔豐各種廟宇甚多。廟內壁畫，多有佳者，以關帝廟尤美，廟多佳作，危樓高聳，階梯絕削。余等登白塔巔俯視蘭城，全部在望。皋蘭山亘其南，形勢雄壯。十時回城，往綏靖處拜鄧寶珊主任，建設廳長汝璠及民政廳長林競，在民政廳談話甚久，係研究

甯夏引水入流沙事。余覺此事費省而見效速，且洮渭相通，將來青海甘肅陝西得

蘭州白塔山

以商捷航運，亦殊便利。午後三時，往拜警備司令旅長段象武。段係同學，無嗜好，每日作書，書法極佳，談起國事，所見略同。四時偕段同往警備司令部，應段與建廳長升三飯約，邵主席已先到，省府各員，相繼而來，盡賓主之歡而散。散席後，到鄧主任公館敍譚伊犁舊事，感撫今思昔，無限滄桑。余因擬後日赴鳥鼠山視察，請其派兵保護，承慨允派定熟悉彼方副官一員同往，至可感也。七時回寓，八時劉廳長來訪。劉係天水人，曾留學美國，對於建設亦積極進行。九時劉去，余即擬電拍致公武兄，

十時就寢。

十一日

早九時，王家曾君來，約余往洛。十二時午膳。午後一時，往教育廳拜水廳長，權運局拜同鄉陳科長福詒電燈局長羅源久。水係甘人，此次任職，甚抱熱誠，因甘省兵多財難，以致無所施展。陳係粵人，在此已十餘年。初來開辦軍械局及造棉廠，已二十餘年。同鄉人少，他地相逢，倍覺親切。午后二時，旅長段象武來訪。段係保定同學，約同譚廳長時欽往遊四堡坪。此坪在城西，爲皋蘭西方屏蔽。乾隆年間回亂，賴此保守。由四堡坪西下，到雷壇，復西至小西湖。本日教育廳長水梓，建設廳長劉汝璠，財政廳長譚時欽，民政廳長林競同請晚宴，遂於該處遊覽休息。湖面不大，然房屋之結構佈置頗精巧。河山帶礪，夏時樹木成陰，頗爲幽雅。內設有建設廳農工陳列所，所陳係皮毛所製，及糧食農具，得款艱而事難辦耳。六時回城七時抵步，即準備明日赴渭源諸事，十時就寢。

十二日

午前七時發皋蘭，向洮河前進，二十里至二十里鋪，沿途兩旁均高山，途中所遇，均係馱煤與瓦器。余與柏臣君坐一轎車，一騾一馬繫之。綏靖署派參謀一員，五十旅派副官一員，隨帶騎兵六名，以資保護。二十里鋪產煤，皋蘭燃料，多仰給於此。又二十里至河干鎮。該鎮有店戶三四百家，半爲瓦缸店。蓋該鎮以陶器爲大宗，煤次之。余在此午膳，以土製之麵餅及炒麵作餐，食之亦善，飢使然也。飯後復行上山，十里至關山頂，下行又十里，均盤旋小道，馬行頗滯。又三十里至中堡，路尚平，到站已八時矣。中堡雖有人家二三十戶，多破落不堪。聞昔年此地頗好，近因時有土匪出沒，故冷淡如此。住店頗不潔，然余已經過此種生活，亦不覺苦。晚膳以麵爲食，九時安眠。

十三日

早六時半發中堡，行邱陵水道，經白土堆，三十里至王府莊，天氣頗寒，水已冰結，而孩童以貧故多不穿褲，狀至可憐，出王府莊後，洮河已在望，漸見樹木。循洮行八里，至鄂沙，此處可西通導河縣。又二里至洮河縣城。城寬約四十丈，長倍之，人烟極少。余在此早膳，膳後南行，二十里至新店鋪，人家四百餘，適逢集期，烟葉棉花煤炭糧陳售極多，人亦甚衆，有學校公所。其地爲洮河繁鎮，附近產烟葉。又二十里至新添鋪，次於新店鋪，又二十里至二十里鋪。又二十里至八里鋪。自鄂沙城至此，沿途山泉噴流，土地肥沃，民甚勤樸，沿崖蓄水灌溉，地又產鹽，原田膴膴，悉種烟葉。所謂蘭州烟者，多出於此。此地昔屬大夏，故壤前人華露藍縷，啓此山林，與夷狄共居，且屢經變亂，得維持不墜，此種精神，可欽可敬。洮河河水至清，但加入黃河，經寧夏，捲流沙，竟成下游之害，故余意極主張引之入渭，以冲刷渭水及下游之沙，並藉增渭水航運之利。今日馬頗疲，乃於八里鋪安歇。

十四日

早七時，發八里鋪，八時抵臨洮縣城。城爲昔日狄道州治，南北長約三里，東西約一里，屬洮渭間重鎮，爲甘肅富庶之區，但近年來苦於兵匪，有身家者多出亡，不能去者亦聽其自然而已。幸今年收穫尚佳，勉強過去，以待時清。余到城，即入縣署，縣長已於前日晉省，由其總務科長出晤，係一冬烘先生，對於大勢，罔茫然罔知，詢以洮渭間情狀，則搖頭擺腦，議論甚多，一無中肯。余因想及此地當漢番回民族之衝，處置失宜，則殺機立見，以此昏庸而期望如是之人而任事，不虞僨事耶。因不得要領，因想起公安局爲學生出身，遂以名片召詢。該局長到此時日無多，全局所屬槍無一枝，駐軍日日殺人越貨，祇好拱手而視，一事不能辦理。彼言：本縣建設局長係本縣人，對於水利頗熱心。余飭人往召，適因新渠決口，出視未返，遂託公安局長派一人爲嚮導，並預先通知沿途紳士，以便詢問。蓋余此來極注意於洮渭間情形也。余出縣署，即往飯館早膳。膳畢，午前十時，出北門西行，三十里至三十里鋪，又行十里，路均平，水準無大差別。再上行十里，爲四十里鋪，傾斜爲百分之二。又十里至窰店，傾斜爲百分之一、五。沿途均土無石。又廿里爲慶平，傾斜較大，約百分之三。由臨洮至此，水準差約一百米遠。此地與窰店間多紅沙石，頗荒涼，山地大抵如此也。五時入店，七時晚膳。余因此段地形有記載之必要，作一斷面圖，備編入報告書內，以爲治河參考。九時就寢。

十五日

早六時四十分，自慶平出發，五里至水車灘。由此上關山，渭與洮之分水嶺也。如秦王寺與李堡相隔祇三百餘米遠，一面爲關山溝，一面爲清瓦溝。在關山梁行十五里，至烏鼠山，由此東南而下，地形陡峻，至曹家峴，祇平面一里，而水準差竟至六十五丈，再行五里，又復落十丈，至渭源城亦如之。在烏鼠山頂過時，曾拍一照，蓋東南人至者無多，故留紀念。自烏鼠山下行，十五里至渭源縣城。城甚小，有第十四師之一營在焉。守城者驗明護照，方許入。隴省軍權至不統一，對於武裝，彼此至須清楚。到城爲午前十時，入城後往謁縣長王端甫。城中館店，均駐軍隊，縣長遂揣榻請余及同行者在公署歇住。未幾，金營長少白來見，略與寒喧，即偕縣長營長出外，路過公安局局長丘健民邀入局少坐，復往營部。丘係江西人，在憲警班畢業，初到是間，余問渭源縣人口幾何？歲收幾何？據縣長稱本縣人口三萬餘，糧一萬餘，平均每人負担三元餘，而地方又復貧瘠，餉糈急於星火，縣長殊不易做，所幸防軍維持秩序尚佳耳。回縣署後，請縣長通知駐官堡金營長，及覓定明日引導之人，因據土人言：引洮入渭，官堡渭源間較烏鼠山為便也。縣長隨即照辦。午後一時，登城遊覽，城寬長各約二百米達，牆多傾圮。渭城一刼於同治年間之回亂，復因民國十八年馮軍在隴海綫作戰，將壯丁車馬徵發出外，近又常値天荒，人民饑死十分之三，故現此淒涼景況。此城東望首陽，西望鳥鼠，南為老君山，渭水流其下，風景形勢均佳。渭水經過城邊，水勢尚小，下行納左右水，其勢漸大。余因感寒氣，回署休息。渭源縣西當回番，東逆秦蜀，雖不如狄道之重要，然亦未可輕視也。余病初愈，感風塵又發，體質羸弱，不堪重任如此。是晚七時，即睡。

十六日

黃河視察日記

早七時，發渭源城，西南行，二十里至漁家川，上行頗平，轉北行十里，上半里坡。坡高約五丈，爲渭源之極頭；過坡下行，傾斜亦緩。水向洮河流汁，鑿通此處，亦足使洮渭相通。又十里至楊莊。又二里至小南村。又西北五里至喬家溝。沿途白楊成林，水磨之聲厄厄。又十五里至官堡。堡建於山上，人家三四百戶，繞堡而居。此地北通狄道，河州，東南通岷縣，東通渭源隴西，爲軍事交通要點。堡上駐有魯大昌部一營。營長喬南坡，本處人。余專片上堡，渠出迎，入營部休息，余因詢以洮渭情形，彼言：若由官堡引洮入渭，遠不若自岷縣乞米川入口，鑿通露骨嶺車排中間，有山三座，土石各參，路程甚近，且岷縣產大木，煤與金各種礦物，至有價値。余以爲鑿通官堡引洮入渭已有可能，彼處太遠，將來如國家決定辦理，則再以之向彼方詳細測量，彼此比較。喬營長對於開發洮河及實業交通亦談及，至有可採。彼言：宜注意民生，較對其他尤要。嘗余未蒞洮渭以前，人每謂我魯部軍紀甚壞，人才亦差，觀此，則人之好善，誰不如我。余在渭曾聞此地以前土匪甚多，自魯收編以後，已不復亂，然士兵每日祇得伙食桌餘，即能安分，是知流爲不法者，我政府當負責任也。余於此益覺甘省前途，並不悲觀，在政治及軍事上運用如何耳。營長留余晚膳，以白菜炒肉絲及筍及鷄蛋爲餚，在此已不易得矣。四時再行，十八里至肩山堡。天已入黑，各家均關門閉戶，叩之甚久，且以婉言說明，方肯開門。蓋此爲軍隊往來之道，人民與軍隊情意有所未通，故畏懼如此。是夜八時卽睡。

十七日

早六時，發肩山。天光未明，殘月照路，冰霜載途，征馬縮瑟，循屯壁溝西行，三十里至陳家嘴，又十里至洮河沿，轉北行三十里，傳爲唐郭子儀單騎見囘紇處。據謂：姜維攻狄道，以美人爲前驅，亦曾出此。此地去狄道城不遠，爲董卓故里，董坟亦在茲。三十里至狄道，正午到城，舊縣長去職，新令尹未來，余往訪公安局長並建設局長略談，狄道爲隴西重地，漢置平西王，歷代有事。視此爲西邊要地。今駐兵不足一連，縣政府諸官又疏懈若此，一旦有警，必至無措。余本日所過之地，多狄人，其南爲趙土司所轄。洮河以西，則爲回回族。正午在城午膳，一時復北行，四十里至新店鋪。此地民國十五年前頗繁盛，近年苦於徵發，已不如前，然由蘭至渭源，除狄道城外，以此爲最好；因此地產水煙葉也。河西回人甚多，一旦有事則其中不肖者即鼓動無知，過河擾亂，是政治教育力之有所未及也。午後七時晚膳，八時就寢。

十八日

早六時，發新店鋪，西北行，二十里至辛店，又十里至洮沙城，路均平坦，余來時取道於此。在此洮河船隻甚少，蓋土人以騾馬之便，不注意航運。又北行十里至王府店；轉東北，又十里至白土堆；又北行二十里至中堡。自洮河關之鄭洮至此，上落丘谷，石塊磷磷，人馬至爲疲困，且路邊多斷岩，無人修理，萬一不愼，滾下深溝，必無幸免。道路之難如此。本日所經各處，余極留心官廳及稅收機關佈告所言者無非催餉，所辦者無非雜稅，此間交通不便，逃走不易，故一遇災禍，人民祇有坐以待斃。故此地人民困苦之狀，隨處可見。四時抵中堡，晚膳。余此次由蘭出發至今僅七日，明日卽回抵蘭州，對於甘省，有數點我不能或忘：一，人民困苦，由於兵多，非裁兵無以救人民於水火，而兵多結果，軍隊本身亦必敗壞。二，歷來軍民長官，缺少民胞物與之念，忘記做官所以爲民。三，人民爲飢寒及環境所迫，不能起而革命；強者爲軍爲官，弱者聽天由命。四，無求學之機會，智識缺乏，非有省外之助力，則事業與經濟，難期發展。五，甘省須賴強有力之中央爲後盾，而其關鍵，則視陝省軍事政治爲轉移。六，對於回漢民族，須有永久相安之計，否則殺機時伏。七，甘省對內交通不便，須於短期完成隴海路，不然，勢必爲英俄交爭之點；無論誰勝，我民族均將供犧牲。以上七項，余印象甚深，總望國人對於甘省不可稍存秦越之念。是晚，八時就寢。

十九日

早六時四十分，發中堡，車由谷行，二十里上山，路至難，又十里至馬泉溝，又上五里陡山至關山頂。由頂下行，約十里至和尚舖，又二十里至阿干鎮午膳。四十里回至蘭州城。余回譚公館，見屋中無人，物件狼藉，問之他人云：據昨日有教員帶學生百餘到公館發生衝突。余細檢行李，發見余存旅費天津紙一千一百元，大元七百五十元及港幣五十元，中國銀行紙六十元，均已烏有。余睹此情況，祇好飭車搬至公路局。余已八日未浴，隨往浴室就浴，浴後，到省府謁邵主席，邵云：此旅費由省府籌還。余云：祇需旅費到太原即足，反正公款，不必照數籌還，但請證明足矣。當時在府者有邵及各廳長與綏靖主任鄧寶珊，正調解昨日事，暢談許久，即歸，是夜十時就寢。

二十日

本日休息，午前作信寄上海，聲明在皋蘭遺失匯款收據，請中國銀行蔡襄理致電太原。午後赴粵旅蘭同鄉方逵觀、羅源久、張鶴年、方思武諸君之宴。七時，往慰問譚廳長。譚對於籌措東返旅費有所言，及因余赴烏鼠山寄存者，悉損失無餘也。

二十一日

早，以公函請甘省府追查寄存譚宅所損失之旅費，並函上海太原聲明在甘遣失匯寄太原旅費收條無效，十一時往訪段旅長，答謝派兵護送至烏鼠山視察。余因連日風潮險惡，頗多感觸，蓋此間民族複雜，英俄勢力正相競爭，隨時均有危機，故政治教育，應力求整理，不宜使內部常有糾紛，段深然余言，允從旁設法。午後四時，綏靖公署參謀處長來談，繼着邵主席飭人來請赴省府談話，彼此認爲治理西北，以交通及人才爲要，軍事複雜係一時狀況，有無辦法，視中原而定。八時回寓，發致曾養甫先生電，告以到達蘭州情形。

二十二日

早九時，往參觀陳列所，所內陳列植礦工三種，植物多藥材，有甘草，黨參，大黃，蔴黃等；糧食有稻粱菰麥等；礦多煤鐵各種礦石，產地爲平番碾化循化三處，天水亦產銅煤；工業以毛氈及皮箱爲著，惜工甚粗，尚待改良。十時回寓。午飯後，二時餘，應粵東旅蘭同鄉之約，赴高等法院攝影，以留紀念。院長爲曾友豪，粵五華人。本日有三處約膳，二時到水聽長處略談，四時到省府，隨往綏靖公署，因該署以余爲首客也。七時再到省府閒談，謠傳共產黨已進至藍關，距西安九十里，且楊虎城有一圍變去云云；故蘭城人心至爲憂慮，蓋無可恃之兵，一有緩急，無可應付也。九時就寢。

二十三日

早，在蘭城內各街散步。十一時赴林廳長烈敷之宴。林因赴軍事會議，十二時始回。此次蘭州軍事會議，並非軍事調動及軍隊整理，完全係因甘省担負軍費太重，災後人口祇餘五百餘萬，家無餘粮，而軍政支出一千二百餘萬，除婦女外，男的負担平均人須五元以上，邵主席鄧主任睹此社會破產情形，而軍政又不統一，各部日求擴充，故欲設立軍粮經理處，使各部輕減。計出席者爲省府各委，綏靖駐甘公署主任，第二十八軍代表，第十四師代表，新編第七師馬鴻賓代表，新編第九師馬步芳代表，二十六師馬仲英代表，騎兵馬步青代表等，報告以上各部人數，合八萬以上。本日討論結果尚稱圓滿，林宴中同席者有王柏臣及青軍各軍代表。午後二時，各同鄉因昨日照片爲照像館不愼打毀，本日再約在法院重照。三時回寓，據航空公司云：現時公司因特別情形，再多派一機來蘭，明日及下月一日約可搭乘。余以尙有人及物在長安，將請柏臣君先行赴陝，余則俟下月一日直接飛洛。余因旅費被刼後，甘省府雖允賠償，余見其情形至窘，故決定不往青海，以免令其爲難也。余因以公函寄青，說明旅費損失，不能前往，並告柏臣君到陝應辦各事。是晚十時就寢。

二十四日

早八時，柏臣君赴飛機場乘飛機往西安。余因連日宴會，胃病又發，高臥至十時方起，十一時略食稀粥。餐後，王伯臣君回云：飛機水管略有損壞，須明日方能起行。余在公路局住數日，尙未到內部各處巡視，本日天氣寒陰，始至各室一看，室內均未生火，甚感寒冷，始知甘肅職員生活之不易。午後一時，往東關鄧家巷宣慰使署拜青海省府祕書長黎丹。余因不能往青，遂開列各事，請其回青查明函覆。所請事：一，青海境內各河流之漲落時期，原因，及航運流量情形；二，各流域內可利用田作之面積；三，各流域內特別出產，及可興之事業。黎面告云：青海水漲最大之原因爲暴雨，期在夏季，其次爲春間融雪，造林可以節之。至航運則除皮筏外，無可言。其餘俟回青細查後再詳答復。談約一小時，往城外南街遊覽。南街爲蘭州貨物集散所在，多莊口，以皮毛烟葉爲大宗，土膩一物，所製雖不精，但發明最早，若能改良，則工業上可挽回一漏卮。要其法乃以天然所產之鹼，加牛羊油煮之即成。午後三時囘寓，天氣陰沉，精神至不快，祇好談坐消閒。五時晚膳，膳後往訪邵主席閒談。八時回寓，九時就寢。

二十五日

余覺自是之害，不特足長輕視他人之心理，且爲進步之最大障礙，故欲求黨之進步，必先了然全世界上各黨之長短；欲求民族之進步，必須了然全世界民族之長短；欲求一教之進步，必須了然全世界宗教之長短，取其所長，棄其所短，則得之矣。且也，中國合五大民族而成國，包容世界應有之宗教，更不可不求分工合作之途。余此次重來西北，深感有藉此機關，研究回教之必要，特約一回教徒談話，並請其代尋重要經典，俾資參考，然後再請其約一阿衡講解。余意非僅爲個人求知，且欲尋一解決西北問題之道也。正午，往建設廳，與劉廳長伉儷閒談。午後觀回教書及參觀民衆教育所。該所佈置頗佳，乃以前所辦者，現時似不重視。蓋因經費困難，無力改進也。六時往廣東會館，訪羅局長，談甘俗，講鄉情。七時，偕公路局方科長往觀北京戲，唱打俱佳，客地無聊，借此消遣。十時回寓就寢。

二十六日

早九時起床，看回教書，書名歸眞總義。歸者，歸順也。眞者，眞主也。謂人常向天然所主者而行，教人之義，如遇孺子之將入於水火，應能強制使其離開，與之說水火之禍害，亦無益也，不如抱之以行，或制之以力，故不談宗旨，先示教律。回教之精神，可見於此矣。午後二時起赴警備司令部段司令飯約，六時往省府閒談。邵主席接楊主席自西安來電，謂有兵兩團與匪戰於子午鎮，正在激戰中。以余判斷，似係共產軍之側衞掩護向漢中退却者，不然，似不應舍藍田而在子午作戰也。七時回寓，九時就寢。

二十七日

午前九時，偕建設廳長劉君汝璠伉儷及主任祕書方君超一行遊五泉山。五泉山為皋蘭名勝，有五泉流出故名。寺刹亭台幽勝，喬木甚茂，清流激湍，并有茶樓酒館，夏天遊人甚多，冬季則扃門寂淨。寺離城約二三里，車馬可行，至為便利。登臨一覽，皋城悉在目前。附近有岳飛廟，左公廟，儒廟，佛寺及旅館，客舍，茶樓，佈置亦佳，惜近年軍事頻仍，公私交困，不能修理。午前十一時回建設廳。十二時在廳午餐。二時回寓。余胃病又發，胸至塞悶，食大蒜三枚方已。余嘗謂中國民族之健全，賴有兩種食物：一肉食不易得，則賴豆之補養；二衞生不講，賴蒜以除肺胃腸諸種菌疾，並以所含硫質作活動之生機，未知生理學家以為然否？本日於建廳遇陳敬修先生，爲言此次赴青視察，其同伴卜君曾有豔遇。彼云：此次赴青致祭青海，馬步雲師長乘便於此開一軍民聯歡會，預徵青中歌女歌舞，其中有一女譯名海富者，貌絕麗，是日亦與會，女歌闋，卜君以漢語贊之，女嫻漢語，卽趨叩謝，馬卽令女與卜談，女推言語不通，強之後可。會散，女與母訪卜於寺，談至夜半，卜遣女歸，女不去，母爲之請曰：若去，則明日卽爲人所不恥矣。卜仍不肯，至爲之請於陳，陳亦不能決，後馬以軍法處長爲之說項，始納焉。明日，女喜甚，番人并爲女掛紅道賀，蓋青俗也。卜君斷絃已久，本有偕歸之意，乃女以故土情深，不能如願。女自此得意揚揚，日引吭高歌，青人之天眞如此。午後返寓休息，九時就寢。

二十八日

是日，未往何處，在寓看回教之正教眞銓，內中所言，係謂信仰與爲人在自強不息，而五常之念，施拜戒聚，尤爲提起精神之基礎，是知宗教之組織訓練紀律，對於政治上至有可取之處。午後四時，鄧主任寶珊來約往晚飯，談話至十時方回。鄧接西安來電，共產黨以南台爲大本營，國軍已到三師，尚有一師由華陰往截，如再接戰兩三日則將來收拾至易云。是夜十一時就寢。

二十九日

往歐亞公司交涉購機票事。蓋陝甘原有汽車行走，因平涼附近多匪，來往至艱，而航空機每星期祇有一次，購定至爲不易。余到蘭即與之定購，前星期得一票已讓柏臣君先行赴陝再乘火車往洛待我，我則直由此飛洛，並利用空中俯視長安至孟縣間渭水與黃河之情形。正午看書。午後二時，至省府。因邵主席常約余作郊外騎也。三時乘馬出東行，至較場，轉至南郊。郊外有天主堂建築極偉，余問天主堂何爲如此宏偉？邵云：因天主教私人捐產甚多，且有長醒教產部份，故經費甚充裕。午後五時，入南門晚膳後，往訪高等法院院長曾友豪君及其夫人。夫人名許純，係法國里昂大學碩士，伉儷極相得，且均粵人。余與略談鄉事，即回寓，九時就寢。

三十日

早九時，偕邵主席馳馬往飛機場，程約十二三里，本日陳敬修君返京，特往送焉。午後二時返城，即赴各處辭行。四時，應皋蘭縣長約，赴縣署晚膳，至六時回寓，各友人來談，九時就寢。

十二月一日

早九時過省府邵主席處取託帶信，十時即赴飛機場，省府文武官送行者均到場。十一時十五分起航，經定西通渭天如等縣。天如縣屬多天然森林，水氣充足，曾經下雪，又山勢起伏甚高，飛機受氣盪動，上下起落。午后一時三十五分，過寶鷄，遠見塵頭突起，係軍隊行動所致，過此則出平原，鳳翔在望。二時二十分，過咸陽，四十五分，抵長安，壽君天章來接入城，至水利局，時爲午後四時四十分，即蘭鐘三時二十五分也。休息後，晚飯，飯後往晤李儀祉先生，暢談約半小時，即回水利局，與壽君天章，賈君筱侯，劉君伯龍閒談，隨寫致黃部長季寬，黃主席旭初兩函，託賈君帶去。賈劉辭去後，與壽君夜談，論及現時中國人才之補救，應以精神及能力之養成爲必要，而精神之修養似宜注意歷史。同時對於體育亦宜特別鍛鍊，如此精神能力與體力均臻完備，自能立己立人，以修身治國矣。談至夜間十二時半始睡。

二日

早八時，乘飛機發西安，循渭水而飛，霜天濛籠，華山巔上，屋樹了了，陽光反射，景緻平優；若遇詩畫家當增不少材料也。九時過潼關，風陵渡在其下，又東航，過肴函，下臨丘陵，右傍大山，機身起落殊甚，霽後天陰，大地暗淡。黃河在陝州以上，河面尚寬，過此則狹險殊甚，航行至險。黃河上流之砂，冬季積於潼陝之間，過此則洪水猛漲，推至下流，故此段尚有舟楫之便。若將底柱炸去，則直下更便矣。十時二十分抵洛陽西宮，王君柏臣來接入城，轉至東車站附近，寓長春旅館。十一時午飯。午後一時，林廳長烈敷來寓，同往國府。國府已南遷，僅餘祕書一員在焉。呂參軍長漢羣則在公館，衙臺風冷，落葉滿階，景至淒涼。出國府訪呂，呂出未歸，往其隣居鐵道段長稍坐，未幾，呂返，再往晤談。余因數日未浴，乃往大觀園就浴，浴罷歸寓，寫信寄曾養甫許公武何葵明諸兄述近日經過，幷寫家書告以行止，九時就寢。

三日

早六時三十六分，乘隴海火車離洛陽，車行高地，八時二十分過汜水，至平原。此爲楚漢相持之地，漢王之敗，汜水爲之不流，幸得後方補充人食充足，始獲最後之勝。九時三十分抵鄭州，鄭州爲隴海平漢交叉點，過天橋，卽爲平漢站，北上快車已早兩小時過去，尚有第十二次慢車停此。余以無在鄭必要，遂乘之往石家莊，車少人多，極無秩序，免半票甚多，且不潔，餐車亦無，食時卽在臥房內。十時離鄭州十一時過黃河橋。當余前一月餘由開封乘汽車到此，坐搖車過河，轉往武陟，至今往返已歷五千餘里矣。午後二時，過新鄉。其地產棉甚富，但不及陝棉之佳；又有鐵廠，未能下車參觀。車至此停約三十分。四時過洪縣，太行山脈亙其西，淇水流貫平原，有山有水，特饒興味，淇爲衛地，水淸山秀，衛風「淇水悠悠」，讀之情神俱往，衛多君子，其山川之鍾靈乎？此地較高，不受黃河之害，土爲黃壤，田園相續，旣無殷富，又無貧民，二十年來不受兵燹，亦安樂土也。過湯陰，天已入黑。湯陰爲殷圩，盤庚遷此，以避河患。前年發現故物甚多，在開封博物院陳列，數千年文明，以此遺存不墜。七時過彰德，是夜宿車中。

四日

早四時三十五分到石家莊，往太原快車須七點四十五分開行，余與柏臣入正太飯店，開一房休息。房潔價廉，且有熱氣管。曙色方開，天氣和暖，余與柏臣君出外散步，燈火與明星相映。街均石砌，頗齊整，除警察外，尚無行人，靜潔平旦，神至甯爽，鋪戶開門者，祇有一魚菜店，列鮮魚菜蔬菓品，頗有條理，魚係漢口運來，街上清道伕淨街道路管理至爲得法。辛亥年，吳祿貞爲鎮統（即師長），駐節於此，正擬率兵進攻北京，袁世凱使人刺之，革命遂爲頓挫。十數年來，中國多事，革命勢力遲遲不能向北方發展，此亦一重要原因。吳富改革精神，乃文乃武，士卒與之至有感情；被刺之日，軍中如喪考妣。當時北洋軍隊，以吳所率之第六鎮訓練最精，殊可惜

也。七點五十五分，乘正太車西行，路爲狹軌；山西煤出外，成本加貴者，以此爲一大

山西陽泉之煤廠

原因。然年來兵事不息，而車輛得以保全，亦全在此。所謂物無並利也。八時二十分至獲鹿，路均平坦，附近產煤。過獲鹿後，即入太行山，沿途係石灰岩，蘊煤極富，路穿山谷而過。九時三十分抵井陘縣，流水環繞，城屋倚山而建，樹木頗繁，此時水仍不竭，夏天景緻更麗。在昔鐵道未通行，路至感崎嶇之苦。韓信取趙，舍此道而不由，良有以也。過井陘，山行愈險，坡亦較大，一時二十分過娘子關，兩山中間，祇百米達，倘

有流水貫其中，晉東之要隘也。紆迴曲折，有一夫當關之概，十一時三十五分車行

至白羊墅，石多五彩構成，屋宇顏色頗佳。正午抵陽泉。此地附近產煤鐵，有製鐵廠一所，出生鐵，可供粗品機器之用。煤出口甚多，若得雙軌鐵道與平漢路聯運，則利益殊大。陽泉有鐵道與汽車騾馬道，輳輻之區也。貨物有煤鐵粮食大宗集散，商業繁盛，煤塊堆積滿地。若在此將煤發電，用高壓線輸至平漢路，以爲交通工業上之使用，則效能必大。一時四十分，過兩階嶺，自此下山，一時五十分過壽陽站，距城約兩里，該縣產粮食。三時三十分過榆次，昔荆軻嘗論劍於此。自此以西，復行平原。榆次有紗廠，於十餘年前創辦，資本四百萬，佔地四百畝。四時十五分抵太原，省府派祕書王均一君來接，即入山西飯店歇息，隨作書致曾養甫、許公武兩兄。是晚八時即睡。

五日

早十時，省政府派一汽車來供乘用。余入城往拜王祕書長均一，隨謁閻主任百川先生。余未到山西時，即聞閻對於經濟之建設與政治之整理均有進步，且開於黃汾水利有所利用，因向其請教，閻云：余對於水利，於黃河方面，有兩件：一即引河入汾，以行大規模灌漑；一即開鑿後套，可漑十二萬頃，均已派人測量，以定能否實行。至汾水方面，擬作水閘三道，即俗呼滾水壩，第一道係在蘭村，離此地四十餘里。余欲往參觀並到龍門壺口各處視察。閻即請交際科長郭君懋治到來，囑其招待一切。余辭出，郭問予擬何時往參觀，余答以明日。郭約明早十時派車到山西飯店同往蘭村。余遂往建設廳謁廳長田見龍君，田黑龍江人，到此不久，談論山西水利及各種實業，均以爲山西產煤鐵，且有山水河流可以利用，以之發電灌漑，前途至有希望，惟須作大規模之經營方能有利。余隨以所欲詢者預先寫定一紙，係關於汾黃之情形，請其詳以相示，田欣然允辦。十一時四十分辭出，往砲兵司令周玳公館拜訪。周爲昔年同學同房，一別二十年，頗欲一晤，適往綏遠，乃往中國銀行取款，歸寓已十二時半矣。余返寓前，有實業廳科員師秉德，建設廳科長姚德麟來訪，留片於寓。午後一時午膳，三時往訪實業廳長，不遇。四時姚師兩君再來，姚係山西水利專才，建廳特派之以爲招待，姚並稱當盡量搜集山西黃汾水利方面材料，余請其極力彙集以供全國參考。未幾田廳長來談，謂晉省進步遲緩原因多因二十年閉關所致。余謂此說誠然，但二十年中，環顧鄰省，均已不及；如此後覺得閉關不足，則他日長進，亦必基於此也。晉省現時有兩種極缺乏之一即建設技術人材；一即經費。按全省每月收入二百萬，以一百五十萬用於軍費，餘五十萬爲政教費，故無餘力以作建設，非減軍額及利用外方財力，則不易進行。五時，省府庶務組組長郭向都君來問余需要何事，請先通知俾便辦理。余因明日往蘭村及參觀鐵廠機器廠紙廠；後日往龍門壺口所需汽車，不能僱得，向其商借一輛，用油由余自給，郭頷之。余因欲詳知山西情形，請柏臣君購山西地理一書，此書分載晉省各縣位置，沿革，地勢，物產，教育，人口，區制，交通，勝蹟，頗可爲我參考。余因明日擬往蘭村，準備地圖嚮導等事，是晚九時就寢。

六日

早十時，乘汽車出北門往蘭村，十時四十分到達，蘭村當汾水出山之口，其上

蘭村附近汾河風景

有長峽一百餘里，廣數十丈，於山口築壩，可成一極大蓄水池。鑒汾水水量夏秋時，山洪水暴發，每秒鐘流量七萬餘立方呎，冬春時，每秒流量祇一萬方呎上下；若築一高二十丈之壩堰以蓄之，可容洪水時十四小時之水，可免水災而資灌溉。抵蘭後，先到出口點視察，再上山以瞭往勢，深覺此為治汾最要之件，亦即黃河重要節制洪水工程之一，但須注意將來沙泥宣洩之裝置，及其發電量之使用是否得宜。

山峽與蘭村之間，有一竇大夫廟，竇名犨，為趙簡子臣，與舜同時，當趙未秉政時，請

事一請詢於二人，寶剛直，及簡子臨歿，竟殺之，士人謂其能降霖雨，祈者至衆。祠倚列石山，有清水潭，頗清冽，夏時至佳。如蘭村壩高築至二十丈，工程費預算須三百四十萬，可灌田六十萬畝。與余同行者有建設廳技正，綏靖公署交際科員王思賢。午後二時回至太原城，太原今之省會，昔爲太原府，人口八萬八千，民殷物阜，市廛齊整，屋宇美麗，此爲十九年休養生息所致。不幸民國十八年一役，竟使經濟困難，紙幣低落；兵事之不靜如此。然以之比較西安，則不啻天壤矣。六時回寓，田廳長，姚科長約往晚餐，七時畢，回寓，將往龍門各事預備，是晚九時就寢。

七日

早九時，乘汽車出省會，東南行，六十里至榆次。其地桃梨樹甚多，產米，麥，磁器，有晉華紗廠，在昔兌匯極發達，民國以來，以無銀業之專識以適合潮流，已一蹶不振。有馬賊坡，相傳係孫臏龐涓交兵處。蘭郊村乃藺相如故里，祠墓在焉。又東南行，七十里至太谷，爲晉大夫陽處父食邑，漢置陽邑，隋改今名，手工業銅器最著名，握

全晉商業之牛耳，清時，縣中票號，多至百餘家，資本均在百萬以上，各行省及蒙古

黃河流冰

莫不有其支店，惜以國步自封，不可復振。太谷在晉時爲箕部，所謂「獎我箕部」者，此也。馬嶺山有龐涓墓，傳即馬陵道，城內有白塔，高十餘丈，晉時所建。又六十里至祁縣，以祁奚得名。又四十里至平遙，時已十二時二十分，即在車站午餐。飯後，遊城內，街道房屋均好，且甚清潔。漢高雖破陳豨，以子桓爲代王，都此。桓即漢文帝。又西偏南行，八十里至介休。秦置界休縣，以介之推故，改界爲介。該縣南四十里爲綿山，即介之推母子隱處。峻峯綿延，風景宜人，上有介之推廟，建築宏偉；又有樊噲墓，

郭宗林墓，又東南入山，四十里至靜昇。又四十里至靈石，有韓侯墓，相傳漢高祖征陳，途次嶺上，會呂后殺信，以首至，遂葬於此，其地產煤鐵硫磺。又百里至霍縣，又五十里出山，曰趙城。自介休至此，均行山峽間；汾水在路右，因此山之阻，故其上往往洪水爲患。又四十里至洪洞，昔爲周宣王後封邑，國號楊，滅於晉，晉武公封其子伯僑於此，後又分封於叔向。隋義甯元年，更名洪洞，產小麥，棉花，煤炭，石膏。皋陶生於此，有師曠故里，黃帝故里，許由洗耳之箕山。本日同行者爲王君柏臣及建設廳技正楊君。楊君謂余：現晉省缺資本，不能開發實業。余曰：不然，有人則無資可以有辦法；有資無人，則絕對無辦法。若蘇俄初期，得德之技術人才與美之金錢，竟能興起，可見資本與人才均可外求也。七時抵洪洞，寓一客寓，地方清潔，飲食亦佳。本日經過地方，多有山水，可以利灌溉，惜人民缺乏水利常識，而政府又不得良好技師指導，未能盡量利用，至爲可惜。是晚九時就寢。

八日

早七時離洪洞，一路平坦，六十里至臨汾，臨汾堯時為平陽，堯都於此，爲晉南重地，出產以棉麥爲大宗，礦亦豐富，開採者少，以無鐵道經過交通不便之故。有佛首塔，佛首爲鐵造，高一丈餘，上綠塔琉璃，頗壯麗；塔外建一廟，名佛首寺，唐貞觀時所建，城中有鐘樓，宏偉可觀，惜頹破已甚。臨汾昔年頗繁盛，自十八年軍事後，已不復如前。其東七十里之郭行村，有陶唐府墓。余等遊佛首寺鐘樓後，即在城內第一樓用膳，飯後九時二十分，離臨汾，出城行五里，有堯廟，七十里至蒙城鎮，均平原，少起伏。五十里至曲沃，原係舊絳，即魏之絳邑也。北魏移治後因之，產煙草，棉，麥，而煙草之多，冠於全省，新絳故城，在該縣西南，晉景公遷都於此，後人稱絳故城，或曰：絳宮。曲沃故城係在今聞喜東六十里，橫水鎮與絳交界地，以路曲而地肥沃也，由曲沃城西行，三十里至侯馬，此爲往新絳及風陵渡之分路點，又三十里過汾水，到新絳城，爲晉國舊都，隋置絳郡，民國改爲新絳，絳臨汾水，夏時可以航運，水陸交通利便；且產棉，有紗廠二，火柴廠一，形勢前後皆山，雄壯異常，土地肥沃。又五十里至稷

城，后稷誕生於此，有稷陵，在城北稷山上，產糧食瓜果蔬菜。又五十里至河津縣城，

堯廟遠眺

河津古耿地，商祖乙自商遷此，為王都七，世秦為皮氏邑。余抵縣城，人謁縣長，詢以龍門里數及壺口情形，據稱：此去龍門二十五里，去壺口未詳，並云，地質調查所曾派方君進到壺口，凡經三月餘，頃接電話，渠由龍門起程來縣，見面詢之，可得其詳。余因龍門不遠，遂往龍門。龍門有人家百餘，河解冰時，則少有買賣，最大者為煤礦公司，有經理處，兩間，街之盡頭為禹王渡，為陝晉間往來渡口之一，與韓城來往為最多。渡口之上，有禹王廟，棒鴨曲折，亭台參差，係晉人為紀念禹鑿龍門之功而設。

其西亦有禹王廟，係陝人所建，東西相碣，恍若仇十洲之宮畫，棟宇金碧，琉璃翠蒼

黃河龍門口

欲滴。河鯉門處，東西相隔十丈。河水出其中，兩岸石壁，激湍可怖。常陽曆七月，洪水泛濫，則水深二丈有餘，現時不過三四尺。冬季河面寬八丈餘，漲則滿槽，河底平常隔年起落，今年忽低丈餘。余視察畢，接河津縣長電訊：方君今晚在縣署住歇，欲余到縣署以便談話。余遂返城，與方談壺口情形，壺口作水電有數難：一則砂來太多，現時水尚含沙有百分之一，五之；二則夏季洪水滿槽，不見瀑布；三則春時大冰塊自上流至，往往將狹口塞住，水不能下，致成泛濫崩決；四則裝置費用太巨；五則通至

遠處線，費多而消耗大；六則電之銷路有限，七則引洮入渭，則河水必不能如現狀

黃河之龍門一

黃河之龍門二

八則河套開渠，水量日減；依余以爲如欲作水電，則各省均有河流可以利用，並應

即將其不能辦理由，宣示全國，以免將精神耗於此中。離城之西約四五里，有新辛

黃河之龍門三

黃河之龍門四

莊，係司馬遷故里，地方不俗，惟生活欠佳。蓋汾水不治，田地不[illegible]適宜使用，且山多

童禿，缺乏水源，常致旱災，人事如此，可勝浩歎，余虎門人也，此次來到龍門，地理名

黃河龍門之五

黃河龍門之六

辭覺成巧對，况平生冀遊，得履史公故里，益足以增我欽慕，是晚十時就寢。

九日

早八時，河津縣白縣長以引龍門之水以灌河津地意見作成書面，送來諮詢，可否取用。然此係省政範圍，宜由晉省自行規劃。余迭日晤晉省各當局均言經濟困難，對於水利，有心無力。余謂倘可以自存，以中國患兵多，晉省亦然，誠能盡量裁減，以軍費作種種經濟之建設，何患無錢，有人謂余曰：現時汾水日減，灌田不足用如何，余曰：當造森林，蓄夏水，則來源有自，耗費可減，自然裕餘矣。八時離河津，經稷山曲沃臨汾霍縣原路而回，是晚宿靈石。余沿途留心水坑，見來源均甚遠，長者百數十里，短者亦十里八里，若誠能設閘儲水，廣植林樹，則不特用水無虞，且風景幽美，在新絳，稷縣曲沃，臨汾，山雄水秀，平原廣膴，眞富饒之區也。本日行五百里，是夜九時就寢。

十日

余本擬早到太原，以小半日往各處辭行及預備往大同車輛等車，故早六時即由靈石出發，時天氣尚溫，至天明，則有風而寒，由靈石起行後，經介休，平遙，祁縣，太谷，榆次，以返太原省城，時爲午後二時也。余沐浴後，即往建設廳實業廳拜其廳長，又往省府及綏靖公署辭行。徐主席病仍未愈，與閻主任錫山暢談水利良久，閻擬請余多留一日敍會。余以車及各事均已定好，請辭。閻謂關於綏遠方面，余當去電通知。余稱謝辭出。未幾，省府王祕書長來謂：徐主席本擬請留一日敍會，既不獲願，則飯店費當由省府代結。余謂：余已向中央領有旅費，不敢領情，堅辭乃已。是晚八時就寢。

十一日

早八時，離太原正北行，四十里至黃寨，上斜坂，三十里至大盂，上石嶺，十里至石嶺關。此爲雲中山南脈，過關後，下坡四十里至忻縣。忻縣產穀類，高粱，大小麥，黍，稷，蕎麥，糜，粱，芝蔴，葛，秫等及豆類，果有梨，棗，杏，桃，葡萄，核桃，柿等，木有榆，柳，梘，椿，楸，松，柏，樺，楊等，藥有甘草，黃芩，蔴黃，黃柏，蒼朮，荊芥，柴胡，益母，智，薄荷，防風，車前子，遠

志等。由忻北行，十里過雲中橋，三十里至忻口，又四十里至崞縣，沿途多樹，滹沱上

滹沱河上游之雲中橋

游之水紫繞，風景幽雅。又四十里至陽明堡。此去代城約十里爲代縣，時一時二十分，在此午膳。膳後，東北行，十里北上勾注山，盤旋曲折而上，兩旁皆紅薑石，爲石灰料，顏色之美，勝於圖畫。有雁門關，所謂「雁門紫塞」者是也。三十里至山頂，再下行，三里出山，爲廣武城。舊雁門關係東廣武東北，舊路係環河溝而行，而分水嶺上下甚陡，山上有李廣及楊六郎祠。廣武城在勾注山北，長城迷其兩翼，秦漢在此防胡。出廣武之西北，有馬邑，即韓侯誘匈奴而不成功處。廣武北行，四十里至山陰，又

四十里至岱岳鎮，一路平原無垠，昔日胡漢在此角逐，烽火堡蹟，尚多留存，今則五族一家，無復猜嫌，回憶蒙恬李廣楊六郎守邊之事，亦祗留殘城破堡，以供遊人之懷想而已。此道在漢時，經此者有持節之蘇武，兵盡自殺之李陵及和番出塞之王昭君。故江淹賦云：『情往上郡，心懷雁門，紫台稍遠，關山何極』，皆以形容英雄美人長征之苦。二十里至岱岳鎮，余宿之客店，係一人家，客至則父子夫婦自用一坑，而以餘者讓客。本日北風大起，風塵蔽天，車中極冷。余抵站後，即入屋即休。平常由太原乘汽車，一日可抵大同，轉乘平綏火車。余因欲沿途詳細瀏覽，不欲於黑夜趕程。且連日未息，唯恐過勞致到綏不能考察，故是晚八時即睡。

十二日

午前八時，由岱岳鎮北行，一路平坦，人家稀少，三十里至陳家堡。為楊建業兵敗處。李華弔古戰場文所述情景，彷彿似之。又北行四十里至懷仁縣城。此地據桑乾河上源，頗有灌溉之利，復北行八十里，至大同。大同東通張家口北平，西北為通

綏遠蒙古皆倫，得勝殺虎兩口，係北魏拓跋珪故都；明代邊塞，以此爲重鎮，其東有

大同郊外風景

平城故址，乃漢高祖以三十萬衆被匈奴圍困處。昔時商務繁盛，自外蒙獨立，平綏鐵路修通，此地已由滙積地而變爲通過地。若同成路未通，恐一時難復舊觀也。大同女子長於歌唱，所謂「趙女」者是也。

十三日

余到時正午，休息一時，入城用飯，並遊覽地方。今日天氣晴朗，雖寒而風不大，午後四時回北門外交通客寓，整理圖書，并作赴綏準備。晚六時就寢，以備翌晨三時早起搭車西行。

早三時三十分，搭第一次西行快車赴綏遠。當車未到時，余購頭等票，車站謂須車到後，方知有無坐位。余怪之，及至，余於人叢強覓得兩位，乃請柏臣兄往購車票。蓋車中頭等位除余二人外悉為憲兵所坐，在他處火車，憲兵所以糾正他兵，而此則不見他兵，祇見憲兵，情形亦特別也。是日天氣甚寒。車中無暖氣，頗以為苦。車北行，經丘陵地，於月光中依稀可見，六時過平地泉，此地北通庫倫，東達察哈爾，西通綏遠，甯夏，新疆，軍事上之要地也。車到此轉西行，過八蘇木馬蓋陶，沿途漸有開墾，至卓資山𤰝田闢甚多，河流縈繞，再過三道營陶卜氣白塔山至歸綏一路，車站上均堆積糧食，以待輸運，因今年綏屬大豐，車運太昂，捐稅又重，不能輸出致穀賤傷農。余在晉時，見報載徐永昌主席謂：交通當局不顧大局，祇知本身利害，觀此信然。正午十二時，到歸綏站，車站在綏遠城西北約四里，綏城土人名新城，行政機關在焉。人家甚少，其西南為歸化城，土默特衙門及陸軍兵營在焉。外蒙古，新疆及河套一帶商業，往時均於此散集，市廛繁盛。自鐵道通達，人口已增二十餘萬。昔匈奴嘗以此爲重鎮；單于時，亦居於此，原爲昭烏達盟，其南二十里，有王昭君墓，王在當時，誠大不幸，然於千秋萬世後，猶得世人之憐惜，亦一佳事。若使當時幸得老死漢宮，亦不過若他之麗姬佳人生供一人之欣賞，歿則寂然無聞而已。午後，散步於兩城中，余以國事感觸，連日精神不快，藉此消遣也。是晚八時就寢。

十四日

午前，擬視察報告書呈文，午後二時，往綏遠城省政府，謁省主席傅作義，談一小時辭出，往建設廳，適廳長赴歸化城，未遇，遂回城，擬報告書意見，四時，傅派交際科科員李東原來謂：傅主席以此地旅館不佳，已飭借定交通銀行內住所，以備搬還，余以所住之地，已較許多地方優美，且後日即須西行，不必搬遷，請其轉爲辭謝。六時，余與柏臣君往飯莊晚飯，食黃河魚，極美，據云：係由包頭來者。七時傅復派省府技士王君國英來訪，暢談後套情形，黃河昔行後套，因北高南低，漸向南移，與流沙接近。當洪水時，水含沙最佔百分之三，平日約百分之二，洪水多在夏至以後。華

洋義賑會曾主張恢復舊河，將水灌溝，並得以灌溉後套一帶。余覺引洮入渭及以

綏遠省城

餘水在甯夏引入流沙，亟爲必要，但恢復舊河，亦未嘗不可，惟須注意坡度是否利水。余問：須款幾何。王云：約二百萬以內，但現正在測量計算中。余問五原田地，每畝値幾何？答云多者三四元，少者數角。蓋由包頭至北平火車運費，從前每担約五元，今已減低四成，由綏起運爲三元，而現時綏遠小麥麵，每元可購二十一斤，高粱三元一斛，馬鈴薯每元五百斤，黃麵每元三十餘斤，計現時每一勞動者，每月食用一元已足，食麵者亦不過二元餘。余覺欲繁榮綏遠，第一須減低運費，其次須多移民，

其三須有流動資本。王技正又云：此地產煤石棉及鐵甚多，將來大有可期。至地方治安，昔年常苦匪，兩年來經傅主席勵辦，已漸平靖；交通亦由傅主席與張主任商請開特別快車每星期兩次，行旅稍覺方便矣。未幾，傅以帖來請余及柏臣午后赴其公館晚膳，是晚九時休息。

佛塔

十五日

早八點，傅主席來寓，彼此談論國內各問題并及綏遠將來之繁榮計劃。九時，余與柏臣君出南街，轉郊外散步一周回寓，適建設廳長馮曦來訪，談及綏省，其要點；一，須交通便利，早日完成包甯路；二，須獎誘內地移民；三，須有銀行以流通金融；

四，黃河沿岸須造林；五，後套舊河宜恢復；六，宜與農業工業，所論均極切事實。馮又云：現綏省政府正計劃造林，於黃河南岸尤爲注意。蓋防河之再南移也。午後三時，建廳祕書周晉熙君來，謂今早向廳長詢問之件，一切資料，當備齊於下星期四快車返平過綏時送來。因余晨間曾向馮廳長請詢數事，承允書面詳答也。計所請詢者爲：一，黃河四季水量及含沙情形；二，民生渠之計劃及工程；三，後套水利情形；四，屯墾辦法；五，出產種類及情形；六，此後計劃。余與周祕書談論甚久，適西北通訊記者來訪，詢余此次視察經過及意見，余以擬稿與之看閱，彼滿意而去。五時二十分，與周祕書同往傅公館晚膳，同座均爲與水利屯墾有關者，談論兩時餘。傅並派定王技正國英與余明日同去薩拉齊視察民生渠，并電知薩縣縣長照拂一切。八時返寓，是晚九時休息。

十六日

正午十二時，省府派員以汽車送余至歸綏車站，並預備頭等車一輛，一時車

向西行，左河右山行經其間，風景殊勝。午後四時五十分至薩拉齊，縣長來接，余因

黃河之結冰（包頭附見）

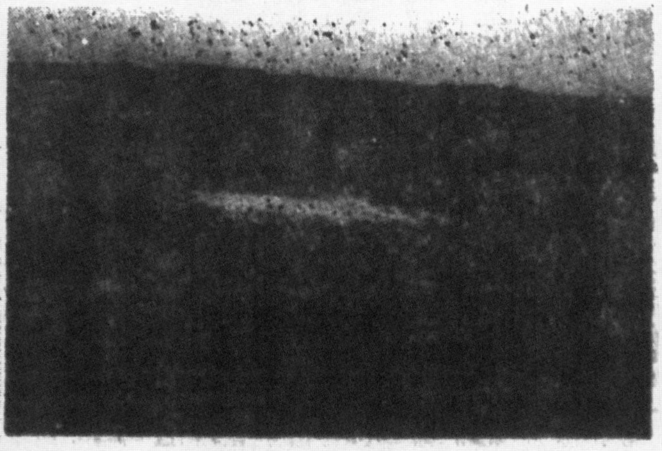

時間關係，不再入城，即乘帶來之汽車，向民生渠而進，原定於夕時到達鐙口，由鐙口乘原火車到包，乃因嚮導不熟道路，致入晚猶未到，加以道路崎嶇，方向莫辨，遣人問路，而此地之村莊均圍以大堡，夜則緊閉，呼叫為難，久之方乃開，得一人帶路至黃河渠口。時幸有月光，乃下車觀察一過，隨即駛至鄧口車站。車站亦係一堡，扣門久之不開，後與哨兵言明，方始放入，蓋此地歷來不靖，戒備甚嚴也。余以火車來接至少須兩小時，詢知由鐙口可行汽車，遂直駛去，十時到達，入城已一時餘。是夜

即宿車站火車中。

渡冰

十七日

昨夜睡過晚，早九時始起床，十時包頭縣長來訪，談半小時，一同入城詢屯墾會辦王靖國坐辦石華嚴詢其辦理屯墾之情形。王云屯墾之事，始於前年，先以個人之力，費數千元，購地試行墾植，去年始以兵一連試墾。傅主席亦有兵一連加入，以作兵墾之種種試驗，結果均甚滿意。今年閻先生出任綏靖主任，以生產救國爲懷抱，始終不怠，遂將屯墾規模擴大。但兵墾較民墾爲難，不特圖價須用公款，而農具一切，亦爲數不貲，而工作又不如普通

人之熟練。現正招集與此事有關各方，共同研究，擬先作一計劃，盡力實行。至於墾

包頭居民紡絨線

務章程，亦正在擬議試辦中。是時正值屯墾會議，人員畢集，乃請其以經過辦法及組織章程與意見見示，允卽飭人繕寫交來，余意如時間許可，擬在星期四前返包頭，往臨河五原一帶視察，詢以可否。據云：若欲往河渠各處視察，往返至少須十日。余因兩月勞頓，神經衰弱症復發，不欲久稽，故決定本日午后返綏遠，搭特別快車返北平。因特別車每星期祇一次，余與包頭縣長元梯省府技正王國英君及柏臣君乘暇往遊呂祖廟。廟在包城北端高地，建築尚佳，全城在望。包城背邱面河，地勢

平關，北通外蒙，西通甯夏，東通綏察，地勢殊爲重要。包頭昔譯名泊頭，舊屬薩拉齊，

包頭之駝馬市

民國三年始改爲縣。全縣人口五萬餘，而城內萬餘人，爲河套第一大鎮。包綏路現修至此，由此往西四百餘里至五原，再三百餘里至甯夏。遊呂祖廟畢，午膳後，即驅車至黃河岸。此處河面水低時爲三百米達，高時爲五百米達；高水位時深二丈，低則一丈，現時冰結，余步行過河，南岸地亦多沃壤，可以灌溉成田。余此次視察河套，覺深水不足憂，農產亦富，惜人口太少，粮價過賤，土地不便宜，故人口問題與農業經濟問題，政府殊不容易忽略，否則開渠愈多，則困難愈甚。視察後回車站，乘火車

回綏遠，三時東行，車過蹬口民生渠在望，一路村樹相續，頗類山東。午後九時，抵綏遠站，傅主席派員接往交通銀行下榻，余以仍在站上過夜，明日搭特別快車爲便，謝之。隨入歸化城用膳後，仍在車站安宿，是晚十一時就寢。

十八日

早十一時，特別快車自包頭到綏遠站，余即過車，傅主席馮廳長王技正均來站送行。此車頭二三等均有臥舖，且有暖氣管，設置頗佳。傅言從前本無此種設備，今年以行旅頗苦，特向北甯路借來，初次搭者僅兩人，因不能用免票與半價票也。今則殊爲擁擠，尤以西行非先定不可。余意若得資本家來綏投資，則地方事業可期發展也。一時二十分開車，車中閱看地誌，十二時午膳，膳畢午睡。因余近來勞頓時多，且因前請醫生割鼻因消毒不善未能完全告痊。余體本強健，以此乃時以爲苦。因感醫藥一道，與社會生活關係至重。余擬有關於社會意見一篇，特及此事，以期國人之注意。午後六時，抵豐鎮。在昔平綏路僅通至此，所有出入蒙古寧綏各內地貨物，多卸集於是，故甚繁盛，今則祇當過路，已非昔比也。故商埠之繁榮必賴交通與出產及人口之衆多，乃可以言發達。到豐鎮時，所拖三等車中有一輛損壞，不能卽時修理，因之躭擱兩小時，終於放棄。是日九時就寢。

十九日

早六時，車過八達嶺，到靑龍橋山洞，長約五里，盡係石山。靑龍橋有詹天佑銅像，所以紀念詹之功勳也。到靑龍橋後，車不能直下，將車頭改繫後方，向西南行，沿長城外而走。長城均在山梁而過，越山塹谷，形勢險固。古代賴此以禦外寇，否則中原早已遍胡馬，不俟今日也。然因此得苟安忘外患，或卽爲中國不振之因，亦未可知。八時半，過居庸關至南口。昔馮玉祥以大軍守此，與奉軍相持，死亡枕籍。戰爭價値，且不研究，卽以戰術眼光評論，則亦未能贊佩。蓋隘路前防禦原則，必須工事特別堅固，且留有退却收容餘地，而此佈置與原則相背，共損失固宜也。南口昔頗繁盛，自經此戰，至今元氣未復，而國民軍陣亡將士紀念碑巍然高矗，益令人想見內戰之慘。度南口，一路平原，人家尚多，而土質不若綏遠遠甚。因昨晚睡眠甚適，今早精神頗佳。九時一刻過清河，田園稠密。其地前清時設有陸軍第一中學校，民國後改爲第一預備學校，并有製呢廠一所，出毛線品，早已馳名，後因辦理人不善停工，現又恢復矣。九時三十分抵西直門，五十分到豐台。在豐台耽擱半小時，轉入平漢路，十一時到北平前門，寓北京飯店。即以電話約張含英君來談。午後二時，往拜周澤岐鄺榮鍾兩兄，四時回寓。六時張含英君來訪，繼着周澤岐兄亦來談及西北及山東情形，周言：擬約此間銀行界暨華洋義賑會諸人晤面。周又詢張山東近來進步原因，張言：在政治上韓固要好，而教育發達，人民向上亦爲重要良因，歷舉諸事證明。十一時，返寓就寢。

二十日

早十時，與張含英君往地質調查所詢問關於黃河流域地質事項，因丁所長不在，由陳列館主任徐君光熙出見。徐云：所中對於黃河地質調查及地圖兩事尚無整個研究，現祇作局部工作。余請其將目錄材料見示，卽購買數份。夫地圖地質，關係國計民生至鉅，除少數學者注意外，餘多以爲不足注重，故所內經費甚少，不能施展，殊爲可惜。十一時到協和醫院醫鼻。午後整理圖籍，並作信與甘綏晉各省當局，謝其指教招待。三時往故宮博物院陳列分館及中央公園散步，晚到友人處拜會，十時就寢。

二十一日

早，與張含英君整理及計算報告書。午後二時，往遊雍和宮。宮爲雍正皇子時學佛之所，後登九五，改爲雍和宮。昔有喇嘛千餘人，每年由蒙古送來，現因經費困難，祇餘二百餘人。宮中佛廟甚多，惜頗零落，有各種佛像，中有七丈高佛像一座，係以檀香木一株彫成，工作極佳；又有歡喜佛，係作人與人、獸與人交各像，像中男女皆佩人頭以爲飾，清時，皇帝結婚，皆引至此參觀，說明結婚非以徒供男女娛樂，將以產生除魔之人也。午後七時，赴周公館晚膳，同席有銀行界及平綏路諸君，周意係藉此使彼此見面一談西北開發等問題，是晚十時就寢。

二十二日

早十時，往保商銀行晤王克敏先生。王對北方經濟情形極稔，談及人才，王言：人才到處皆是，用之得當，即才，否則非才。才有大小，以配置適當爲宜。如茶房，小才也，但余等之才不能爲之，故某事有某事之才。此種論議，予至有同感。十二時，往便宜坊午膳。余年四十有一，憶二十一歲時，第一次到此用膳以後，每到北平，必光顧之，始終無改於舊，而余齒日增，事業不進，無限感慨。飯後，往拜各舊友。午後五時，與張含英、王柏臣兩君離北平。余因在津尚須搜索關於黃河材料及請人繪圖繕件，乃同張君到津，柏臣先回南京。八時三十分抵津東站，寓六國飯店。余於居處本非欲華貴生活，惟因年來神經衰弱，必擇清靜地方始能睡眠，而商埠內之本國旅館，多歡迎社會上一般縱情恣慾之人，深夜常有麻雀或高歌聲音不絕，常使同寓者欲睡不能。此與社會教育至有連帶關係，言教育者亦當注意及之。是晚十時就寢，半夜而醒，念及終年飄泊，公私無一可安慰，竟不能成寐。

二十三日

昨夜睡眠不甯，今晨十一時始起，起後，出外散步，十二時到市中午餐，因食西餐殊覺無味，且腸胃亦似不適，午後在寓中休息，不願出外，市中生活，久已厭棄，尤其是天津上海漢口等處使我感觸不快。是晚九時就寢。

二十四日

早十時，往華北水利委員會，詢問對於黃河方面興辦事件。該會成立於民國十七年，隸於建設委員會，卽以前順直水利委員會所改者。十九年十一月，第三屆中央執委會四中全會規定建設委員會專任設計，不管行政事宜，並經第八次國務會議議決，該會改隸於內政部，水利建設區域爲冀魯豫三省及平津特別市，嗣以水利區域，以河流爲便，乃呈准建設委員會，改以黃河白河及其他華北湖河流域爲範圍。未幾國府又特設黃河水利委員會，專司該河之規劃治理，遂再加修正，以華北各河湖流域及沿海區域爲範圍，並由內政部修正該會所轄區域，以黃河以北注入渤海之各河湖流域及沿海區域爲限。余到會先晤張含英君，隨謁該會常務委員兼秘書長李書田，談論彼此治黃見解，并參觀該會各部。該會內部有測量工程，設計，氣候測量三科，設備至合學理，人才均係專家。自九一八後，經費異常拮据，然猶能以百分之四十五用於河道及地形測量，百分之二十五用於水文及氣象觀測，百分之二用於設計及調查，用於行政及其他僅百分之十，精神至爲可佩。主工程設計者爲顧君明逸，主地形測量者爲張君金榮，主氣候測驗爲徐君世大。余自該會出後，張君含英往拜河北建設廳廳長，適渠往接韓主席不遇，遂驅車遊津市，先到北甯路車站，遊其公園，轉南行，遊天津城，復經日本租界。日租界以前至爲繁盛，自國難發生，我國人痛祖國之被凌，紛紛搬往他處，極爲蕭條。可見人心未死也。出日租界，入法租界，過英租界，又入特一區特二區及意租界，巡遊一週，乃與張君同用午膳。午後，余即回寓，張君返北大港籌備會辦公，並託人畫圖抄寫意見書。六時，赴李書田君飯約，飯後往遊勸業場及各街，十時就寢。

二十五日

早十時，往中國旅行社定車位，十二時午膳，午後一時，到青年會張含英君處詢所辦治理黃河意見附圖及抄寫呈文各事，知已繕好，圖亦在晒印中。二時半，同張君往看電影片名『冰國大觀』，係描寫阿拉斯加土人生活及北極天地情形。阿拉斯加在美國購買時，世人不知其價值，現在世界風雲日急，此地與岡察加僅隔一白令海峽 爲亞美兩洲至接近處，將來美對日本戰爭，必以此爲根據。五時三十分散場，往勸業場頂樓飲茶。六時晚飯，七時往青年會取圖及文件，八時回寓，八時三十分往東站搭津浦車南下。是晚十時五十分，在車中就寢。

二十六日

早八時，過濟南，當前兩月，余方自濟沿黃河堤西上，今經過萬餘里，自北歸來，而中間所閱人地甚多，故已恍如久隔，十二時過泰安，遊泰山者均由是下車上山。

十八年，國內大戰，十九路軍繞越至此，戰局陡變。午後一時，過大汶口，二時三十分，過曲阜，孔子遺跡至多。余此次視察，關於黃河材料，耳目直接接觸者至多，以在途中匆匆，所得書本材料，頗多未經過目。本日精神尚好，且車中無事，遂發篋檢出閱之，以與目覩者相印證，益覺明瞭。人云：「讀萬卷書，行萬里路」，蓋非書不能明理，非行不能實證，兩者相輔，其益乃大也。

四時十五分，過鄒縣，民國十六年北伐，余曾到此，不覺又已六年矣。在此六年中，中國內犧牲至鉅，今且內憂外患同時並臻，而余亦長在飄泊，未得爲國家稍盡涓埃之力，更以愛我之父母兄姊相繼逝世，家庭之中，無可相助相慰，遊子天涯，傷感何已！六時三十分，過臨城，昔年抱犢山土匪孫美瑤幫曾刼車於此，事後要求收編，北京政府納之，未幾將孫槍決，將其匪類繳械，至今此地乃得太平。是晚九時過徐州，隨即就寢。

二十七日

早八時，車到浦口，卽過江，先到丹鳳街摒擋一切，十時往晤銓敍部馬祕書長旭樓兄，及考試院祕書長許公武兄，隨往二條巷李磊夫兄稍譚，十二時回丹鳳街午膳，膳後，往拜曾養甫兄，譚約三小時，曾卽搭車返杭。曾爲浙建設廳長，建設成績甚多，尤以鐵道爲著。四時，往中央飯店住宿，因便與各方接洽且有電話可通也。五時二十分，往考試院謁戴院長季陶先生，報告西北民生近狀，譚及西北人民及學生無出路，爲唏噓不置。季陶先生並論及作事，當準備時期，則宜注意宣傳俾各方得先明瞭懷抱；既作，則宜埋頭做去。不必外求，並謂在此過渡時期，人的問題，亦極重要云云。戴先生留予晚膳以便長談，同食者有朱騮先許公武馬旭樓諸先生，九時回寓。

二十八日

早，往鼓樓二條巷拜黃季寬先生，譚此次視察經過，黃謂：多用公文、不如親到，則政治設施較爲可通而易行，彼亦甚欲去西北一行，不知能否如願。黃又問余擬往桂一行否？余曰：甚願。黃云：余不久亦去，最好同行云。午後二時辭出，往陳道生醫生處醫治鼻疾，發現鼻內有膿點，將之鉗去，敷藥後，立覺舒適。陳取費不多，醫術及道德均頗高。前三月出發前，得其治理，頗覺有效，惜未痊而上道，以致復發。四時回寓，擬黃河森林局理由書暨組織條例草案。蓋應戴季陶先生囑作也。七時，張君廸青來訪，譚及滇粵鐵道，已有具體辦法。九時就寢。

二十九日

早九時，往教育部拜沈鵬飛先生，並詢西北建設專校近況，沈以前次開會討論情形見告。十二時午膳後，往各處散步。回寓後，作函復各方，發寄家書，并寄衣料給長女易賢、次女鍾儀，徇伊請也。晚八時，往安樂酒店訪雷醒南兄閒譚，至夜十一時回寓就寢。

三十日

本日竟日整理視察日記及影片標題，編配成帙，並請人抄寫報告書，繕正黃河森林局理由書及條例草案，以便分別呈送各當局。蓋際茲百廢待興，第一步當先使有力者明瞭；第二步使全國民知之透切，則進行自順而成功亦有可期。是日十一時五十分，乘火車往滬，轉杭。

三十一日

早八時，車抵上海北站，隨卽轉過杭州火車，九時十分開行。午后二時抵杭，入西冷飯店，房間均告客滿。蓋適値杭州開運動會，又是新年，中外人士來此甚衆故也。該旅館經理係勞君敬修公子，特爲設法騰出一房供住。是晚爲除夕，浙建設廳長曾養甫兄約余及譚仲逵先生往新新旅館過歐式之年，有音樂、跳舞及宴會，男女畢集，或化裝，或戴紙帽，謔戲風生，旅客亦得以略破沈寂。余因夜中不慣遲睡，十二時卽回寓就寢。一事無成，國家多難，而余又添一歲矣，思之慨然！

二十二年一月一日

早，應曾養甫兄之約，往建設廳參加國府成立紀念會，曾請予演說，余言：中國與近東問題，早數十年我等均知遲早當爆發，土以歐戰結果，雖損失甚大，但現時已尋得自強之路，我國不知準備，國難來臨，勢所當然，現時惟有於精神方面，奮我民族偉大之精神，取用世界科學方法，始可救國。末了，并將視察黃河經過，略述一過。散會後，往觀運動會。是日爲女子藍球比賽，賽者係滬杭兩方，天氣甚寒，均衣單衣，精神至旺，一洗昔日雌伏之氣。國人均以江浙人民柔弱，然近因體育之提倡，已漸壯健矣。正午，參加運動宴會，宴畢，往觀中外足球比賽，雙方均選手，結果中國勝一球。雙方球藝，長短互見，大抵中國以活潑見長，而氣魄不經久，故初時逈勝，及後攻守均不能繼續賣力，屢失好機。國人於此，當知所修養矣。按勤習體育，不特可免疾病，延壽命，而人事之進步，亦多賴有筋力有經驗及老當益壯之人物。運動會對于體魄，至有裨助，不可以一樂與事視之。午後五時回寓，十時就寢。

二日

早九時，偕曾廳長養甫往青年會聽化學會演講，係論化學與經濟軍事之關係，發揮至爲詳盡，於我國現狀極爲適切。末復述硫酸錏之作用，係硝酸硫酸之基礎，爲肥料之媒介，但以之作肥則宜注意土性，非鹼性土易使變酸，植物發育太速，不能滿其需要，故宜施於濕地而不宜於過乾及沙地。用時并宜薄敷，方爲有益。聽畢，赴體育場看表演煙幕彈及飛機炸彈泯彈夷燒彈，復旦大學理學院院長林繼庸主其事。午後一時，赴教育廳長陳布雷與建設廳長曾養甫兩位之宴，係以歡迎化學會者，宴後，偕養甫兄前往視察蠶桑試驗場基地，六時至曾公館晚膳，七時回寓，九時就寢。

三日

早，余寫一信寄余女易賢鍾儀。易賢年十三歲，鍾儀十一歲，均甚聰秀，文理人情亦頗通，前兩年已在澳門粵華寄宿求學，得師保之訓，進益頗速。余以愛憐兒女之心，故常着念。

又寄書長兄，報告自西北歸來，並請照往年例送各貧乏親戚銀錢過夏歷年。

午後一時，與許佛航兄往徐村附近，參觀其所墾植物場。場離錢塘江不遠，離閘口火車站約五里，土地頗好，風景亦佳；低原得高地，尤覺其難得。該處有之江大學，有各家之茶樹園，將來種植當更可觀。歸途至西湖樓外樓午飯，五時往看工業化學電影，係放硝化棉花及火藥製造片，但字幕係英文，無中文解說，觀者多不明瞭，幸余昔日亦曾研究此道，尚能了解。此片係化學工業會所贈，甚望以後對於此種宣傳，務須注意一般人之程度及心理，方能有效。八時，聞日决寇平津至為嚴重。是晚九時就寢。

四日

早，天雨，余步行湖邊，直往岳王坟。余於去歲九月到朱仙鎮，謁岳廟，睹被召金牌，已足令人感慨；茲又拜見其塚，想見當時被害情形，尤使人憤恨。但廟食巍峨，佞臣繫跪，是非昭彰，公道在人，亦可見奸人枉作奸人也。午後三時，往澄園謁蔣委員長，報告視察經過情形。隨問余現時中國問題，要點何在？余對以首要在使軍事有辦法，次政治在得人心，除苛稅。目前我國民衆全無組織，又物資亦缺乏，故無以安內攘外。又問余欲作何種事業？余答：欲在西北作生產事業，將謂必可使如所願。七時曾養甫兄來談，是晚九時就寢。

五日

早八時，黃劍鳴兄來約，同往華豐紙廠參觀。此廠成立於民國十一年，當時預召股四十萬元，嗣祇收得廿餘萬元，勉強開辦，十三年開工，而外紙商減價壓迫，又屢因軍事土匪之擾，損失極大，乃由現在經理人接辦。該廠每月可出紙七百餘担，現以關稅之保護及國人愛國，雖遇敵國傾銷，銷路尚好，已推至香港廣東南洋一帶。此廠之紙，以禾稈爲料，專做厚盒紙。其機器，分爲製漿與成形兩部。製漿之法，乃以稻稈切碎，置於球狀鍋內，加石灰水，其石灰之分量爲稻百分之七至八，封密通蒸气，煮約四小時卽爛，放入剪碎機內剪碎，洗淨，放入粗漿池，再過細漿機，更剪爛放入精漿池。成形機分三部：一部爲壓漲機，以製紙片；一部爲烘乾機，以乾濕紙；一部爲裁切機裁成紙片。製成之漿經過此三部，即完成紙張，計總共製造時間爲八小時。紙廠於國防至有關係，蓋製無煙火藥可以利用其機器也。參觀畢，余先回，適黃華表兄回杭，與談別悃。有頃，得到日人攻破我山海關消息，心中至感不快。余等在樓外樓飯後，即進城換紙票，因天津中國銀行票此間不甚通行，每百元補水兩元，尚不易換。是晚九時就寢。

六日

早八時，乘滬杭車赴滬，車中有某君，係研究經濟者，渠言：外國資本家肯與智識階級接近，資產愈多，人才愈衆。我國則資本愈多，驕傲愈長，人才愈缺，其企業之成敗大抵在茲。午後一時抵滬，寓中國飯店。連日不得報閱，今日見報載榆關戰事甚劇，傳我軍已退出。自九一八來，於今一年零三個月，又經去年一二八之役，而國人尚在醉生夢死，不予準備，焉得不敗。九時，晤陝人劉守中先生，渠對西北開發，至爲有心，以開發應從何着手見詢。余謂：第一須使軍事進入軌道；其次須有政治力量；其次須有最高優秀幹部；其次須有完善之地方組織；其次須適合需要，有整個計劃；其次則公開任用事務員；其次則切實督行，略盡於此矣。劉深韙余言，屬以文記之。是晚十二時始睡。

七日

早，搭九時十分車入京。午後五時抵京，隨往謁黃季寬先生，飯後往考試院與旭樓兄暢談，本晚寓安樂酒店。

八日

往晤壽君天章，與談陝西近況，午後一時，晤許公武兄，一時半，謁戴季陶先生，戴以建設西北專一教育之初期計劃見示，其要點有二：一，造成發展西北經濟事業所必須之各級專門人才；二，介現在各中學生有確實而正當之生活的出路。學校附屬之事業：一，農場及林牧；二，天文氣象台；三，國營黃河造林局；四，西北地質調查所；五，西北生物研究所。計劃書內所述，至為詳盡。余早年作事常遇不如我者，故頗自滿，及後則漸感不足，又漸感不如人，又漸感無由長進，於是發生灼急。看書則汗牛充棟，而時間及環境又多不許可，復以多病，自以為不復能作適合今世之人矣。幸一年以來，在此艱難困苦之中逐漸認識積學之士，並旁觀人物之得失，此次又得政治之力，視察黃河全部，乃恍然有覺。若更得積學深思者為之引導，今而後或可以進入學問之門矣。孟子云：『勞其筋骨，餓其體膚，困乏其身，行拂亂其所為，所以動心忍性，增益其所不能』於是見之。本日，黃季寬部長約到頭條巷住宿，遂由安樂遷往。是夜十時就寢。

九日

早，寫信復綏遠馮廳長，天津張含英兄，並看書報。午後五時，沈鵬飛先生來訪，略談教育事。余本日種牛痘，精神至感疲乏，無所事事。余自十八年粵省變後，未得一嘗以為國家做事，所謂居則忽忽若有所忘，出則不知所往；精神方面，至感無聊。若使彼蒼不負，俾得致力於治河事業，使與溺之民，均獲登於衽席，國家之經濟得一良好基礎，則今之困乏拂亂，皆受之如飴也。是晚十時就寢。

十日

早，故人以余此次出外勞苦，皆來慰勞，而請我介紹職務者亦衆，深感應付之難。蓋人不窮，不求我，我不能直接用之，介紹於人。如其賢也，固三者均有利，否我被介紹者固感我之惠，而人卽被其累。余年來做事，均主採公開，用人更公開選擇。此不特使人才各得其所，而政治亦可進於修明也。午后四時，往拜朱騮先先生，朱先生告我，西北專校經費已決定，隨時可領。并已去電芬次爾，請其來華幫助。余因諸友在京散處，彼此把晤至難，特飯約聚談。是晚九時就寢。

十一日

天降雪，往訪劉守中先生，不晤。在京無事，決南歸視我孺稚，並答兩廣當局敦請之殷，藉以商榷建設事業。呈國府視察黃河經過情形文已繕好，其文如下：

呈爲呈報視察黃河經過情形，並附陳意見，仰祈垂鑒察核事：竊應檢於去歲十月七日，奉鈞府第六十四號特派狀開特派王應榆爲黃河水利視察專員，等因，奉此。查黃河發源青海，經甘肅甯夏綏遠陝西山西河北河南山東入海，自西徂東，爲我國大河流爲患之最烈者。秦漢以降，治河者代有其人，然迄今尚無治理之方策。考沿河膏腴之地，備受沈淪之害，數千年來之損失，蓋已不可以數計：今欲謀建設救國，則治河實爲要圖。應榆奉令之初，即先行搜集歷代治河資料，研求其方法得失，以資參考，旋於十月十一日，自京出發，由山東利津沿黃河堤而上，經河北，河南，湖渭以至甘肅，轉往山西，綏遠，河套，沿途利用飛機舟車之便，往返一萬七千餘里，閱時八十日。凡黃河本流及重要支流如洮渭涇沁伊洛運諸水，及涇惠民生諸渠均親到視察，其餘亦一一詳爲訪問。深覺黃河爲患；原因有六：一，沙泥太多；二，森林稀少；三，河槽不定；四，河隄不堅；五，組織未當；六，人事失宜。蓋黃河起於青海，以黃湟大通爲源流，納洮河，經蘭臯，東北行，納甘肅境內諸小水，過甯夏綏遠境，折東流，至薩拉齊，又東南至托克托，轉南入河曲；以達龍門，而河曲龍門間兩岸逼仄，流急坡傾，隨淤隨去，南至潼關，西納涇渭，數流加入之後，泥土更增，東至孟津，地平河闊，邱山之土，爲河水所削，於是拖泥帶水，河底淤高而洪潦時尤甚，河槽以是變更，加以河堤之不固，又以河道彎曲，河口不暢，各流無調節之谷閘，而治河組織，省自爲政，言治河者，昧於全河之形勢，不理其本而治其末，以想像爲根據，以意見爲計劃，其無功也固宜。應榆此次視察所及，以爲治河之道，第一步宜徵集中外古今已有之切實資料，及閱察全河；第二步則宜集中專家，以初步爲基礎，實地研究；第三步以第二步之結果，前事測量，預算工費，致力實施，以力之所及，分年辦理；第四步除害與利，五年見效，十載有成。現在第一步已經實行，其餘似宜逐步辦理。抑尤有進者，我國數千年以農立國，至今每年棉木糧食糖紙等項，輸入達五萬萬兩以上。長此以往，人不我謀，亦難自存。黃河貫流九省，土壤肥美，適於農林，若治理得宜，潰危可塞。在政治則教養不廢，在軍事則兵食俱足；富強之基礎可立矣。……

——完了——

甲第15號

黃河視察日記　全一册　實價銀四角

編著者　王應榆

南京　四牌樓蓁巷二十三號

出版者　新亞細亞學會

南京　四牌樓蓁巷二十三號

發行者　新亞細亞學會出版科

南京　武廟考試院東側廂

印刷者　考試院印刷所

中華民國二十三年一月初版

實價銀四角

清史稿

河渠志一之四

清史稿

河渠志一

黃河

中國河患歷代而然有清首重治河探河源以窮水患聖祖初命侍衛拉錫往窮河源至鄂敦塔拉即星宿海高宗復遣侍衛阿彌達往西踰星宿更三百里乃得之阿勒坦噶達蘇老山自古窮河源無如是之詳且確者然此猶重源也若其初源則出葱嶺與漢書合東行爲喀什噶爾河又東會葉爾羌和闐諸水爲塔里木河而匯於羅布淖爾東南潛行沙磧千五百里再出爲阿勒坦河伏流初見輒作黃金色蒙人謂金阿勒坦因以名之是爲河之重源東北會星宿海水行二千七百里至河洲積石關入中國經行山間不能爲大患一出龍門至滎陽以東地皆平衍惟賴隄防爲之限而治之者往往違水之性逆水之勢以與水爭地甚且因緣爲利致潰決時聞勞費無等患有不可勝言者自明崇禎末李自成決河灌汴梁其後屢塞屢決順治元年夏黃河自復故道由開封

經蘭儀商虞迄曹單碭山豐沛蕭徐州靈璧睢寧邳宿遷桃源東逕清河與淮合歷雲梯關入海秋決溫縣命內祕書院學士楊方興總督河道駐濟寧二年夏決考城又決王家園方興言自遭闖亂官竄夫逃無人防守伏秋汛漲北岸小宋曹家口悉衝決濟寧以南田廬多淹沒宜乘水勢稍涸鳩工急築上命工部遴員勘議協修七月決流通集一趨曹單及南陽入運一趨塔兒灣魏家灣侵淤運道下流徐邳淮陽亦多衝決是年孟縣海子村至渡口村河清二日詔封河神爲顯佑通濟金龍四大王命河臣致祭明年流通集塞全河下注勢湍激由汶上決入蜀山湖五年決蘭陽七年八月決荆隆朱源寨直注沙灣潰運隄挾汶由大清河入海方興用河道方大猷言先築上游長縷隄遏其來勢再築小長隄八年塞之九年決封邱大王廟衝圮縣城水由長垣趨東昌壞平安隄北入海大爲漕渠梗發丁夫數萬治之旋築旋決給事中許作梅御史楊世學陳斐交章請勘九河故道使河北流入海方興言黄河古今同患而治河古今異宜宋以前治河但令入海有路可南亦可北元明以迄我朝東南漕運由

清口至董口二百餘里必藉黃爲轉輸是治河卽所以治漕可以南不可以北若順水北行無論漕運不通轉恐決出之水東西奔蕩不可收拾今乃欲尋禹舊蹟重加疏導勢必別築長隄較之增卑培薄難易曉然且河流挾沙束之一則水急沙流播之九則水緩沙積數年之後河仍他徙何以濟運上然其言乃於丁家寨鑿渠引流以殺水勢是年復決邳州又決祥符朱源寨戶部左侍郎王永吉御史楊世學均言治河必先治淮導淮必先導海口蓋淮爲河之下流而濱海諸州縣又爲淮之下流乞下河漕重臣凡海口有爲姦民堵塞者盡行疏濬其漕隄閘口因時啟閉然後循流而上至於河身剔淺去淤使河身愈深足以容水議皆不果行十一年復決大王廟給事中林起龍劾方興侵冒上解方興任遣大理卿吳庫禮工科左給事中許作梅往按起龍坐誣復方興任十三年塞大王廟費銀八十萬十四年方興乞休以吏部左侍郎朱之錫代之是年決祥符槐疙疸隨塞十五年決山陽柴溝姚家灣旋塞復決陽武慕家樓十六年決歸仁隄先是御史孫可化疏陳淮黃隄工事下總河之錫言桃源費家

齧及安東五口淤澱久工繁費鉅且黃河諺稱神河難保不旋濬旋淤惟有加意修防補偏救弊而已之錫陳兩河利害條上工程器具夫役物料八弊又言因材器使用人所亟獨治河之事非澹泊無以耐風雨之勞非精細無以察防護之理非慈斷兼行無以盡羣夫之力非勇往直前無以應倉猝之機故非預選河員不可因陳預選之法二曰薦用曰儲才諳習之法二曰久任曰交代又條上河政十事曰議增河南夫役曰均派淮工夫役曰察議通惠河工曰建設柳園曰嚴剔弊端曰釐覈曠盡銀兩曰慎重職守曰明定河工專職曰申明激勸大典曰酌議撥補夫役均允行十七年決陳州郭家埠虞城羅家口隨塞康熙元年五月決曹縣石香爐武陟大村睢寧孟家灣六月決開封黃練集灌祥符中牟陽武杞通許尉氏扶溝七縣七月再決歸仁隄河勢既逆入淸口又挾睢湖諸水自決口入與洪澤湖連直趨高堰衝決翟家壩流成大澗九淮陽自是歲以災告二年決睢寧武官營及朱家營三年決杞縣及祥符閻家寨再決朱官營旋塞四年四月河決上游灌虞城永城夏邑又決安東茆良口五年之

錫卒以貴州總督楊茂勳爲河道總督六年決桃源煙墩蕭縣石將軍廟逾年塞之又決桃源黃家嘴已塞復決沿河州縣悉受水患清河衝沒尤甚三汊河以下水不沒骭黃河下流既阻水勢盡注洪澤湖高郵水高幾二丈城門堵塞鄉民溺斃數萬遣官蠲賑冬命明珠等相視海口開天妃石閘白駒等閘毀白駒姦民閉閘碑八年決清河三汊口又決清水潭副都御史馬紹曾巡鹽御史李棠交章劾茂勳不職罷之以羅多爲河道總督九年決曹縣牛市屯又決單縣譙樓寺灌清河縣治是歲五月暴風雨淮黃並溢撞卸高堰石工六十餘段衝決五丈餘高寶等湖受淮黃合力之漲高堰幾塌淮陽岌岌可虞工科給事中李宗孔疏言水之合從諸決口以注於湖也江都高寶無歲不防隄增隄與水俱高以數千里奔悍之水攻一綫孤高之隄值西風鼓浪一瀉萬頃而江高寶泰以東無田地興化以北無城郭室廬他如淥陽平望諸湖淺狹不能受水各河港疏濬不時范公隄下諸閘久廢入海港口盡塞雖經大臣會閱嚴飭開閘出水而年深工大所費不貲兼爲傍海奸竈所格竟不果行水迂回至東北

廟灣口入海七邑田舍沈沒動經歲時比宿水方消而新歲橫流又已踵至矣御史徐越亦言高堰宜乘冬水落時大加修築於是起桃源東至龍王廟因舊址加築大隄三千三百三十丈有奇臘後冰解水溢沿河村舍林木剷刷殆盡十年春河溢蕭縣六月決清河五堡桃源陳家樓八月又決七里溝以王光裕總督河道光裕請復明潘季馴所建崔鎮等三壩而移季太壩於黃家嘴舊河地以分殺水勢是歲茆良口塞十一年秋決蕭縣兩河口邳州塘池舊城又溢虞城遣學士郭廷祚等履勘十二年桃源七里溝塞十三年決桃源新莊口及王家營又自新河鄭家口北決十四年決徐州潘家塘宿遷蔡家樓又決睢寗花山壩復灌清河治民多流亡十五年夏久雨河倒灌洪澤湖高堰不能支決口三十四漕隄崩潰高郵之清水潭陸漫溝之大澤灣共決三百餘丈揚屬皆被水漂溺無算上遣工部尚書冀如錫戶部侍郎伊桑阿訪究利病是歲又決宿遷白洋河于家岡清河張家莊王家營安東邢家口二鋪口山陽羅家口塞桃源新莊十六年如錫等覆陳河工壞潰情形光裕解任勘問以安徽巡撫

靳輔爲河督輔言治河當審全局必合河道運道爲一體而後治可無弊河道之變遷總由議治河者多盡力於漕艘經行之處其他決口則以爲無關運道而緩視之以致河道日壞運道因之日梗河水裹沙而行全賴各處清水併力助刷始能奔趨歸海今河身所以日淺皆由從前歸仁隄等決口不即堵塞之所致查自清江浦至海口約長三百里向日河面在清江浦石工之下今則石工與地平矣向日河身深二三四丈不等今則深者不過八九尺淺者僅一二三尺矣河淤運亦淤今淮安城堞卑於河底矣運淤清江與爛泥淺盡淤今洪澤湖底漸成平陸矣河身既墊高若此而黃流裹沙之水自西北來晝夜不息一至徐邳宿桃即緩弱散漫臣目見河沙無日不積河身無日不加高若不大修治不特洪澤湖漸成陸地將南而運河東而清江浦以下淤沙日甚行見三面壅遏而河無去路勢必衝突內潰河南山東俱有淪胥沈溺之憂彼時雖費千萬金錢亦難剋期補救因分列大修事宜八曰取土築隄使河寬深曰開清口及爛泥淺引河使得引淮刷黃曰加築高家堰隄岸曰周橋閘至翟家壩決口

三十四須次第堵塞曰深挑淸口至淸水潭運道增培東西兩隄曰淮揚田及商船貨物酌納修河銀曰裁併河員以專責成曰按里設兵晝隄分守廷議以軍務未竣大修募夫多宜暫停疏再上惟改運土用夫爲車運餘悉如所請於是各工並舉大挑淸口爛泥淺引河四及淸口至雲梯關河道創築關外束水隄萬八千餘丈塞于家岡武家墩大決口十六又築蘭陽中牟儀封商邱月隄及虞城周家隄明年創建王家營張家莊減水壩二築周橋翟壩隄二十五里加培高家堰長隄山淸安三縣黃河兩岸及湖堰大小決口盡塞優詔褒美十八年建南岸碭山毛城鋪北岸大谷山減水石壩各一以殺上流水勢二十年塞楊家莊蓋決五年矣是歲增建高郵南北滾水壩八徐州長樊大壩外月隄千六百八十九丈大修至是已三年河未盡復故道輔自劾部議褫職上命留任二十一年決宿遷徐家灣隨塞又決蕭家渡先是河身僅一線輔盡堵楊家莊欲束水刷之而引河淺窄淤刷鼎沸遇徐家灣隄卑則決蕭家渡土鬆則又決會候補布政使崔維雅上河防芻議條列二十四事請盡變輔前法上遣尚

書伊桑阿侍郎宋文運履勘命維雅隨往維雅欲盡毀減水壩別圖挑築伊桑阿等言輔所建工程固多不堅改築亦未必成功輔亦申辨工將次第告竣不宜有所更張並下廷議因召輔至京輔言蕭家口明正可塞維雅議不可行上是之命還工二十二年春蕭家渡塞河歸故道明年上南巡閱河賜詩褒美二十四年秋輔以河南地在上游河南有失則江南河道淤澱不旋踵乃築考城儀封隄七千九百八十九丈封邱荆隆口大月隄三百三十丈滎陽埽工三百十丈又鑿睢甯南岸龍虎山減水閘四上念高郵諸州湖溢淹民田命安徽按察使于成龍修治海口及下河聽輔節制旋召輔成龍至京集議成龍力主開濬海口輔言下河海口高內地五尺應築長隄高丈六尺束水趨海所見不合下廷臣議亦各持一說上以講官喬萊江北人召問萊言輔議非是因遣尙書薩穆哈等勘議還言開海口無益會江甯巡撫湯斌入爲尙書詢之斌言海口開則積水可洩惟高郵興化民廬墓爲不便耳乃黜薩穆哈頒內帑二十萬命侍郎孫在豐董其役時又有督修下河宜先塞減水壩之議上不許召輔

入對輔言南壩永塞恐淮弱不敵黃強宜於高家堰外增築重隄截水出清口不入下河停丁溪等處工程成龍時任直撫示以輔疏仍言下河宜濬修重隄勞費無益議不決復遣尚書佛倫等勘議佛倫主輔議二十七年御史郭琇劾輔治河無績內外臣工亦交章論之乃停築重隄免輔官以閩浙總督王新命代之仍督修下河鐫在豐級以學士凱音布代之明年上南巡閱高家堰謂諸臣曰此隄頗堅固然亦不可無減水壩以防水大衝決但靳輔欲於舊隄外更築重隄實屬無益並以輔於險工修挑水壩令水勢回緩甚善車駕還京復其官三十一年新命罷仍令輔爲河督輔以衰疾辭命順天府丞徐廷璽副之輔請於黃河兩岸值柳種草多設涵洞俱報可是冬輔卒上聞歎悼予騎都尉世職以于成龍爲河督越二年召詢成龍曰減水壩果可塞否對曰不宜塞仍照輔所修而行上曰如此何不早陳爾排陷他人則易身任總河則難非明驗耶三十四年成龍遭父憂以漕督董安國代之明年大水決張家莊河會丹沁偪滎澤徙治高埠又決安東童家營水入射陽湖是歲築攔黃大壩於雲梯關挑

引河千二百餘丈，於關外馬家港導黃由南潮河東注入海，去路不暢，上游易潰，而河患日亟。三十六年，決時家馬頭。明年，仍以成龍爲河督。三十八年春，上南巡，臨視高家堰等隄，謂諸臣曰：「治河上策，惟以深浚河身爲要。河底浚深，則洪澤湖水直達黃河，興化、鹽城等七州縣無汎濫之患，田產自然涸出。若不治源，治流終無裨益。今黃、淮交會之口過於徑直，應將河、淮之隄各迤東灣曲拓築，使之斜行會流，則黃不致倒灌矣。」明年，成龍卒，以兩江總督張鵬翮爲河督。是歲，塞時家馬頭，從鵬翮先疏海口之請，盡拆雲梯關外攔黃壩，賜名大清口。建宿遷北岸臨黃外口石閘，徐州南岸楊家樓至段家莊月隄。四十一年，上謂永定河石隄甚有益，欲推行黃河兩岸，自徐州至清口皆修石隄。鵬翮言：「建築石工必地基堅實，惟河性靡常，沙土鬆浮，石隄工繁費鉅，告成難以預料。」遂作罷。四十二年，上南巡，閱視河工，製河臣箴以賜鵬翮。秋，移建中河出水口於楊家樓，逼溜南趨，清水暢流敵黃，海口大通，河底日深，黃水不虞倒灌。上嘉鵬翮績，加太子太保。四十六年八月，決豐縣吳家莊，隨塞。明年，鵬翮入爲刑部尚書以趙世顯代之四十八年六月決蘭陽雷家集儀封洪邵灣及水驛張家莊各隄六十年八月決武陟詹家店馬營口魏家口大溜北趨注滑縣長明東明奪運河至張秋由五空橋入鹽河歸海自河工告成黃流順軌安瀾十餘年矣至是遣鵬翮等往勘九月塞詹家店魏家口十一月塞馬營口世顯罷以陳鵬年署河道總督六十一年正月馬營口復決灌張秋奔注大清河六月沁水暴漲衝塌秦家廠南北壩臺及釘船幫大壩時王家溝引河成引溜由東南會滎澤入正河馬營隄因無恙鵬年復於廣武山官莊峪挑引河百四十餘丈以分水勢九月秦家廠南壩甫塞北壩又決馬營亦漫開十二月塞之雍正元年六月決中牟十里店婁家莊由劉家寨南入賈魯河會鵬年卒齊蘇勒爲總河慮賈魯河下注之水山盱高堰臨湖隄工不能容納亟宜相機堵閉上命兵部侍郎嵇曾筠馳往協議七月決梁家營詹家店復遣大學士張鵬翮往協修是月塞九月決鄭州來童寨民隄鄭民挖陽武故隄洩水並衝決中牟楊橋官隄尋塞是歲建清口東西束水壩以禦黃蓄清二年以嵇曾筠爲副總河駐武陟轄河

南河務東河分治自此始六月決儀封大寨蘭陽板橋逾月塞之三年六月決睢甯朱家海東注洪澤湖明年四月塞未竣河水陡漲衝塌東岸壩臺睢甯虹泗桃源宿遷悉被淹命兩廣總督孔毓珣馳勘協防十二月塞是月河清起陝西府谷訖江南桃源五年齊蘇勒以朱家海素稱險要增築夾壩月隄防風埽並於大溜頂衝處削陡岸爲斜坡懸密葉大柳於坡上以抵溜之汕刷久之大溜歸中泓柳枝沾掛泥滓悉成沙灘易險爲平工不勞而費甚省因請凡河崖陡峻處俱仿此行六年曾筠內遷禮部尚書副總河如故命署廣東按察使尹繼善協理江南河務七年改河道總督爲江南河道總督駐清江以孔毓珣任省副總河以曾筠爲山東河道總督駐濟甯上以明臣潘季馴有每歲派夫加高隄身五寸之議前靳輔亦以爲言計歲費不過三四萬下兩河總督議毓珣等請酌緩急分年輪流加倍約歲需二萬餘金下部議行八年毓珣卒曾筠調督南河田文鏡兼署東河總督五月敕建河州口外河源神廟成加封號是月河清起積石關訖撒喇城查漢斯是歲決宿遷及桃源沈家莊旋塞以封邱荊

隆口大溜頂衝開黑墹口至柳園口引河三千三百五十丈十年增修高堰石隄成十一年揀派部院司員赴南河學習期以三年授曾筠文華殿大學士兼吏部尚書督南河如故命兩淮鹽政高斌就習河務曾筠旋遭母憂斌署南河總督乾隆元年四月河水大漲由碭山毛城鋪閘口洶湧南下隄多衝塌潘家道口平地水深三五尺上以下流多在蕭宿靈虹睢寧五河等州縣令止議濬上源而無疏通下游之策則水無歸宿下江南河南各督撫暨兩總河委勘會議並移南副總河駐徐州以專督率旋高斌請濬毛城鋪迤下河道經徐蕭睢宿靈虹至泗州安河陡門紆直六百餘里以達洪澤出清口會黃而淮揚京員夏之芳等言其不便明年召斌詢問斌繪圖呈覽乃知之芳等所言失實令同總督慶復碻估定議並將開濬有利無害曉喻淮揚士民初斌疏濬毛城鋪水道別開新口塞舊口以免黃河倒灌至三年秋河漲灌運論者多歸咎新開運口斌言十月後黃水平退湖水暢流新淤隨溜刷去可無虞淺澀四年斌又言上年清水微弱時値黃水異漲並非開新口所致而南人言者不已上遣大學

士鄂爾泰馳勘亦言新口宜開明年黃溜仍南逼清口仿宋陳堯佐法製設木龍二挑溜北行六年斌以宿遷至桃源清河二百餘里河流湍激北岸只縷隄六並無遙隄又內逼運河將運河南岸縷隄通築高厚作黃河北岸遙隄更於縷隄內擇要增築格隄九未成斌調督直隸完顏偉繼之先是上以河溜逼清口倒漾爲患詔循康熙間舊迹開陶莊引河導黃使北遣鄂爾泰會勘議甫定以汛水驟漲停工斌亦去任至是完顏偉慮引河不就於清口迤西黃河南岸設木龍挑溜北走引河之議遂寢厥後四十一年上決意開之踰年工竣新河直抵周家莊會清東下倒漾之患永絕七年決豐縣石林黃村奪溜東趨又決沛縣縷隄旋塞完顏偉調督東河改白鍾山南河總督初豐沛決時大學士陳世倌往勘添建滾水石壩二於天然南北二壩處以分洩水勢十年決阜寧陳家浦時淮黃交漲沿河州縣被淹漕督顧琮言陳家浦逼近海口以下十餘里向無隄工每遇水漲任其散溢若仍於此堵塞是與水爭地費多益少應於上流築遙隄以束水勢事下訥親高斌仍議塞舊決口十一年鍾山罷顧琮署南

總河建木龍三於安東西門逼溜南趨自木龍以上皆淤灘化險爲平十三年琮調督東河詔大學士高斌管南河事斌以雲梯關下二套漲出沙灘大溜南趨直逼天妃宮辛家蕩隄工開分水引河並修補徐州東門外蟄裂石隄琮亦以祥符十九堡南岸日淤大溜北趨逼隄根建南北壩臺並於壩外捲埽籤樁十六年六月決陽武命斌赴工會琮堵築十一月塞十七年上以豫省河岸大隄外有大行隄一連接直東年久殘缺在直隸者令方觀承勘修其山東界內有無汕刷殘缺令鄂容安查修鄂容安言曹單二縣大行隄大小殘缺三千四百三十丈並加幫卑薄補築缺口三百三十餘丈疏濬隄南洩水河以宣坡水十八年秋決陽武十三堡九月決銅山張家馬路衝塌內隄縷越隄二百餘丈南注靈虹諸邑入洪澤湖奪淮而下以尹繼善督南河遣尚書舒赫德偕白鍾山馳赴協理同知李焞守備張賓侵帑誤工爲學習河務布政使富勒赫所劾勘實置之法高斌及協理張師載坐失察縛視行刑是冬河塞方銅山之始決也下廷議吏部尚書孫嘉淦獨主開減河引水入大淸河略言自順康以來河

決北岸十之九北岸決潰運者半不潰者半凡其潰道皆由大清河入海者也蓋大清河東南皆泰山基脚其道亙古不壞亦不遷移前南北分流時已受河之半及張秋潰決且受河之全未聞有衝城郭淹人民之事則此河之有利無害已足徵矣今銅山決口不能收功上下兩江二三十州縣之積水不能消涸故臣言開減河也上游減則下游微決口易塞積水早消但河流湍急設開減河而奪溜以出不可不防故臣言減入大清河也現開減河數處皆距大清河不遠計大清河所經只東阿濟陽濱州利津四五州縣即有漫溢不過偏災忍四五州縣之偏災可減兩江二三十州縣之積水並解淮揚兩府之急難此其利害輕重不待智者而後知也減河開後經兩三州縣境或有漫溢築土埂以禦之一入大清河則河身深廣兩岸堵築處甚少計費不過一二十萬而所省下游決口之工費賑濟之錢米至少一二百萬此其得失多寡亦不待智者而後知也計無便於此者上慮形勢隔礙不能用自銅山塞後月隄內積水尙深七八尺至丈八九尺上命於引河兜水壩南再開引河分溜使新工不受衝激

二十一年決孫家集隨塞明年二月上南巡至天妃閘閱木龍時鍾山調總南河偕東河總督張師載言徐州南北岸相距甚迫一遇盛漲時有潰決請挑濬於淺增築隄工並堵築北岸支河爲南北分籌之計制可二十三年命安徽巡撫高晉協理南河秋七月決竇家寨新築土壩直注毛城鋪漫開金門土壩晉言土壩過高阻遏水勢以致壅決不須再築上不許並令開蔣家營傅家窪引河仍導入黃二十六年七月沁黃並漲武陟滎澤陽武祥符蘭陽同時決十五口中牟之楊橋決數百丈大溜直趨賈魯河遣大學士劉統勳公兆惠馳勘巡撫常鈞請先築南岸上謂河流奪溜宜亟堵楊橋鈞言大謬調撫江西以胡寶瑔爲河南巡撫並令高晉赴豫協理十一月塞上聞大喜命於工所立河神廟三十年上南巡祭河神閱清口東壩木龍惠濟閘三十一年決銅沛廳之韓家堂旋塞三十三年豫撫阿思哈請以豫工節省銀加築隄岸總河吳嗣爵言豫省河面寬溜勢去來無定旋險旋平若將土埽劃爲成數恐各工員視爲年例額支轉啓興工冒銷之弊議遂寢明年嗣爵言銅瓦廂溜勢上提楊橋大工自

四五埽至二十一埽俱頂衝迎溜請於桃汛未屆折修加鑲層土層柴鑲壓堅實兩岸大隄外多支河積水汛發時引溜注隄宜多築土壩攔截上俱可其奏三十七年東河總督姚立德言前築土壩保固隄根頻歲安瀾已著成効請俟冬春間曠培築土壩密栽柳株俾數年後溝槽淤平可永固隄根上嘉獎之三十八年五月河溢朝邑漲至二丈五尺民居多漂沒三十九年八月決南河老壩口大溜由山子湖下注馬家蕩射陽湖入海板閘淮安俱被淹沒尋塞四十一年嗣爵言黃水倒灌洪湖運河清口挑挖引河恐於事無濟會內遷薩載署南總河上命偕江南總督高晉勘議晉等言臣晉在工二十餘年歷經倒灌惟有將清口通湖引河挑挖使得暢流匯黃東注併力刷沙則黃河不濬自深海口不疏自治補偏救弊惟此一法又言清口西所建木龍原冀排溜北趨刷陶莊積土使黃不逼清但驟難盡刷宜於陶莊積土之北開一引河使黃離清口較遠至周家莊會清東注不惟可免倒灌淤沙漸可攻刷即盱堰亦資穩固所謂治淮即以治黃也明年二月引河成上喜成此鉅工一勞永逸可廢數百年

藉濤敵黃之說飭建河神廟於新口石壩自製文記之四十三年決祥符旬日塞之閏六月決儀封十六堡寬七十餘丈地在諸口上掣溜湍急由睢州甯陵永城直達亳州之渦河入淮命高晉率熟諳河務員弁赴豫協堵撥兩淮鹽課銀五十萬江西漕糧三十萬賑恤災民並遣尙書袁守侗勘辦八月上游迭漲續塌二百二十餘丈十六堡已塞復決十二月再塞之越日時和驛東西壩相繼蟄陷遣大學士公阿桂馳勘明年四月北壩復陷二十餘丈上念儀工綦切以古有沈璧禮河事特頒白璧祭文命阿桂等詣工所致祭四十五年二月塞是役也歷時二載費帑五百餘萬堵築五次始合命於陶莊河神廟建碑記之六月決睢甯郭家渡又決考城曹縣未幾俱塞十一月張家油房塞而復開四十六年五月決睢甯魏家莊大溜注洪澤湖七月決儀封漫口二十餘北岸水勢全注靑龍岡十二月將塞復蟄塌大溜全掣由漫口下注四十七年兩次堵塞皆復蟄塌阿桂等請自蘭陽三堡大壩外增築南隄開引河百七十餘里導水下注由商邱七堡出隄歸入正河掣溜使全歸故道曲家樓漫口自可堵閉

上從其言明年二月引河成三月塞四十九年八月決睢州二堡仍遣阿桂赴工督率十一月塞先是上念豫工連歲漫溢隄防外無宣洩之路欲就勢建減水壩俾大汛時有所分洩下阿桂及河撫諸臣勘議至是阿桂等言豫省隄工滎澤鄭州土性高堅距廣武山近毋庸設減壩中牟以下沙土夾雜或係純沙建壩不能保固至隄南洩水各河惟賈魯河係洩水要路經鄭州中牟祥符尉氏扶溝西華至周家口入沙河又惠濟係賈魯支河二河窄狹淤墊如須減黃應大加挑浚需費浩繁非一時所能集事惟蘭儀高家寨河勢坐灣若挑濬取直引溜北注河道可以暢行上然之五十一年秋決桃源司家莊烟墩十月塞明年夏復決睢州十月塞十二月山西河淸二旬自永寧以下長千三百里五十四年夏決睢寧周家樓十月塞五十九年決豐北曲家莊尋塞嘉慶元年六月決豐汛六堡刷開運河余家莊隄水由豐沛北注山東金鄉魚臺漾入昭陽微山各湖穿入運河漫溢兩岸江蘇山陽淸河多被淹南河總督蘭錫第導水入藺家山壩引河由荆山橋分達宿遷諸湖又啓放宿遷十家河竹絡壩桃源

顧家莊隄洩水仍入河下注並於漫口西南挑挖舊河引溜東趨入正河繪圖以聞上令取直向南而東展寬開挖俾溜勢直注正河較爲得力命兩江總督蘇淩阿山東布政使康基田會勘籌辦十一月復因淩汛蟄塌壩身二十餘丈時蘇淩阿按事江西改命東河總督李奉翰赴工會辦明年二月塞加奉翰太子太保調督兩江兼管南河事是年七月河溢曹汛二十五堡三年春壩工再蟄奉翰自劾遣大學士劉墉尚書慶桂履勘並責問奉翰等因循墉等言漫口已跌成塘晌屆淩汛請展至秋後興工八月溢睢州水入洪澤湖上游水勢既分曹工遂以十月塞明年正月睢工亦塞三月以河南布政使吳璥署東河總督璥言豫東兩岸隄工丈尺加增而淤墊如故病在豐曹睢疊經漫溢雖塞後順軌安瀾然引河不能寬暢且徐城河狹旁洩過多遂成中梗去淤之法惟在束水攻沙以隄束水聞江南河臣康基田培築隄工極爲認眞應令酌看堤埽情形守護閘壩宣洩有度自可日見深通上命與基田商辦八月決碭汛邵家壩十二月已塞復滲漏又料船不戒延燒殆盡基田奪職留工調璥督南河以

河南布政使王秉韜爲東河總督移東河料物迅濟南河五年冬邵家壩塞六年九月溢蕭南唐家灣十一月塞八年九月決封邱衡家樓大溜奔注東北由范縣達張秋穿運河東趨鹽河經利津入海直隸長垣東平開州均被水成災上飭布政使瞻住撫卹復遣鴻臚卿通恩等治賑兵部侍郎那彥寶赴工會同東河總督嵇承志堵築明年二月塞十年閏六月兩江總督鐵保言河防之病有謂海口不利者有謂洪湖淤墊者有謂河身高仰者此三說皆可勿論惟宜專力於淸口大修各閘壩借湖水刷沙而河治湖水有路入黃不虞壅滯而湖亦治上嘉其言明晰扼要至謂淸水敵黃所爭在高下不在深淺所論固是但湖不深焉能多蓄是必蓄深然後力能敵黃俟大汛後會商南河總督徐端迅將高堰五壩及各閘壩支河酌量施工時有議由王營減壩改河經六塘河入海者鐵保偕南河總督戴均元上言新河隄長四百里中段漫水甚廣急難施工必須二三年之久約費三四百萬堵築減壩不過二三月費只二百餘萬且舊河有故道可尋施工較易上從之十一年四月兵部侍郎吳璥再督東河六

月復置南副總河降徐端爲之七月決宿遷周家樓八月決郭家房先後塞之十二年六月漫山安馬港口張家莊分流由灌口入海旋塞七月決雲梯關外陳家浦分流強半由五辛港入射陽湖注海十三年二月陳家浦塞鐵保等請復毛城鋪石壩王營減壩培兩岸大隄接築雲梯關外長堤及培高堰山盱隄後土坡遣大學士長麟等馳勘太僕寺卿莫瞻菉言河入江南惟資淮以爲抵禦淮萃七十二河之水匯於洪澤以堰盱石隄五壩束之令出清口匯黃入海此即束水攻沙之道今治南河宜先治清口保守五壩五壩不輕啓洩則湖水可並力刷黃黃不倒灌運河自可疏通今河臣請接築雲梯關外長隄二百餘里則於坐灣取直處必須添築埽段以爲防護既設修防必添建廳營多設官兵是徒多糜費之煩未必收束刷之效至謂修復毛城滾壩挑穵洪灘爲減黃流異漲以保徐城則可若恃此助清濟運則不可自黃水入湖淤停水勢奔注堰圩五壩且難防守又何能使之暢出清口故加培五壩使湖水暢出悉力敵黃順流直下即可淘刷河身以入海御史徐亮言鐵保等條陳修防各事惟於

原議高堰石坦坡未曾籌及蓄清刷黃專在固守高堰實得全河關鍵以柔制剛其法最善風浪衝擊至坡則平然全堰俱得坦坡外護則五壩可永閉不開清水可全力刷黃淮陽可長登衽席此萬世永圖而目前急務也海口尾閭也清口咽喉也高堰則心腹也要害之地宜先著力璥亦以爲言長鱗等覆稱毛城壩易致衝決應無庸議王營減壩積水太深難以施工請改建滾壩於其西並添築石壩至碎石坦坡工段綿長時難猝辦先築土坡餘如鐵保言均元病免端復督南河初陳家浦漫溢由射陽湖旁趨入海鐵保等以挑河費鉅徑由射陽湖入海較正河爲近因有改河道之議至是命璥等履勘璥等言前明及康熙間所有灌河入海之路覆轍具在現北潮河匯流馬港口張家莊漫水尚在壅積可見去路不暢又不能刷出河槽此外更無可另闢海口之路仍請修復故道接築雲梯關外大隄束水東注上如其言是年六月決堂子對岸千根棋杆及荷花塘掣通臨湖甎百餘丈堂子對岸及千根棋杆隨塞荷花塘旣堵復蟄端再降副總河以璥總南河明年正月塞是年冬築高堰碎石坦坡十五

年八月端復督南河省副總河十一月大風激浪決山盱屬仁義智三壩甎石堤三千餘丈及高堰屬甎石堤千七百餘丈端啟高郵車邏大壩及下游歸江各閘壩並先堵仁智壩以洩水勢時璥養病家居上垂詢辦法璥言義壩應一律堵築高堰石工尤須於明年大汛前修竣上嘉所論切要未幾仁義智三壩及馬港俱塞河歸正道入海明年四月馬港復決五月王營減壩蟄陷七月決邳北綿拐山及蕭南李家樓十二月王營減壩塞十七年二月李家樓亦塞十八年九月決睢州及睢南薛家樓桃北丁家莊褫東河總督李亨特職以均元代之明年正月均元內召起璥再督東河董理睢工二十年二月塞二十三年六月溢虞城二十四年七月溢儀封及蘭陽再溢祥符陳留中牟奪葉觀潮職以李鴻賓督東河璥時爲刑部尚書偕往會籌未幾陳留祥符中牟俱塞而武陟縷隄決觀潮連堵溝槽五叉決馬營壩奪溜東趨穿運注大清河分二道入海儀封缺口尋涸上命枷示觀潮河干均元以大學士偕侍郎那彥寶履勘彥寶即留督馬營壩工久之壩基不定鴻賓被斥責遂以不諳河務辭上怒奪其

職觀潮復督東河二十五年三月馬營口塞加河神金龍四大王黃大王朱大王封號是月儀封叉漫塌削觀潮及豫撫琦善職宣宗立仍命璥及那彥寶赴工會辦十二月塞道光元年禮部右侍郎吳烜言據御史王雲錦函稱去冬回籍過河審視原武陽武一帶隄高如嶺堤內甚卑向來堤高於灘約丈八尺自馬營壩漫決灘淤堤高於灘不過八九尺若不急於增隄恐至夏盛漲不免有出隄之患上命河督張文浩偕豫撫姚祖同履勘三年江督孫玉庭河督黎世序加培南河兩岸大隄令高出盛漲水痕四五尺除有工及險要處堤頂另估加寬餘悉以丈五尺及二丈爲度五月工竣四年十一月大風決高堰十三堡山盱周橋之息浪菴壞石隄萬一千餘丈奪文浩職以嚴烺督南河遣尚書文孚汪庭珍馳勘侍講學士潘錫恩言蓄清敵黃相傳成法大汛將至則急堵禦黃壩使黃水全力東趨今文浩遲堵此壩致黃河倒灌釀成如此巨患且欲籌減洩當在下游乃輒開祥符閘減黃入湖壩口既灌於下閘口復灌於上黃無出路湖墊極高爲患不可勝言尋文孚等亦以爲言文浩遣戍玉庭褫職留任

十二月十三堡息浪菴均塞五年十月東河總督張井言自來當伏秋大汛河員皆倉皇奔走救護不遑及至水落則以見在可保無虞不復求疏刷河身之策漸至淸水不能暢出河底日高堤身遞增城郭居民盡在水底之下惟仗歲積金錢擡河於最高之處上嘉所言切中時弊初琦善等有改移海口以減黃拋護石坡以蓄淸之議至是井言灌河海口屢改屢決自不可輕易更張即碎石坦坡亦有議及流弊者尤不可不從長計議是月增培河南十三廳山東曹河糧河二廳堤堰壩戧各工皆從井請也六年春河復漲命井偕琦善烺會勘海口琦善烺知海口不能改乃條上五事皆一時補苴之計井言履勘下游河病中滿淤灘梗塞難疏海口無可移改請由安東東門工下北岸別築新隄改北隄爲南隄相距八里十里中挑引河導河由北傍舊河行至絲網濱入海河水高隄內灘丈五六尺引河挑深一丈則水勢高下幾三丈形勢順利自東門工至禦黃壩六十里去路既暢上游可落水四五尺黃落則禦壩可啟束淸壩挑淸水外出刷黃底淤攻盡黃可落至丈餘湖水蓄七八尺已爲建瓴石工易

保上善其策於是烜坐堰盱新工掣卸降三品調署東河而以井督南河淮揚道潘錫恩副之使經畫其事而琦善以改河非策請啟王家營減壩將正河挑乾深通放清水刷滌再堵壩挽黃歸正河已允行矣給事中楊煊言嘉慶中王家營減壩開上下游州縣俱災如止減黃不奪溜何必奏籌撫卹今奏啟減壩至預及撫卹堵口事宜即與從前情形無異下壅上潰不可不防事下江督河

督會議井初議安東改河時撓之者謂東門工埽外有舊拋碎石正當咽喉恐有阻遏井謂有石處可啟除其吳工碎石千餘方但上下掣通亦斷不致礙全河然議者終以為疑及井見煊奏復言嘉慶間減壩遇水後次年黃仍倒灌今河底淤高丈四五尺豈如當時深通衆以洪湖石工隱患甚多本年二月存水丈二尺八寸遇風已多掣卸秋後湖水止能蓄至三丈冬令有耗無增來年重運經行必黃水止存二丈八九尺清方高於黃一尺若黃加高即成倒灌禦黃壩外河底墊高淤運淤湖為害不小且海州積水未消鹽河迤堤地高去路不暢啟壩後河必擡高徒深四邑之災無補全河之病請於減壩迤下安東門工

上山安廳李工迤隄外築北隄斜向趨東仍與前議改河隄工相連增長七千餘丈挑河至八套即入正河李工至八套舊隄長四萬一千丈取直築隄僅長三萬二千餘丈可避東門碎石之阻河減清高漕行自利督臣意以開放減壩已經奏定不得以旁觀一言輒思變計並臚列七難駁臣所議臣已逐條致覆疏入上終以改河爲創舉從琦善議十一年七月決楊河廳十四堡及馬棚灣十二月塞十二年八月決祥符九月桃源姦民陳瑞因河水盛漲糾衆盜挖于家灣大隄放淤肥田致決口寬大掣全溜入湖桃南通判田銳等褫職遣戍是月祥符塞明年正月于家灣塞十五年以栗毓美爲東河總督時原武汛串溝受水寬三百餘丈行四十餘里至陽武汛溝尾復入大河又合沁河及武陟滎澤諸灘水畢注隄下兩汛素無工故無稭料隄南北皆水不能取土築隄毓美試用抛磚法於受衝處抛磚成壩六十餘壩甫成風雨大至支河首尾決而壩如故屢試皆效遂請減稭石銀兼備磚價令沿河民設窯燒塼每方石可購二方塼行之數年省帑百三十餘萬而工益堅會有不便其事者持異議於是御

史李蒓請停燒塼上遣蒓隨尚書敬徵履勘卒以溜深急則塼不可恃停之十九年毓美復以塼工得力省費爲言乃允於北岸之馬營滎原兩堤南岸之祥符下汛陳溜汛各購塼五千方備用二十一年六月決祥符大溜全掣水圍省城河督文沖請照睢工漫口暫緩堵築遣大學士王鼎通政使慧成勘議文沖又請遷省治上命同豫撫牛鑑勘議時河溜由歸德陳州折入渦會淮注洪澤湖拆展禦黃東清各壩尚不足資宣洩並展放禮智仁壩義河亦啟放八月鑑言節逾白露水勢漸落城垣可無虞自未便輕議遷移鼎等言河流隨時變遷自古迄無上策然斷無決而不塞塞而不速之理如文沖言俟一二年再塞且引睢工爲證查黃水經安徽匯洪澤宣洩不及則高堰危淮揚盡成巨浸況新河所經須更築新堤工費均難數計即幸而集事而此一二年之久數十州縣億萬生靈流離豈堪設想且睢工漫口與此不同河臣所奏斷不可行疏入解文沖任枷示河干以朱襄繼之二十二年祥符塞用帑六百餘萬加鼎太子太師七月決桃源十五堡蕭家莊溜穿運由六塘河下注未幾十五堡挂淤蕭家

莊口刷寬百九十餘丈掣動大溜正河斷流河督麟慶意欲改道遣尚書敬徵廖鴻荃履勘敬徵等言改河有礙運道惟有迅堵漫口挽歸故道俟明年軍船回空後築壩合龍從之十一月以吏部侍郎潘錫恩總督南河二十三年御史雷以諴言決口無庸堵塞請改舊爲支以通運道下錫恩勘議錫恩言灌口非可行河之地北岸無可改河之理不敢輕議更張漕船仍由中河灌塘上然之更命侍郎成剛順天府尹李德會勘六月決中牟水趨朱仙鎭歷通許扶溝太康入渦會淮復遣敬徵等赴勘以鍾祥爲東河總督鴻荃督工旋以尚書麟魁代敬徵二十四年正月大風壩工蟄動旋東壩連失五占麟魁等降黜有差仍留工督辦七月上以頻年軍餉河工一時並集經費支絀意欲緩至明秋興築鍾祥等力陳不可十二月塞用帑千一百九十餘萬二十九年六月決吳城十月命侍郎福濟履勘會同堵合

咸豐元年閏八月決豐北下汛三堡大溜全掣正河斷流時侍郎瑞常典試江南命試竣便道往勘又命福建按察使查文經馳赴會辦三年正月豐北三堡

塞勅建河神廟從河督楊以增請也五月大雨水長溜急豐北大壩復蟄塌三十餘丈上責以增及承修各員加倍罰賠五年六月決蘭陽銅瓦厢奪溜由長垣東明至張秋穿運注大清河入海正河斷流上念軍務未平餉糈不繼若能因勢利導使黃流通暢入海則蘭陽決口即可暫緩堵築事下河督李鈞察奏鈞旋陳三事曰順河築埝東西千餘里築隄所費不貲何敢輕議除河近城垣不能不築堤壩以資抵禦餘擬就漫水所及酌定埝基勸民接築高不過三尺水小藉以闌阻水大聽其漫過散水無力隨漫隨淤地面漸高且變沙磧爲沃壤矣曰遇灣切灘河性喜坐灣每至長水遇灣則怒而横決惟於坐灣之對面勸令切除灘嘴以寬河勢水長即可刷直就下愈暢並可免兜灘沖決之虞曰堵截支流見在黃流漫溢既不能築堅隄以束其流又不能挑引河以殺其勢宜乘冬令水弱溜平勸民築壩斷流再於以下溝槽跨築土格高出數尺漫水再入上無來源下無去路冀漸淤成平陸東撫崇恩亦以爲言上令直隸山東河南各督撫妥爲勸辦十一年御史薛書堂言南河自黃水改道下游已無工

可修請省南河總督及廳員下廷臣議侍郎沈兆霖言導河始自神禹九河故道皆在山東入海處在今滄州是禹貢之河固由東北入海自漢王莽時河徙千乘入海而禹之故道失歷東漢迄隋唐從無變異宋神宗時河分南北兩派並行北派由北清河入海即今大清河至元至元間會通河成懼河北行礙運而北流塞歷今五六百年河屢北決無不挽之使南說者謂河一入運必挾泥沙以入海而運道亦淤故順河之性北行爲宜乾隆朝孫嘉淦請減開河入大清河一疏言之甚詳足破北行礙運之疑夫河入大清由利津入海正今黃河所改之道見在張秋以東自魚山至利津海口皆築民堰惟蘭儀之北張秋之南河自決口而出奪趙王河及舊引河汎濫平原田廬久被淹浸張秋高家林舊堰殘缺過多工程最鉅如東明長垣荷澤鄆城其培築較張秋爲易宜乘此時順水之性聽其由大清河入海諭令紳民力籌措辦或應開減河或應築堤堰統於水落興工河慶順軌民樂力田缺額之地丁可復歷年之賑濟可停就此裁去南河總督及廳員可省歲帑數十萬而歸德徐淮一帶地幾千里均可

變爲沃壤逐漸播種升科似亦一舉而兼數善者矣下直督恆福東撫文煜豫撫慶廉東河總督黃贊湯勘議六月省南河總督及淮揚淮海豐北蕭南宿南宿北桃南桃北各道廳改置淮揚徐海兵備道兼轄河務同治二年復省蘭儀儀睢睢甯商虞曹考五廳六月漫上南各廳屬水由蘭陽下注直東境內涸出村莊復被淹沒菏澤東明濮范齊河利津等州縣水皆逼城下署河督譚廷襄上言河已北行攔水惟恃民埝從未議疏導恐漸次淤墊海口稍有扞格阻滯事更爲難查濮范一帶舊有金堤前臣任東撫時設法修築未久復被沖缺上游毗連直隸開州處亦有沖缺開州不修濮范築亦無益東長之埝開濮之堤須設法集貲督民修築庶可以衞城池而保廬墓此外旣未專設河員要在沿河地方官督率修理並勸助裒集以助民力之不逮請飭下直督東撫迅將蘭陽下游漫溢地方揀員會同該州縣妥辦從之十二月又言今年夏秋陰雨來源之盛迥異尋常一股直下開州一股旁趨定陶曹單豫省以有堤壩幸獲保全直東則無不能不聽其汎濫迄今半載直隸未聞如何經畫開州缺口亦未

興工至山東被害尤深或欲培築堤埝或欲疏濬支河議無一定濮州金堤亦因開未動工不能興辦瞬屆春汛何以禦之臣遣運河道宗稷辰履勘直至利津之鐵門關測量水勢深至六七丈去路不爲不暢而上游仍到處旁溢則大清河身太狹不能容納之故如蒲臺齊東濟陽長清平陰肥城民埝缺口寬數丈或數十丈不下三四十處不加修築則來歲依然漫淹是欲求下游永奠必先開支渠以減漲水而後功有可施必將附近徒駭馬頰二河設法疏濬庶水有分洩再堵各缺口並築壩以護近水各城垣此大清河下游之當先料理者也至開濮金堤及毗連菏澤之史家隄當先堵築並加倍舊堰擇要接修此大清河上游之當先經畫者也復下直督劉長佑東撫閻敬銘會籌明年三月以濮州當河衝允敬銘請移治舊城並築堤捍禦五年七月決上南廳胡家屯長佑言溜勢趨重西北新修金隄概被冲刷開州冲開支河數道自開滑之杜家寨至開濮界之陳家莊險工五段長九千六百餘丈均須加厚培高方資捍禦惟上游在豫下游在東非直隸一省所能辦理應會同三省統籌全修再行設

汛撥款備料庶可一勞永逸自河流改道直隸隄工應並歸河督管轄作爲豫直東三省河督以專責成疏入命河督蘇廷魁履勘會同三省督撫籌議七年六月決滎澤十堡又漫武陟趙樊村水勢下注潁壽入洪澤湖侍郎胡家玉言不宜專塞滎澤新口疏蘭陽舊口宜仿古人發卒治河成法飭各將領督率分段挑濬舊河一律深通然後決上游之水掣溜東行庶河南之患不移於河北治河即所以治漕下直督曾國藩鄂督李瀚章江督馬新貽漕督張之萬及河督江蘇河南山東安徽各巡撫妥議國藩等言以今日時勢計之河有不能驟行規復者三蘭陽漫決已十四年自銅瓦廂至雲梯關以下兩岸堤長千餘里歲久停修堤埽河淤今欲照舊時挑深培高恐非數千萬金不能蕆事且廳營久裁兵夫星散一一復設仍應分儲料物廂辦埽壩並預籌防險之費又歲須數百萬金當此軍務初平庫藏空虛安從籌此鉅款一也滎澤地處上游論形勢自應先堵滎澤蘭工勢難並舉使滎口掣動全黃則蘭工可以乾涸今滎口分溜無多大溜仍由蘭口直注利津入海其水面之寬跌塘之深施工之難較

之滎工自增數倍滎工堵合無期蘭工更無把握原奏決放舊河掣溜東行似言之太易且瞬交春令興工已難二也漢決酸棗再決瓠子爲發卒治河之始元明發丁夫供役亦以十數萬計見在直東江豫捻氛甫靖而土匪游勇在在須防所留勇營斷難盡赴河干亦斷不敷分挑之用若再添募數十萬丁夫聚集沿黃數千里間駕馭失宜滋生事端尤爲可慮三也應俟國庫充盈再議大舉因時制宜惟有趕堵滎工爲保全豫皖淮揚下游之計上然之八年正月滎澤塞十年八月決鄆城侯家林東注南旺湖又由汶上嘉祥濟寗之趙王牛朗等河直趨東南入南陽湖時廷魁內召命新河督喬松年會同東撫丁寶楨勘辦寶楨方以病在告乃偕護撫文彬至工相度文彬言河臣遠在豫省若往返咨商恐誤要工一面飛咨河臣遴派掌壩並管理正雜料廠員弁及諳習工程之弁兵工匠帶同器具於年內來東一面由臣籌購應需料物以期應手上責松年剋期興工松年言已飭原估委員並熟習工程人員赴東聽遣並飭購備竹纜及覓雇綑鑲船隻備提用惟已交立春春水瞬生辦工殊無把握並移書

文彬主持其事。文彬不能決，寶楨力疾視事。上言：「河臣職司河道，疆臣身任地方，均責無旁貸。乃松年一概諉之地方，不知用意所在。見在已過立春，若再候其的信，以定行止，恐誤要工。且此口不堵，必漫淹曹、兗、濟十餘州縣，若再向南奔注，則淸淮裏下河更形喫重。松年即立意諉卸，臣若避越俎之嫌，展轉遷延，實有萬趕不及之勢。惟有力疾銷假，親赴工次，擇日開工。倘松年所遣員弁到工，即責成該工員等一手經理，剋期完工，保全大局，應請破格保奬，以昭激勸。倘敢陽奉陰違，有心貽誤，一經驗實，應請便宜行事，即將該員弁正法工次，以爲罔上殃民者戒。」上嘉其勇於任事，並諭松年當和衷共濟，不遽加責也。十一年二月，侯家林塞，予寶楨優敘。先是同知蔣作錦條上河運事宜，朝廷頗韙其議，下河漕撫臣議奏。未幾，侯家林決，松年、寶楨意見齟齬。及寶楨塞侯家林，松年上言作錦所陳，卓然有見，可以采取，並稱：「東境黃水日愈汎濫，運道日愈淤塞，宜築隄束黃，先堵霍家橋諸口，並修南北岸長隄，俾黃趨張秋以濟運，挑濬張秋迤南北淤塞，修建閘壩，以利漕行。」上以松年意在因勢利導，不爲無見，令寶楨文彬詳議毋固執己見旋覆稱目前治黃之法不外堵銅瓦廂以復淮徐故道與東省築隄即由利津入海兩策顧謂二者之中以築堤束黃爲優而上下游均歸緩辦臣實未見其可自銅瓦廂至牡蠣觜計千三百餘里創建南北兩隄相距牽計約須十里除見在淹沒不計外尚須棄地數千萬頃其中居民不知幾億萬作何安插是有損於財賦者一也東省沿河州縣自二三里至七八里者不下十餘若齊河齊東蒲台利津皆近在臨水築堤必須遷避是有礙於建置者二也大清河近接泰山麓山陰水悉北注除小清淄瀰諸河均可自行入海餘悉以大清河爲尾閭置堤束黃以後水勢擡高向所洩水之處留閘則虞倒灌堵遏則水無所歸是有妨於水利者三也東綱鹽場坐落利津霑化壽光樂安等縣濱臨大清河兩岸自黃由大清入海鹽船重載溯行於湍流甚行阻滯而灘地間被漫溢產鹽日絀海灘被黃淤遠納潮甚難東綱必至隳廢私梟亦因而蠭起是有礙於鹺綱者四也臣寶楨身任地方於通省大局所關固宜直陳無隱然使於治運漕果有把握則京倉爲根本至計猶當權利害之

輕重而量爲變通臣等熟思審計實未見其可恃而深覺其可慮似仍以堵合銅瓦廂使復淮徐故道爲正辦並陳四便御史游百川亦言河運並治宜許籌妥辦疏入廷議不能決下直督李鴻章鴻章因遣員周歷齊豫徐海訪察測量期得要領十二年六月上言治河之策原不外恭親王等審地勢識水性酌工程權利害四語而尤以水勢順逆爲要見在銅瓦廂決口寬約十里跌塘過深水涸時猶逾一二丈舊河身高決口以下水面二三丈不等如欲挽河復故必挑深引河三丈餘方能吸溜東趨查乾隆間蘭陽靑龍岡之役費帑至二千餘萬阿桂言引河深至丈六尺人力無可再施今豈能挑深至三丈餘乎十里口門進占合龍亦屬創見國初以來黃河決口寬不過三四百丈且屢堵屢潰常閱數年而不成今豈能合龍而保固乎且由蘭陽下抵淮徐之舊河身高於平地三四丈年來避水之民移住其中村落漸多禾苗無際若挽地中三丈之水跨行於地上三丈之河其停淤待潰危險莫保情形有目者無不知之歲久隄乾即加修治必有受病不易見之處萬一上游放溜下游旋決收拾更難議者

或以河北行則穿運爲運道計終不能不强之使南以會淸口臣查嘉慶以後淸口淤墊夏令黃高於淸已不能啟壩送運道光以後禦黃壩竟至終歲不啟遂改用灌塘之法自黃浦洩黃入湖湖身頓高運河水少灌塘又不便遂改行海運今卽能復故道亦不能驟復河運非河一南行卽可僥倖無事此淮徐故道勢難挽復且於漕運無益之實在情形也至河臣所請就東境東黃濟運一節查淸口淤墊卽借黃濟運之病今張秋運河寬僅數丈兩岸廢土如山若引重濁之黃以閘壩節宣用之水勢擡高其淤倍速人力幾何安能挑此日進之沙且所挑之沙仍堆積於積年廢土之上雨淋風蕩河底日高閘亦壅塞久之黃必難引明宏治中荆龍口銅瓦廂屢次大決皆因引黃濟張秋之運遂致導隙濫觴臨淸地勢低於張秋數丈而必以後無掣溜奪河之害臣亦不敢信也至霍家橋堵口築隄工尤不易該處本非決口乃大溜經行之地兩頭無岸一望浮沙並無眞土可取勉强堆築節節逼溜下注恐浮沙易塌實足攖河之怒而所耗實多一遭潰決水仍別穿運道而不專會張秋豈非全功盡棄至作賓

擬導衛濟運原因張秋以北無淸水灌運故爲此議查元村集迤南有黃河故道地多積沙施工不易且以全淮之水不能敵黃尙致倒灌停淤豈一淸淺之衛遂能禦黃濟運耶其意蓋襲取山東諸水濟運之法不知泰山之陽水皆西流因勢利導十六州縣百八十泉之水源旺派多自足濟運衛水來源甚弱最順今必屈曲使之南行勢多不便此借黃濟運及築隄束水均無把握與導衛濟運之實在情形也惟河既不能挽復故道則東境財賦有傷水利有礙城池難以移置鹽場間被漫淹如寶楨所陳誠屬可慮臣查大淸河原寬不過十餘丈今已刷寬半里餘冬春水涸尙深二三丈岸高水面又二三丈是大汛時河槽能容五六丈奔騰迅疾水行地中此人力莫可挽回之事亦祀禱以求而不可得之事目下北岸自齊河至利津南岸齊東蒲台皆接築民埝雖高僅丈許詢之土人遇盛漲出槽不過數尺尙可抵禦岱陰繡江諸河亦經擇要築隄汛至則漲汛過則消受災不重至齊河濟陽齊東蒲臺利津各城近臨河岸十九年來幸防守無患以後相勢設施若驟議遷徙經費無籌民情難喻無此辦法

東省鹽場在海口者雖受黃淤產鹽不旺經撫臣南運膠濟之鹽時爲接濟引地無虞淡食惟價値稍昂耳河在東省固不能無害但得設法維持尙不至爲大患昔乾隆中銅山決口不能成功孫嘉淦曾有分河入大淸之疏其後蘭陽大工屢敗垂成嵇璜又有改河大淸之請此外裘曰修錢大昕胡宗緒孫星衍魏源諸臣議者更多其時河未北流尙欲挽之使北今河自北流乃欲挽使南流豈非拂逆水性大抵南河堵築一次通牽約七八百萬歲修約七百餘萬實爲無底之壑今河北徙近二十年未有大變亦未多費巨款比之往代已屬幸事且環拱神京尤得形勝自銅瓦厢東決粤捻諸逆竄擾曹濟幾無虛日未能過河一步而北岸防守有所憑依更爲畿輔百世之利此兩相比較河在東雖不亟治而後患稍輕河回南即能大治而後患甚重之實在情形也近世治河兼言治運遂致兩難卒無長策臣愚以爲天庾正賦以蘇浙爲大宗國家治安之道尤以海防爲重今沿海洋船駢集爲千古創局已不能閉關自治正不妨借海運轉輸之便逐漸推廣以擴商路而實軍儲蘇浙漕糧見既統由海運臣

前招致華商購造輪船搭運漸有成效由海船解津較爲便速至海道雖不暢通河務未可全廢此時治河之法不外古人因水所在增立隄防一語查北岸張秋以上有古大金堤可恃以爲固張秋以下岸高水深應由東撫隨時飭將民埝保護加培至侯家林上下民埝應倣照官堤辦法一律加高培厚更爲久遠之計又銅瓦廂決口水勢日向東坍刷久必汎濫南趨請飭松年察看形勢量築堤埝與曹州之堤相接俾資周防而期順軌至南河故道千餘里居民佔種豐收並請查明升科以免私墾爭奪之患疏入議乃定是年夏秋決開州焦邱濮州蘭莊又決東明之岳新莊石莊戶民埝分溜趨金鄉嘉祥宿遷沭陽入六塘河寶楨勘由鄆城張家支門築隄堵塞旋乞假展墓十三年春溜益南趨潰漫不可收拾江督累章告災九月寶楨回任改由菏澤賈莊建壩十二月興工光緒元年三月東明決塞並築李連莊以下南隄二百五十里時河督曾國荃請設南岸七廳部議俟直東豫籌有防汛的款再定二年春署東撫李元華言黃河南隄自賈莊至東平二百餘里均完固惟上游毗連直豫自東明謝寨

至考城七十餘里並無隄岸此工刻不可緩昔年侯家林塞後怵於費多未暇顧問遂至賈莊決口此次賈莊以下堤雖完固上游若不修築設有漫決豈惟前功盡棄河南安徽江蘇仍然受害山東首當其衝無論已臣擬調營勇兼僱民夫築此七十餘里長隄深恐呼應不靈已商直督豫撫協力襄辦至濮范之民自黃河改道昏墊十有餘年賈莊決後稍有生機及賈莊塞受災如故查南隄距北面金隄六七十里以屏蔽京師則可於濮范村莊田畝則不能保衛該處紳民願修北隄惟力有未支請酌加津貼既成以後派弁勇一律修防濮范陽穀壽張東阿五縣地畝可涸出千餘頃又查濮范以上有黃水二道擬於壽張東阿境內新河尾閭抽挑引河二冀歸併一渠於南隄之北黃河之南再立小隄以束水又可涸出地畝千餘頃至北隄上游內有八里係開州轄若不一律修築不惟北堤徒勞無功即畿輔亦難保不受其患已商直督遣員協助妥速蕆功惟所壓直豫地畝該處居民無甚大益而山東百姓受益無窮自應由山東折償地價上游收束既窄下游水溜勢急不可不防自東平至利津海口

九百餘里已飭沿河州縣就民堤加培酌給津貼以工代賑各項通計需費二千餘萬此黃河大段擬辦情形也事下所司五年決歷城潘溝明年復決八年決歷城桃園十一月塞九年東撫陳士杰創建張秋以下兩岸大隄時山東數遭河患朝士屢以爲言上遣侍郎游百川馳往會勘百川言自來論河者分持南行北行二說臣詳察形勢將來遇伏秋盛漲復折而東自尋故道亦未可知若挽以人力則勢有萬難一則北隄決後已沖刷淨盡築隄進占工已甚鉅且全河正流北行中流堵禦以圖合龍必震駭非常辦理殊無把握一則故道旁沙嶺勢難挑動且徐海一帶河身涸出淤地千餘里民盡墾種一旦驅而之他民豈甘心失業此南行之說應無庸議也至大清河本汶濟交會自黃流灌入初猶水行地中今則河身淤墊既患水不能洩自濟河上下北則濟陽惠民濱州利津南則靑城章邱歷城至鄒長高博漫決十一處竊惟河入濟瀆已二十八年其始誤於山東無辦河成案誘民自爲堤埝縱屢開決未肯形諸奏牘貽患至斯今則泛濫數百里漂沒數百村徧歷災區傷心慘目謹擬辦法三一疏

通河道黃初入濟尚能容納淤墊日高至海口尤日形淤塞沙淤水底人力難施計惟多用船隻各帶鐵篦混江龍上下拖刷使不能停蓄日漸刮深疏導之方似無踰此一分減黃流濟一受黃其勢岌岌不可終日查大清河北徒駭最近馬頰較遠鬲津尤在其北大清河與徒駭最近處在惠民白龍灣相距十許里若由此開築減壩分入徒駭河其勢較便再設法疏通其間之沙河寬河屯民等河引入馬頰鬲津分疏入海當不復虞其滿溢一亟築縷堤民間自築縷隄近臨河干多不合法且大率單薄又斷續相間屢經塌陷一築再築民力困竭今擬自長清抵利津南北岸先築縷隄其頂衝處再築重隄約長六百餘里仍借民力加以津貼可計日成功爲民悍患民自樂從至謂治水不與水爭地其法無過普築遙隄然濟武兩郡地狹民稠多占田畝小民失業正非所願且其間村鎭廬墓不可數計兼之齊河濟陽齊東蒲台利津皆城臨河干使之實逼處此民情未免震駭價買民田需款不下四五百萬工艱費鉅可作緩圖臣所以請築縷隄以濟急而不敢輕持遙隄之議者此也士杰持異議會海豐人

御史吳峋言徒駭馬頰二引河不可輕開命直督李鴻章偕士杰會勘亦如峋言乃定議築兩岸長隄是年決利津十四戶十年三月塞閏五月決歷城河套圈霍家溜齊河李家岸陳家林蕭家莊利津張家莊十四戶先後塞之是年兩岸大堤成各距河流數百丈即縷隄也而東民仍守臨河埝有司亦諭令先守民埝如埝決再守大隄而隄內村廬未議遷徙大漲出槽田廬悉淹居民遂決隄洩水官亦不能禁嗣是只守埝不守大隄矣十一年蕭家莊潘溝再決又決齊河趙莊十二月潘溝趙莊塞明年二月蕭家莊塞六月再決河套圈又決濟陽王家圈惠民姚家口章邱河王莊壽張徐家沙窩惟王家圈工緩辦餘皆年內塞東境河雖屢決然皆分溜少奪溜每堵築一次費數萬或數十萬多亦不過一二百萬較南河時所省正多被淹地畝亦較少地平水緩故也十三年六月決開州大辛莊水灌東境濮范壽張陽穀東阿平陰禹城均以災告八月決鄭州奪溜由賈魯河入淮直注洪澤湖正河斷流王家圈旱口乃塞鄭州既決議者多言不必塞宜乘此復故道戶部尚書翁同龢工部尚書潘祖蔭同上言

河自大禹以後行北地者三千六百餘年南行不過五百餘年是河由雲梯關入海本不得謂故道即指爲故道而現在溜注洪澤湖形北高南下不能導之使出淸口去故道尙百餘里其勢斷不能復或謂山東數被水害遂以河南行爲幸不知河性利北行自金章宗後河雖分流有明一代北決者十四南決者五我朝順康以來北決者十九南決者十一況淮無經行之渠黃入淮安有歸宿之地下流不得宣洩上游必將復決決則仍入東境山東之患仍未能弭至黃水南注有二大患五可慮黃注洪澤而淮口淤墊久不通水僅張福口引河闊不過數丈大溜東注以運河爲尾閭僅恃東隄爲護已岌岌可危今忽加一黃河必不能保大患一洪澤淤墊高家埝久不可恃黃河勢悍入湖後難保不立時塌卸不東衝裏下河即南灌揚州江淮河漢併而爲一東南大局何堪設想大患二裏下河爲產米之區萬一被淹漕米何從措辦可慮一即令漕米如故或因黃挾沙墊運不能浮送或因積水漫溢縴道無存漕艘停滯且山東本借黃濟運黃既遠去沂汶微弱水從何出河運必廢可慮二兩淮鹽場胥在范

公隄東范隄不保鹽場淹沒國課何從征納可慮三潁壽徐海好勇鬥狠小民蕩析難保不生事端可慮四黃汛合淮勢不能局於湖潴必別尋入海之道橫流猝至江鄉居民莫保旦夕可慮五至入湖之水亦須早籌宣洩裏下河地勢西北俯東南仰宜順其就下之勢由興化以北歷朦朧傳家塢入舊河避雲梯關淤沙北濬大通口入潮河以達淮河海口則取徑直形勢便經費亦不過鉅上命江督曾國荃漕督盧士杰籌議適國荃士杰亦言悍河匯淮東下其危險百倍尋常查治水不外宣防二策而宣之用尤多洪湖出路二皆由運入江今大患特至不能不於湖之上游多籌出路分支宣洩博採羣議桃源有成子河南接洪湖北至舊河又北爲中運河若加挑成子河使通舊河直達中運河兩岸築隄即可引漫水由楊莊舊河至雲梯關入海此洪湖上面新闢一去路也清河有碎石河西接張福口引河東達舊河大加挑挖亦可引漫水由楊莊舊河至雲梯關入海此洪湖下面新闢一去路也詢之耆舊僉謂舍此別無良法是以臣等議定即勘估興工不敢拘泥成規往返遷延致誤事機上韙之並遣

前山西布政使紹誠降調浙江按察使陳寶箴前山東按察使潘駿文迅赴鄭工隨同河督成孚豫撫倪文蔚襄理河務時工賑需款鉅且急戶部條上籌欵六事一裁防營長夫一停購軍械船隻機器一停止京員兵丁米折銀一酌調附近防軍協同工作一令鹽商捐輸給獎一預征當商滙號稅銀議上詔裁長夫捐鹽商及預征稅銀餘不允九月命禮部尚書李鴻藻偕刑部侍郎薛允升馳勘鴻藻留督工時黃流漫溢河南州縣如中牟尉氏扶溝鄢陵通許太康西華淮甯祥符沈邱鹿邑多被淹浸水深四五尺至一二丈特頒內帑十萬並截留京餉三十萬賑撫而河工需款急允御史周天霖李世琨請特開鄭工新捐例奪成孚職以李鶴年署河督十月東撫張曜言山東河淤潮高黃流實難容納請乘勢規復南河故道下鴻藻鶴年議鴻藻等遂請飭迅籌合辦上以黃河籌復故道迭經臣工條奏但費鉅工繁斷難於決口未堵之先同時並舉此奏於故道宜復止空論其理語簡意疏一切利害之輕重地勢之高下工用之浩大時日之迫促並未全局通籌縷晰奏覆如此大事朝廷安能據此寥寥數語

定計決疑故道一議可暫從緩至所稱一切工作先自下游開辦南河舊道現在情形如何工程能否速辦經費能否立籌有無滯礙著國荃士杰崧駿迅速估奏國荃言黃流東注淮南北地處下游宜籌分洩之策請就楊莊以下舊河二百餘里挑濬以分沂泗之水騰出中運河預備洪河盛漲挾黃北行堪以容納是上游籌有去路而淮由三河壩直趨而東則運堤極爲喫重勢不能不開壩宣洩裏下河如臨釜底而枝河頗多若預先疏導使水能順軌則田廬民命亦可保全同龢祖蔭所言洵得水性就下之勢業經遣員履勘並請調熟悉河工之江蘇臬司張富年督理制可先是侍郎徐郙有通籌黃河全局之疏文蔚言郙所陳口門北岸上游酌開引河上南廳以下河內挑川字河及築排水壩三者皆河南必辦之事即前人著效之法臣前請於河身闊處切灘疏淤即郙酌開引河及川字河之意河員以近日河勢略變須更籌辦法且有引河不可挑之說而此項土夫皆係應賑之人無論何工皆係應辦之事將來或幫挑運河或幫築河身應就商河臣隨時調度報聞十二月國荃士杰言同龢等所陳

二患五慮不啻身歴其境將臣等所欲言者代達宸聽當經派員分投履勘自傳家塢入舊黃河過雲梯關至大通口測量地勢北高丈五七尺揆諸就下之性殊未相宜不敢不恪遵聖訓於興化境內別籌疏淤查下河入海河道以新陽射陽兩河爲最鬥龍港次之祗以支河阻塞未能通暢查興化屬之大圍閘丁溪場屬之古河口小海均極淤淺疏濬以後如果高郵開壩可冀水皆順軌由新陽等河宣暢歸海其閘門窄狹過水不暢者另於左右開挖越河俾得滔滔直注此外幹支各河再接續擇要興挑以期逐節通暢核與同龢祖蔭之奏事異功同十四年正月國荃等又言徐郙通籌河局疏稱淮揚實無處位置黃河宜先籌宣洩之方再求堵合之法洵屬確中肯綮至請挑天然及張福口引河本係由淮入黃咽喉昔人建導淮之議皆從引河入手祗以張福淤墊太高挑不得法且恐沂泗倒灌又順清河爲清江三閘來源曩時堵築以資自衛自河北徙此壩久廢今既引淮入黃仍須堵築順清壩庶三閘可保無虞經臣等派員審度河底雖北高南低加工挑深尚可配平順清河雖水深溜急多備料

士亦可設法堵築又經臣士杰履勘陳家窰可開引河上接張福口下達吳城七堡與碎石河功用相同已於十月分段興挑自張福口內窰河起至順清河止開深丈四尺至二丈冀上游多洩一分之水下河即少受一分之災其工段亦間調哨勇幫同挑濬以補民夫之不足以上辦法與該侍郎所陳江南數條不謀而合先是上以將來河仍北趨有趁溜流驟減挑濬東明長隄開州河身加培堤埝之諭至是鴻章言直境黃河長八九十里一律挑濬工鉅費煩即酌挑北面數處亦需二三十萬兩岸河灘高於中洪一二丈河身尙可容水惟東明南隄歷年衝刷亟應擇要修築已調派大名練軍春融赴工並募民夫同時力作開州全隄殘缺已甚亦經派員估修至長垣南岸小堤離河較遠尙可緩辦北岸民埝飭勸民間修培不得逼束河流致礙大局六月小楊莊塞是月鴻藻言鄭工兩壩共進占六百一十四丈尙餘口門三十餘丈因伏秋暴漲人力難施請緩俟秋汛稍平接續舉辦上嚴旨切責褫鶴年職與成孚並戍軍台鴻藻文蔚均降三品留任以廣東巡撫吳大澂署河道總督大澂言隄者治病必

考其治病之由病者服藥必求其對症之方臣日在河干與鄉村父老諮詢舊事證以前人紀載知豫省河患非不能治病在不治築隄無善策鑲埽非久計要在建壩以挑溜逼溜以攻沙溜入中洪河不著隄則堤身自固河患自輕廳員中年久者僉言咸豐初滎澤尚有磚石壩二十餘道隄外皆灘河溜離隄甚遠就壩築埽以防險而堤根之埽工甚少自舊壩失修不數年廢棄殆盡河勢愈逼愈近埽數愈添愈多廳員救過不遑顧此失彼每遇險工輙成大患河員以鑲埽爲能事至大溜圈注不移旋鑲旋蟄幾至束手臣親督道廳趕拋石垜三四丈深之大溜投石不過一二尺溜即外移始知水深溜激惟拋石足以救急其效十倍埽工以石護溜溜緩而埽穩歷朝河臣如潘季馴靳輔栗毓美皆主建壩挑溜良不誣也現以數十年久廢之要工數十道應修之大壩非一旦所能補築竣工惟有於鄭工款內核實撙節省得一萬即多購一萬之石垜省得十萬即多做十萬之壩工雖係善後事宜趁此乾河修築人力易施否則鄭工合龍後明年春夏出險必至措手不及雖不敢謂一治而病即愈特愈於不

治而病日增果能對症發藥一年而小效三五年後必有大效上嘉勉之大澂又言向來修築壩埽皆用條磚碎石每遇大汛急溜壩根淘刷日深不但磚易衝散重大石塊亦即隨流坍塌聞西洋有塞門德土拌沙黏合不患水侵趁此引河未放各處須築挑壩正在河身乾涸之時擬於磚面石縫試用塞門德土塗灌斂散爲整可使壩基做成一片足以抵當河溜用石少而工必堅似亦一勞永逸之法報聞十二月鄭工塞用帑千二百萬實授大澂河督詔於工次立河神廟並建黃大王祠賜扁額與黨將軍俱加封號是年七月決長垣范莊未幾塞十五年六月決章邱大寨莊金王莊分溜由小清河入海又決長清張村齊河西紙坊山東濱河州縣多被淹浸是冬塞十六年二月東撫張曜言前南總河轄河工九百餘里東總河轄五百餘里自決銅瓦廂河入山東遂裁南總河而東河所轄河工僅二百餘里今東河綿長九百里日淤日高全恃隄防爲保衛本年臣駐工二百餘日督率修防日不暇給請將自菏澤至運河口河道二百餘里歸河督轄與原轄之河道里數相等部議以此段工程向由巡撫督

率地方官兼管河督恐呼應不靈曜又言向來沿河州縣本歸河臣兼轄員缺仍會河臣題補遇有功過河臣亦應舉劾尚無呼應不靈之患請並下河督籌議先是大澂遣員測繪直東豫全河至是圖成上之五月決齊河高家套旋塞十八年六月決惠民白茅墳奪溜北行直趨徒駭入海又決利津張家屋濟陽桑家渡及南關灰壩俱滙白茅墳漫水歸徒駭河七月決章邱胡家岸夾河以內一片汪洋遷出歷城章邱濟陽齊東青城濱州蒲臺利津八縣災民三萬三千二百餘戶初河督許振禕請於歲額六十萬內提十二萬歸河防局籌添料石先事預防由河督主之至是部令分案題銷振禕言河工大險恃法不如用人如以恃法論則從來報銷例案工部知之河工亦知之故自每年添款及鄭工報銷之千數百萬未聞其不合例也如以用人論則臣近此改章從事比年大險橫生亦均次第搶補幸奏安瀾至添料添石固有不盡合例者矣原臣立河防局意有二端一則恐廳員遇險推諉藉口無錢無料故提此鉅款先事預防之資一則恐廳員不實不盡故添委官紳臨時匡救之用而限十二萬纖悉

到工不準絲毫入局並不準開支薪水河南官紳吏民罔不知之即如今歲之得保鉅險就買石一款已用過十一萬數千兩餘則補鄭工金門沈裂之隄此不能分案題銷者也又多方買石隨處搶堵險未平必加拋險已過即停止此不能繪圖貼說者也上如所請行是年白茅墳各口塞二十一年六月決壽張高家大廟齊東趙家大隄未幾決濟陽高家紙坊利津呂家窪趙家園十六戶是冬次第塞明年六月決利津西韓家陳家御史宋伯魯條上東河積弊一冒領牘消宜嚴定處分一收發各料宜設法稽查一申明賠修舊例以防隨意改名一武弁宜認眞巡察詔東撫嚴除積弊並令有河務各督撫查察遇有劣員嚴參懲辦二十三年正月決歷城小沙灘章邱胡家岸隨塞十一月淩汛決利津姜家莊扈家灘水由霑化降河入海二十四年六月決山東黑虎廟穿運東洩仍入正河又決歷城楊史道口壽張楊家井濟陽桑家渡東阿王家廟分注徒駭小清二河入海遣鴻章偕河督任道鎔東撫張汝梅會勘未幾省東河總督尋復置二十五年二月鴻章等言山東黃河自銅瓦廂改道大清河以來時

當軍興未遑修治同治季年漸有潰溢始築上游南隄光緒八年後潰溢屢見遂普築兩岸大隄乃民間先就河涯築有小埝緊逼黄流大隄成後復勸民守埝且有改爲官守者於是隄久失修每遇汛漲埝決水遂建瓴而下隄亦隨決此歷來失事病根也上游曹兗屬南北隄湊長四百餘里兩隄相距二十里至四十里民埝偶決水由隄内歸入正河大決則隄亦不保計南北埝工二十四同治以來決僅四五見此上游情形也中游濟泰屬兩岸隄埝各半湊長五百里南岸上段傍山無隄下段守埝北岸上守堤下守埝參差不一無非爲隄内村莊難遷權爲保守計下游武定屬南岸全守隄北岸全守埝湊長五百餘里地勢愈平水勢愈大險工七十餘處二十五年來已決二十三次此中下游情形也東省修防事本草創間有興作皆因費絀未按治河成法前撫臣李秉衡歷陳山東受河之害治河之難謂近幾無歲不決無歲不數決朝廷屢糜鉅金閭閻終無安歲若不按成規大加修治何以仰答愛養元元之意臣等詳考古來治河之法惟漢賈讓徙當水衝之民讓地於水實爲上策前撫臣陳士杰建

築中下游兩岸大隄湊長千里兩堤相距五六里至八九里就此加培修守似不失爲中策惟先有棄隄守埝處如南岸濼口上下守埝者百一十里上段近省六十里商賈輻輳近險工稍平暫緩推展下段要險極多十餘年來已決九次擬遷出埝外二十餘村棄埝守隄離水稍遠防守易固此南岸酌擬遷民廢埝辦法也至北岸隄工自長清至利津四百六十里埝外堤內數百村莊長埝逼近湍流河面太狹無處不灣無灣不險河唇淤高埝外地如釜底各村斷不能久安室家且埝破隄必破欲保埝外數百村併隄外數千村同一被災尤覺非計但小民安土重遷屢被沈災不肯遠去非可旦夕議定今擬北岸自長清官莊至齊河六十餘里河面尚寬利津至鹽窩七十餘里地皆斥鹵不便徙民均以埝作隄埝外之民無庸遷徙其齊河至利津尚有三百二十里民埝緊逼河干竟有不及一里者勢不得不廢埝守堤但北隄殘缺多半無可退守且需欵過鉅遷民更難應暫守舊埝此北岸分別守埝作隄及將來再議廢埝守隄辦法也至南北大隄爲河工第一重大關係既處處卑薄擬並改埝之隄及暫

定之民埝照河工舊式一律修培總期足禦汎漲至下口入海尾閭尤關全河大局查鐵門關故道尚有八十餘里愈下愈寬深直通海口形勢較絲網口韓家垣爲順工費亦較省然建攔河大壩挑引河築兩岸大隄需費頗鉅下口不治全河皆病不得不核實勘估此又加培兩岸隄工改正下口辦法也約估工費需九百三十萬有奇分五六年可告竣朝議如所請先發帑百萬交東撫毓賢督修毓賢言黃河治法誠如部臣所云展寬河面盤築隄身疏通尾閭三事爲扼要查尾閭之害以鐵板河爲最全河挾沙帶泥到此無所歸束散漫無力經以風潮膠結如鐵流不暢則出路塞而橫流多故無十年不病之河擬建長隄直至淤灘防護風潮縱不能徑達入海而多進一步即多一步之益至隄埝卑薄擬修培時土方必足夯硪必堅尤加意保守其坐灣處一灣一險如上游賈莊孫家樓中流坰家岸霍家溜桑家渡下游白龍潭北鎮家集鹽窩均著名巨險餘險尤多固非裁灣取直不可然亦須相度形勢必引河上口能迎溜勢下口直入河心方得蒲臺迤西魏家口至迤東宋莊約長四十里河水分流納

正河之溜三分之若就勢修隄建壩挑溜使歸北河正河如淤蒲臺城垣永免水患此裁灣取直之最有益者擬即勘估興辦報聞二十六年拳匪亂作未續請款嗣時局日艱無暇議及河防矣是年淩汛決濱州張肖堂家明年三月塞六月決章邱陳家窰惠民楊家大堤隨塞黃河之初北徙也忠親王僧格林沁有裁總河之請嗣東河改歸巡撫兼轄河督喬松年復以爲請至是河督錫良言直東河工久歸督撫管轄豫撫本有兼理河道之責請倣山東成案改歸兼理而省東河總督制可二十八年夏決利津馮家莊秋決惠民劉旺莊逾年二月劉旺莊塞六月決利津甯海莊十二月塞三十年正月淩汛決利津王莊扈家灘姜莊馬莊隨塞六月河溢甘肅皋蘭淹沒沿灘村莊二十餘又決山東利津薄莊淹村莊鹽窩各二十餘先是山東屢遭河患當事者皆就水立隄隨灣就曲水不暢行張秋以下隄卑河窄又無石工幫護利津以下尾閭改向南形勢益不順巡撫周馥請帑三百萬略事修培部臣靳不予不得已自籌二十萬添購石料又給貲遷利津下民之當水衝者而民徙未盡又於隄南增建大堤

以備舊隄壞民有新居可歸至薄莊決水東北由徒駭河入海馥言舊河淤成平陸若依舊堵合估須九十萬有奇鉅款難籌且堵合之後防守毫無把握漫口以下水深丈餘至二三丈奔騰浩瀚就下行疾入徒駭後勢益寬深較鐵門關韓家垣絲網口尤暢達與其逆水之性耗無益之財救民而終莫能救不如遷民避水不與水爭地而使水與民各得其所依此而行其益有三尾閭通順流暢消速益一舟楫便利商貨流通益二河流順直險輕費省益三所省堵築費猶不計也然補救之策費財亦有三一遷民之費二築埝之費三移設鹽垣之費約需五十萬金較堵築費省四之三而受益過之制可遂不堵嗣是東河安瀾數年未嘗一決宣統元年決開州孟民莊明年塞三年東撫孫寶琦言自黃入東省河道深通初無修防積久淤溢始築民埝緊逼黃流嗣經普築大隄而復令民守埝埝有漫決官無處分直東兩省定例皆然元年開州決水循東省上游埝外隄內下注至中游始歸正河濮范壽張受災甚重臣會商直督遣員協款堵築上年始告成功如能通籌分別勘治改歸官守明定責成自無推

諉河工向以稭料爲大宗不如磚石經久磚又不如石質堅重東省南岸臨河多山前周馥請撥款購石改修石壩頗著成效現輪軌交通如直豫設法運石漸逐改作則一勞永逸治河良法無踰於此下游至海口尚有數十里無隄南高則北徙北淤則南遷數十年來入海之區已經數易長此不治尾閭淤墊日高必致上游橫決爲患何堪設想臣昔隨李鴻章來東勘河時比工程司建議築隄伸入海深處爲最要辦法卒以費鉅不果如由主治者統籌經費分年築隄藉束水爲攻沙之計再酌購外洋挖泥輪機往來疏濬尾閭可望深通全局皆受其益河工爲專門之學非久於閱歷不能得其奧竅亟宜仿照豫省定章改定文武額缺爲終身官三省互相遷調臣上年設立河工研究所招集學員講求河務原爲養成治河人材如設廳汛此項人員畢業即可分別試用於工程大有裨益以上四端必應興辦臣愚以爲宜設總河大員綜勘會商將三省常年經費百數十萬統歸應用俟議定大治辦法隨時請撥俾免掣肘而竟事功疏入詔會商直隸豫撫通籌未及議覆而武昌變作遂置不行

清史稿

河渠志二

運河

運河自京師歷直沽山東下達揚子江口南北二千餘里又自京口抵杭州首尾八百餘里通謂之運河明代有白漕衛漕閘漕河漕湖漕江漕浙漕之別清自康熙中靳輔開中河避黃流之險糧艘經行黃河不過數里即入中河於是百八十里之河漕遂廢若白漕之藉資白河衛漕之導引衛水閘漕湖漕之分受山東江南諸湖水與明代無異嘉慶之季河流屢決運道被淤因而借黃濟運道光初試行海運二十八年復因節省幫費續運一次迨咸豐朝黃河北徙中原多故運道中梗終清之世海運遂以爲常夫黃河南行淮先受病淮病而運亦病由是治河導淮濟運三策羣萃於淮安清口一隅施工之勤糜帑之鉅人民田廬之頻歲受災未有甚於此者蓋清口一隅意在蓄清敵黃然淮强固可刷黃而過盛則運隄莫保淮弱末由濟運黃流又有倒灌之虞非若白漕衛

漕僅從事疏淤塞決閘漕湖漕但期蓄洩得宜而已至江漕浙漕號稱易治江漕自湖廣江西沿漢沔鄱陽而下同入儀河溯流上駛京口以南運河惟徒陽陽武等邑時勞疏濬無錫而下直抵蘇州與嘉杭之運河固皆清流順軌不煩人力今撮其受患最甚工程最鉅者著於篇順治四年夏久雨決江都運隄隨塞六年夏高郵運隄決數百丈七年運隄潰挾汶水由鹽河入海八年募民夫大挑運河十四年河督朱之錫言南旺南距台莊高百二十尺北距臨清高九十尺應遵定例非積六七尺不准啓閘以免瀉涸閉下閘啟上閘水凝亦深閉上閘啟下閘水旺亦淺重運板不輕啟回空板不輕閉從之十五年董口淤之錫於石牌口迤南開新河二百五十丈接連大河以通飛輓先是漳水於九年從邱縣北流逕靑縣入海至十七年春夏之交衛水微弱糧運澀滯乃堰漳河分溉民田之水入衛濟運時河北累年亢旱部司姜天樞言昔僉事江良材欲導河注衛增一運道今獨不可借其議而反用之導衛以注河乎之錫從其言並置衛河主簿著爲令康熙元年定運河修築工限三年內衝決參處修築官

過三年參處防守官不行防護致有衝決一並參處四年秋高郵大水決運隄五年運河自儀徵至淮淤淺知縣何崇倫募民夫濬之漕督林起龍言糧艘北行處處阻閘阻淺請飭河臣履勘安山馬踏諸湖暨各櫃閘子隄斗門隄岸及東平汶上諸泉有無堵塞務期濬泉淸湖以通運道六年決江都露筋廟明年塞之十年決高郵淸水潭明年再決十三年始塞十四年決江都邵伯鎭十五年夏久雨漕隄崩潰高郵淸水潭陸漫溝江都大潭灣共決三百餘丈十六年以靳輔爲河督時東南水患益深漕道益淺輔言河運宜爲一體運道之阻塞率由河道之變遷向來議治河者多盡力於漕艘經行之地其他決口以爲無關運道而緩視之以致河道日壞運道因之日梗是以原委相關之處斷不容歧視也又運河自淸口至淸水潭長約二百三十里因黃內灌河底淤高居民日患沈溺運艘每苦阻梗請敕下各撫臣將本年應運漕糧務於明年三月內盡數過淮俟糧艘過完即封閉通濟閘壩督集人夫將運河大爲挑濬面寬十一丈底寬三丈深丈二尺日役夫三萬四千七百有奇三百日竣工並堵塞淸

水潭大潭灣決口六及翟家壩至武家墩一帶決口需帑九十八萬有奇又言向因河身淤墊阻滯盤剝艱苦萬端若淸口一律浚深則船可暢行省費甚多因令量輸所省之費作治河之用請俟運河浚深船艘通行凡過往貨物船分別徵納剝淺銀數分一年停止均允行十七年築江都漕隄塞淸水潭決口淸水潭逼近高郵湖頻年潰決隨築隨圮決口寬至三百餘丈大爲漕艘患前年尚書冀如錫勘估工費五十七萬夫柳仍派及民間猶慮功不成輔周視決口就湖中離決口五六十丈爲偃月形抱兩端築之成西隄一長六百五丈更挑繞西越河一長八百四十丈僅費帑九萬至次年工竣上嘉之名河曰永安新河隄曰永安隄是歲挑山淸高寶江五州縣運河塞決口三十二輔又請按里設兵分駐運隄自淸口至邵伯鎭南每兵管兩岸各九十丈責以栽柳蓄草密種菱荷蒲葦爲永遠護岸之策又言運河旣議挑深若不束淮入河濟運仍容黃流內灌不久復淤請於高堰隄工單薄處幫修坦坡爲久遠衛隄計均如所議行十八年決山陽戚家橋隨塞明初江南各漕自瓜儀至淸江浦由天妃閘

入黃後黃水內灌潘季馴始移運口於新莊閘納清避黃仍以天妃名然口距黃淮交會處僅二百丈黃仍內灌運河墊高年年挑濬無已兼以黃淮會合瀠洄激蕩重運出口危險殊甚至是輔議移南運口於爛泥淺之上自新莊閘西南挑河一至太平壩又自文華寺永濟河頭起挑河一南經七里閘轉而西南亦接太平壩俱達爛泥淺引河內兩渠並行互爲月河以舒急溜而爛泥淺一河分十之二佐運仍挾十之八射黃黃不內灌並難抵運口由是重運過淮揚帆直上如履坦途是歲開滾水壩於江都鰍魚骨創建宿遷桃源清河安東減壩六十九年創建鳳陽廠減壩一碭山毛城鋪大谷山宿遷攔馬河歸仁隄邳州東岸馬家集減壩十一康熙初糧艘抵宿遷由董口北達後董口淤塞遂取道駱馬湖湖淺水面闊縴纜無所施舟泥濘不得前挑掘舁送宿邑騷然輔因創開皁河四十里上接泇河下達黃河漕運便之是歲霪雨淮黃並漲決興化漕隄水入高郵治壞泗州城郭特築滾壩於高郵南八里及寶應之子嬰溝二十年七月黃水大漲皁河淤澱不能通舟衆議欲仍由駱馬湖輔力持不可親

督挑掘丈餘黃落淸出仍刷成河隨閉阜河口攔黃壩於迤東龍岡岔路口至張家莊挑新河三千餘丈使出阜河石磡之淸水盡由新河行至張家莊入黃河是爲張莊運口是歲增築高郵南北滾水壩八對壩均開越河以防舟行之險凡舊隄險處皆更以石二十二年九月黃河由龍岡漫入新河又淤隨於石磡築攔黃壩復設法疏導旬餘新河仍暢行二十三年上南巡閱河至淸口以運口水緊令添建石閘於淸河運口二十五年輔以運道經黃河風濤險惡自駱馬湖鑿渠歷宿遷桃源至淸河仲家莊出口名曰中河糧船北上出淸口後行黃河數里卽入中河直達張莊運口以避黃河百八十里之險議者多謂輔此功不在明陳瑄鑿淸口下而按察使于成龍漕督慕天顏先後劾輔開中河累民上斥其阻撓二十七年復遣尚書張玉書圖納左都御史馬齊等往視亦稱中河安流舟楫甚便但逼近黃流不便展寬而裏運河及駱馬湖之水俱入此河窄恐難容應於蕭家渡楊家莊新莊各建減壩俾水大可宣洩仲家閘口大直恐倒灌應向東南斜挑以避黃流詔俟臨閱時定奪是歲大雨中河決淹

淸河民田數千頃明年春上南巡閱視河工至宿遷支河口謂諸臣曰河道關繫漕運民生地形水勢隨時權變今觀此河狹隘逼近黃岸萬一黃隄潰決失於防禦中河黃河將溷爲一此河開後商民無不稱便安識日後若何圖納馬齊言臣等勘河時正值大水懼河隘不能容諸水故議於遙北遙隄修減壩三令由舊河形入海輔言臣意開此河可束水入海及濬畢觀之漕艘亦可行今若加增遙堤以保固黃河隄岸當可無慮河督王新命言支河口止一鎭口閘微山湖諸水甚大遇淫潦不能支必致潰決若於駱馬湖作減壩令漲水入黃再修築郯城禹王臺以禦流入駱馬湖之水令注沭河則中河無慮上謂可仍開支河其黃河運道並存不廢先是玉書等請閉攔馬河事下總河至是新命言攔馬河原以宣黃水異漲似應仍留水漲則開放水平則閉以免中河淤墊至駱馬湖三減壩玉書等議留二座於隄內減水入中河又恐中河不能容擬於遙東蕭家渡楊家莊新河口量建減壩宣洩臣謂既以中河不能容何必留此二壩之水減入中河復從蕭家渡等處建壩多此曲折不若將三壩俱留遙

隄外令由舊河形入海於蕭家渡三處量留缺口二酌水勢以宣塞之爲愈鄭城沐水口舊有禹王臺障遏水勢會自馬河沂河之水入駱馬湖愈覺泛溢不可遏應於臺舊基迎水處堵塞斷流令仍由故道入海下扈從諸臣確議惟駱馬湖減壩用玉書等原議餘如新命言三十二年直隸運河決通州李家口等五口天津耍兒渡等八口衛河微弱惟恃漳爲灌輸由館陶分流濟運明隆萬間漳北徙入滏陽河館陶之流遂絕至是三十六年忽分流仍由館陶入衛濟運三十八年廷議改高郵減壩及茆家園等六壩均爲滾水壩增加高堰石工五尺三十九年上以淸口日淤恐誤糧艘海道運津又極艱險擬以沙船載糧自江下海至黃河入海之口運入中河則海運不遠下河督張鵬翮籌議鵬翮言運河決口已塞淸水又已引出糧船當可暢達若改載沙船僱募水手徙滋糜費且由江入海從黃河海口入中河風濤不測實屬難行從之初河督于成龍以中河南逼黃河難以築隄乃自桃源盛家道口至淸河棄中河下段改鑿六十里名曰新中河至是鵬翮見新中河淺狹且盛家道口河頭灣曲輓運不

順因於三義壩築攔河隄截用舊中河上段新中河下段合爲一河重加修濬運道稱便四十年以湖口清水已出宜籌節宣之法允鵬翮請於張福口裴家場二引河間再開引河一合力敵黄若黄漲在糧艘已過堵攔黄壩使不得倒灌漲在行船時閉裴家場引河口引清水入三汊河至文華寺濟運是歲建中河口南岸石閘四十二年以仲莊牐清水出口逼溜南趨致礙運道詔移中河運口於楊家莊即大清水故道由是漕鹽兩利逾年又命建直隸運河楊村減壩以分水勢四十四年上言高堰及運河減壩不開放則危及堤堰開洩又潦傷隴畝宜於高堰三滚壩下挑河築隄束水入高郵邵伯諸湖其減壩下亦挑河築隄束水由串場溪注白駒丁溪草堰諸河入海令江漕河各督勘估遣官督修自是淮揚各郡悉免漫溢之患四十五年鵬翮於中河橫隄建草壩二鮑家營引河處建草壩一相機啟閉免中河淤墊又以運河水漲隄岸難容於文華寺建石閘閘下開引河自楊家廟單楊口迄白馬湖長萬四千八百丈有奇水漲開放入湖水涸堵閉是年濟甯道張伯行請引漳自成安柏寺營通漳之

新河接館陶之沙河古所謂馬頰河者疏其淤塞使暢流入衛議未及行越二年全漳入館陶漳衛合而勢悍急恩德當衝受害乃於德州哨馬營恩縣四女寺建壩開支河以殺其勢六十年東撫李樹德請開彭口新河先是濟甯道某言彭口一帶有昭陽微山西湖噴沙積於三洞橋內屢開屢塞阻滯糧艘應挑新河避噴沙以疏運道至是樹德以爲言上曰山東運河自西湖之水流入前此百姓以爲宜開即開以爲宜閉亦閉開者何意堵者何意務悉其故方可定其開否不然虛耗矣又曰山東運河全賴湖泉濟運今多開稻田截上流以資灌溉湖水自然無所蓄瀦安能濟運往年東民欲開新河朕恐下流泛濫禁而弗許今又請開新河此地一面爲微山湖一面爲嶧縣諸山更從何處開鑿耶張鵬翮到東將此旨詳諭巡撫申飭地方相度泉源蓄積湖水俾漕運無誤自易易耳雍正元年河督齊蘇勒偕漕督張大有言山東蓄水濟運有南旺馬踏蜀山安山馬場昭陽獨山微山郗山等湖水漲則引河水入湖涸則引湖水入槽隨時收蓄接應運河古人名曰水櫃歷年既久昭陽安山南旺多爲居民占

種私墾現除已成田不追外餘俟水落丈量樹立封界永禁侵佔設法收蓄至馬踏蜀山馬場南陽諸湖原有斗門閘座加以土壩可收蓄深廣備來年濟運之資惟獨山一湖濱臨運河一綫小堰且多缺口相度水勢河水盛漲聽其灌入湖中湖河平即築堰堵截河水稍落不使湖水走洩涓滴或遇運河淺塞則引湖水下注庶幾接濟便捷至諸湖閘座仍照舊例灌塘積水啟閉以時則湖水深廣運道疏通矣下所司議行二年齊蘇勒以駱馬湖東岸低窪易洩舊壩不足抵禦於湖東陸塘河通甯橋西高地築攔河滾壩再築攔水堤六百丈口門寬三十丈以便宣洩又幫築運河西岸地洞口堤身五百十丈高寶江東西岸隄工五千二十四丈寶應西堤七里閘迤南至柳園頭埽工五百七十丈四年齊蘇勒改种家渡南之舊彭口於十字河而彭口沙壅積如故先是侍郎蔣陳錫疏陳漕運事宜上命內閣學士何國宗等勘視豫東運道至是覆稱山東運河必賴湖水接濟請將安山湖開濬築隄南旺馬踏諸隄及關家壩俱加高培厚建石閘以時啟閉其分水口兩岸沙山下各築束水壩一汶水南戴村壩

應加修築建坎河石壩於汶水北恩縣四女寺應建挑壩一塼平運河西岸修復進水閘二東岸建滚壩一濮州沙河會趙王河處舊有土壩引河應修築開濬其河西州縣聽民開通水道匯入沙河於運道民生均有裨益武城及恩縣北岸各挑引河一河南運河自北泉而下歷仁義禮智信五閘遏水旁注愚民不無截流盜水之弊請拆去五閘於泉池南口建石堰一開口門三分爲三渠築小隄使無旁洩東西各開一渠渠各建五閘分溉民田小丹河自清化鎮下應開濬築小隄河東一里開水塘一石閘三分爲三渠以小丹河爲官渠東西各一爲民渠其洹河石壩皆已湮廢宜增修爲挑壩諸泉源應各開深廣入衛濟運下所司議行五年東撫塞楞額以柳長河日見淤淺雖一帶相連而中有金錢嶺分隔特開引河二一從嶺北注安山入湖一從嶺南出閘口濟運八年河督嵇曾筠言宿遷駱馬湖舊有十字河口門引湖濟運兼以刷黃嗣湖水微弱恐黃倒灌堵閉河口又於西甯橋迤西建攔湖壩因是湖水不通專資黃濟運致中河之水挾沙淤墊今秋山水暴漲去路遏塞漫溢横出請復十字河舊

口門俾湖水入中河刷深運道攔湖壩酌量開寬俾上游之水由六塘河入海從之是年始設黃運兩岸守堤堡夫二里一堡堡設夫二住堤巡守遠近互為聲援九年兼總河田文鏡言汶南流濟運向有玲瓏及亂石滾水三壩伏秋盛漲水由滾壩入鹽河沙由玲瓏亂石洞隙隨水滾瀉自何國宗於三壩內增建石壩涓滴不通既無尾閭洩水又無罅隙通淤致汶挾沙入運淤積日高請改壩為牐建磯心五十六中留水門五十五安牐板以資宣洩又以不能啟閉別築土堤名春秋壩如所請行十一年東撫岳濬言東省水櫃舊有東平之安山湖廢閘四自國宗議復安山湖水櫃重築臨河及圈湖堤修通湖蛇溝二閘並於八里灣十里鋪兩廢閘間建石閘一曰安濟閘俱經修竣仍不能蓄水濟運緣湖底土疏非圈堤所能收蓄均宜修防其圈湖堤缺概停補築以免糜費從之十二年直督李衛以故城與山東德州武城毗連係河流東注轉灣處向無隄埝水漲漫溢勸諭民間儹修土埝量給食米以工代賑東撫岳濬以德州河溜頂衝於東岸挑新河建滾壩兩岸各築遙隄酌開涵洞以資宣洩乾隆二年

御史馬起元言直東運河近多淤塞尚書來保言衛水濟運灌田請飭詳查地勢使漕運不阻民田亦資灌溉上命侍郎趙殿最侍衛安甯會同直漕河三督豫東兩撫勘奏經部議東省泉源四百三十九無不疏通閘壩亦完固惟戴廟七級柳林新店師莊棗林萬年頓莊各閘或雁翅潮蟄或面石裂縫兩岸斗門涵洞有滿家三空橋雁翅低陷石閘面太低應交河督興修又馬踏蜀山馬場獨山微山諸湖嚴禁佔種蘆葦南旺南陽昭陽諸湖水櫃僅堪洩水小清河久淤塞均宜次第修治至衛水濟運灌田宜於館陶臨清各立水則一測驗淺深以時啟閉起元又言通州至天津河路多淤淺糧艘不便命殿最偕顧琮勘議尋議天津溯流而上設有兵弁無官管轄應增置漕運通判一駐張家灣專司疏濬把總二外委四聽通判調遣又普濟寺等四閘屬通州增置吏目一慶豐等七閘屬大興增置主簿一遇應開挑處報坐糧廳覈實修濬用鄂爾泰言建獨流東岸滚壩並開引河注之中塘窪以免靜海有羨溢之虞並減天津三汊口爭流之勢是歲大挑淮揚運河自運口至瓜州三百餘里三年河督白鍾山

言衛河水勢惟在相機啟閉殿最前奏設館陶臨清二水則可不必立嗣雨水調勻百泉各渠閘照舊官民分用儻値水淺澀卽暫閉民渠民閘以利漕運或河水充暢漕艘早過官渠官閘亦酌量下板以灌民田是年修復三教堂減壩挑濬淤塡支河使洩水入馬頰河又於三空橋舊址修減壩仍挑通支河使洩水入徒駭河增建裴家口東南涵洞二修築房家口上下堤岸馬家閘土隄及自嶧縣臺莊迄臨清板閘運隄八百里縴道亦資障護瀕河田廬先是疏濬毛城鋪河道時高斌以黃流倒灌移運口於上游七十餘丈與三汊河接次年黃仍灌運論者多謂新開運口所致特命大學士鄂爾泰相度旋言運口直對清口湖水由裴家場引河東北直趨清口入運之水仍係迴流平緩惟新口外挑水壩稍短清水盛旺或恐溜寬宜再築長壩不必仍舊開口惟舊河直捷新河紆曲今新建閘壩未開漕船應行舊河以利挽運新河於天妃閘下重建通濟福興二閘隨時啟閉每歲漕船過後河水充溢則開放新河以分水勢湖水漲溢則閉舊河及新河閘以待水消庶新舊兩河可以交用鄂爾泰又言詳勘漳

河故道一自直隸魏縣北經山東邱縣城西至敎口村會滏陽河入大陸澤下會子牙河由天津入海一由魏縣北老沙河自潘爾莊經邱縣城東歷清和武城景州阜城各地過千頃窪入運歸海邱縣城西故道去衛河較遠舊迹既淹開通匪易且滏陽河下會子牙河全漳之水亦難容納惟老沙河即古馬頰河河形寬闊於此挑復故道自和爾寨村東承漳河北折之勢開至漳洞村歸入舊河勢順工省即於新挑河頭下東流入衛處建閘如衛水微弱則啟以濟運衛水足用則閉閘使歸故道再於靑縣下酌建閘壩臨清以北運道可免淤墊靑縣以下田廬永無浸淹應飭直東兩省會勘估修五年改山東管河道爲運河道專司蓄洩疏濬閘壩事仍管河庫從白鍾山請也二十二年添建高郵東隄石壩酌定水則視水勢大小以爲啟閉巡漕給事中海明言江南運河惟桃源之古城砂礓溜灘灣沙積黃河以南惟揚州之灣頭閘至范公祠三千三百餘丈間段阻淺均應挑濬鎭江至丹徒常州水本無源恃江潮灌注冬春潮小則淺加以每日潮汐易淤兩岸土鬆易卸應六年大挑一次否則三年亦須擇

段撈淺丹徒兩閘以下常州之武進等縣亦間段淺滯均應一律挑濬詔挑河易滋浮冒宜往來查察毋得屬之委員二十四年命海明及河督張師載東撫阿爾泰會勘直東運河初運河水漲漫溢德州等處景州一帶道路淤阻至是海明等言漳衛二河伏秋盛漲宜旁加疏洩自臨清至恩縣四女寺二百五十餘里河身盤曲臨清塔灣東岸原有沙河一即黃河遺迹由清平德州高唐入馬頰河歸海請開挑作滾水石壩使汶衛合流分洩水勢四女寺哨馬營兩支河原係旁洩汶衛歸海之路請將狹處展寬以免下游德州等處衝溢二十五年巡漕給事中耀海偕師載言南旺以北僅馬踏一湖水患不足獨山湖有金綫閘水祗南流利濟閘水可北注請移金綫閘於柳林閘北使獨山諸湖全注北運河制可二十七年以魚臺辛莊橋北舊有洩水口二口門刷深難以節制允師載等請改建滾壩一是歲挑德州西方菴對岸引河自魏家莊至新河頭長四十丈建築齊家莊挑溜埽壩接築清口東西壩修李家務石閘二十八年用阿爾泰言於臨清運河逼近村莊處開引河五以分水勢三十三年黃水入

運命大學士劉統勳等往開臨黄壩以洩盛漲並疏濬運河淤淺三十七年河督姚立德言泗河下流董家口向建石壩分洩今泗水南趨轉爲石壩所累請拆去並展寬孟家橋舊石橋如所請行五十年命大學士阿桂履勘河工阿桂言臣初到此問詢商薩載李奉翰及河上員弁多主引黄灌湖之説本年湖水極小不但黄絶清弱至六月以後竟至清水涓滴無出又値黄水盛漲倒灌入運直達淮揚計惟有借已灌之黄水以送回空蓄積弱之清水以濟重運查本年二進糧艘行入淮河全藉黄水浮送方能過淮渡黄則回空時雖値黄水消落而空船喫水無多設法調劑似可銜尾遄行借黄濟運自此始也五十一年運河盛漲致淮安迤下東岸涇河洩水石閘牆蟄底翻難資啟閉越五年山陽寶應士民修復之嘉慶元年河決豐汛刷開南運河佘家莊隄由豐沛北注金鄉魚臺漾入微山昭陽各湖穿入運河漫溢兩岸是冬漫口塞凌汛復蟄陷次年東西兩壩並蟄二月工始竣自豐工決後若曹工睢工衡工幾於無歲不決九年因山東運河淺塞大加濬治又預蓄微山諸湖水爲利運資然自是以後

黃高於清漕艘轉賫黃水浮送淤沙日積利一而害百矣十二年倉場侍郎德文等請挑修張家灣正河堵築康家溝以復運道御史賈允升請挑濬減河均下直督溫承惠勘辦承惠請濬溫榆河上遊上命侍郎托津英和偕德文等覆勘尋奏言頻年漕運皆藉溫榆下游倒漾之水以致泥沙淤積若從上游深挑直抵石壩實爲因勢利導惟地勢高下須逐細測量俾全河毫無滯礙方善制可十三年通州大水康家溝壩衝決成河張家灣河道遂淤倉場侍郎達慶請來年糧艘由康家溝試行一年暫緩挑復張家灣河身上命尚書吳璥往勘與達慶議合遂允之明年御史史祜言康家溝河道難行請復張家灣正河下直督溫承惠承惠言康家溝溜勢奔騰漕船逆流而上大費縴輓該處地勢正高恐旱乾之歲河水一瀉無餘漕行更爲棘手惟張家灣兩岸沙灘壩基難立而正河積淤日久挑濬亦甚不易上復遣工部尚書戴均元往勘亦言壩基難立且時日已迫恐河道未復漕運已來請仍由康家溝行再察看一年酌定如所請行時淮揚運河三百餘里淺阻兩淮鹽政阿克當阿請俟九月內漕船過竣

堵閉清江三壩築壩斷流自清江至瓜洲分段挑濬下部議覆稱近年運河淺阻固由疊次漫口而漫口之故則由黃水倒灌倒灌之故則由河底墊高清水頂阻不能不借黃濟運以致積淤潰決百病叢生是運河爲受病之地而非致病之原果使清得暢出敵黃並分流濟運則運口內新淤不得停留舊淤並可刷滌若不除倒灌之根而亟亟以挑濬運河爲事恐旋挑旋淤運河之挑濬愈深倒灌之勢愈猛決隄吸溜爲患滋多命尚書托津等偕河督勘辦十八年漕督阮元以邳宿運河閘少水淺沙停請於滙澤閘上下添建二閘下江督百齡核奏道光元年山東河湖山水並發戴村壩迤北隄埝漫決六十餘丈草工刷三十餘丈四女寺支河南岸汶水旁洩處三用巡撫姚祖同言於正河旁舊河形內抽溝導水濟運兼顧湖瀦三年漫直隸王家莊由各廳汛賠修是歲添築戴村壩北官堤碎石壩四四年侍講學士潘錫恩陳借黃濟運之弊略言蓄清敵黃爲相傳成法今年張文浩遲堵禦黃壩致倒灌停淤釀成巨患若更引黃入運河道淤滿處處壅溢恐有決口之患下尚書文孚等妥議自嘉慶之季黃

河屢決致運河淤墊日甚而歷年借黃濟運議者亦知非計於是有籌及海運者五年上因漕督魏元煜等籌議海運羣以窒礙難行獨大學士英和有通籌漕河全局暫雇海船以分滯運酌折漕額以資治河之議下所司及督撫悉心籌畫卒以黃運兩河受病已深非旦夕所能疏治詔於明年暫行海運一次新授兩江總督琦善言臣抵清江即赴運河及濟運束清各壩逐加履勘自借黃濟運以來運河底高一丈數尺兩灘積淤寬厚中泓如綫向來河面寬三四十丈者今只寬十丈至五六丈不等河底深丈五六尺者今只存水三四尺並有深不及五寸者舟隻在在膠淺進退俱難濟運壩所蓄湖水雖漸滋長水頭下注不過三寸未能暢注淮安三十餘里皆然高寶以上之運河全賴湖水其情大可想見請飭河漕二臣將河面淤墊處展挑寬深再放湖水藉資輓送以期不誤北上期限上以借黃濟運原係權宜辦理孫玉庭察看漕艘挽運艱難不早陳奏變計魏元煜舊任漕督乃與顏檢坐觀事機敗壞隱忍不言糜帑病民是誠何心令將運河淤墊一律挑深費由玉庭元煜檢分賠琦善又言自禦黃

壩堵閉運河淤墊不復增高而洪湖清水蓄至丈餘各船可資浮送不敢冒昧挑濬工費至省在百萬外玉庭等罄其所有斷無如許家貲更可慮者欲濬運河必先堵束清壩阻絕來源而後可以涸底挑辦現湖水下注湍急束清壩外跌塘甚深又係清水不能挂淤閉氣設正事興挑而束清壩膱開則工廢半途費歸虛擲請停止裏揚運河挑工以免草率而節糜費允之是年築溫楡河上游果渠村壩埽七年東河總督張井副總河潘錫恩請修復北運河劉老澗石滾壩中河廳南縴堤揚糧二廳東西縴隄及隄外石工移建昭關壩上遣英和等馳勘乃定移昭關壩於其北三元宮之南餘如所請行十一年高郵湖河漫馬棚灣及十四堡湖河連爲一江督陶澍請依嘉慶間故事運河決口重空糧艘均繞湖行八月十四堡塞冬馬棚灣塞先是澍撫蘇時以鎭江運河並無水源祇恃江潮浮送下練湖湮塞已久移建黃泥閘於張官渡以當湖之下流俾得擎托湖流使之回漾稍濟江潮之不逮曾著成效至十四年遷江督復偕巡撫林則徐相度於湖頂冲之黃金壩及東岡築兩重蓄水壩培圩埂二千八百

八十丈使水得入湖又建減水石壩二於湖之東堤俾可宣洩暴漲於入運處修復念七家古涵以作水門並建石閘以放水濟運是冬工竣由涵引水出竟能倒漾上行數十里軍船得銜尾而南越二年溜勢變遷河形灣曲復移建黃泥閘於迤上二百丈改爲正越二閘中建磯心並改張官渡迤下六十里呂城閘爲正越二閘以利漕行十五年移築囊沙引渠沙壩於西河滸外以資收蓄從東河總督吳邦慶請也十八年運河淺阻用河督栗毓美言暫閉臨淸閘於閘外添築草壩九節節擎蓄於韓莊閘上朱姬莊迤南築攔河大壩一俾上游各泉及運河南注之水並攔入微山湖定收瀦濟運章程六十九年毓美以戴村壩卑矮致汶水多旁洩照舊制增高之初給事中成觀言淮揚芒稻閘人字河不宜堵壩阻水去路下陶澍等議至是覆稱此壩蓄水由來已久並不攔阻衆水歸江不得輕議更張從之時衛河淺澀難以濟運東撫經額布請變更三日濟運一日灌田例詔將百門泉小丹河各官渠官閘一律暢開暫避民渠民閘如有賣水阻運盜空情弊即行嚴懲明年漕督朱澍復言衛河不能下注有

妨運道命河督文冲豫撫牛鑑察勘文冲等言衛河需水之際正民田待溉之時民以食爲天斷不能視田禾之枯槁置之不問嗣後如雨澤愆期衛河微弱船行稍遲毋庸變通舊章倘天時亢旱糧船阻滯日久是漕運尤重於民田應暫閉民渠民閘以利漕運從之咸豐元年甘泉閘河撐隄潰塌三十餘丈河決豐縣山東被淹運河漫水漕艘改由湖陂行先是戶部尚書孫瑞珍言十字河爲全漕之害若於河西改寬新河以舊河爲囊沙於彭口作滾壩納濁水而漾清流漕船無阻可省起剝費二十萬下東河總督顏以燠議至是以燠言改空新河事無把握無庸輕議更張報聞二年決北運河北寺莊隄命尚書賈楨侍郎李鈞勘堵並改次年漕糧由海道運津自是遂以海運爲常同治而後更以輪船由海轉運費省而程速雖分江北漕糧試行河運然分者什一藉保運道而已五年銅瓦廂河決穿運而東隄埝衝潰時軍事正棘僅堵築張秋以北兩岸缺口民埝殘缺處先作裹頭護埽黃流倒漾處築壩收束未遑他顧也十年決淮揚馬棚灣同治五年決清水潭八年河決蘭陽漫水下注運河隄埝殘缺

更甚自張秋以北別無來源歷年惟借黃濟運而已九年漕督張之萬請於黃流穿運處堅築南北兩隄酌留運口爲漕船出入門戶並築草壩平時堵閉以免倒灌已下所司議之萬旋改撫江蘇繼任張兆棟以旣築隄束水留口門又築壩堵閉恐過水稍滯而上游一氣奔注新築隄閒難當冲激設奪運北趨則東昌臨清暨天津河閒淹沒在所必至北路衞河亦將廢壞惟有於鄆城沮河一帶遏黃東流即以保南路之運道於張秋八里廟等處疏運河之淤墊即以通北上之漕行較之築隄束水稍有實際制可十年侯家林河決直注南陽昭陽等湖鄆城幾爲澤國漕督蘇鳳文言安山以北運河全賴汶水分流至臨清以上始得衞水之助今黃河橫亘於中挾汶東下安山以北毫無來源應於衞河入運及張秋清黃相接處各建一閘蓄高衞水使之南行俟漕船過齊即啟臨清新閘仍放衞北流以資浮送並於張秋淤高處挑深丈餘安山以南亦一律挑濬庶黃水未漲以前運河旣深舟行自易江督曾國藩言河運處處艱阻如嶧縣大泛口沙淤停積水深不及二尺必須挑深四五尺並將近灘石堆剷

除與河底配平方利行駛北則滕縣郗山口入湖要道淺而且窄微山湖之王家樓滿家口安家口獨山湖之利建閘南陽湖北之新店閘華家淺石佛閘南旺閘分水龍王廟北之劉老口袁口閘處處淤淺或數十丈至百餘丈須一律挑深此未渡黃以前阻滯之宜預爲籌辦者至黃水穿運處漸徙而南自安山至八里廟五十五里運隄盡被黃水衝壞而十里鋪姜家莊道人橋均極淤淺宜一面疏濬一面於缺口排釘木樁貫以巨索俾船過有所依傍牽挽此渡黃時運道艱滯宜預爲籌辦者渡黃以後自張秋至臨淸二百餘里河身有高下須開挖相等於黃漲未落時閉閘蓄水以免消耗或就平水南閘迤東築挑壩引黃入運此渡黃後運道易涸宜爲籌辦者東平運河之西有鹽河爲東省鹽船經行要道若漕船由安山左近入鹽河至八里廟仍歸運道計程百餘里較之徑渡黃流上有缺口大溜下有亂石樹樁者難易懸殊如行抵安山遇黃流過猛宜變通改道須先勘明立標爲誌此又渡黃改道宜預爲籌辦者下河漕督及東撫商籌十一年河督喬松年請在張秋立閘借黃濟運同知蔣作錦則

議導衛濟運上諭之直督李鴻章鴻章言當年清口淤墊即借黃濟運之病今張秋河寬僅數丈若引重濁之黃以閘壩節宣用之水勢抬高其淤倍速至作錦導衛原因張秋北無淸水灌運故爲此議以全淮之强不能敵黃尙致倒灌停淤豈一淸淺之衞遂能禦黃濟運耶其意蓋襲取山東諸水濟運之法不知泰山之陽水皆西流因勢利導百八十泉之水源旺派多自足濟運衛水微弱北流最順今必屈曲注之南行一水兩分勢多不便若分沁入衛以助其源沁水猛濁一發難收昔人已有明戒近世治河兼言利運遂致兩難卒無長策事窮則變變則通今沿海數千里洋船駢集爲千古以來創局正不妨借海道轉輸由滬解津較爲便速疏入詔江安糧道漕米年約十萬石仍由河運餘仍由海運光緒三年東撫李元華條上運河上中下三等辦法並言量東省財力擬用中等將北運河一律疏通復還舊址並建築北閘時值年荒寓賑於工省而又省需費三十萬有奇下所司議五年有請復河運者江督沈葆楨言以大勢言之前人之於河運皆萬不得已而後出此者也漢唐都長安宋都汴梁舍河

運無他策然屢經險阻官民交困卒以中道建倉伺便轉餽而後疏失差少元則專行海運故終元世無河患有明而後汲汲於河運遂不得不致力於河防運甫定章河忽改道河流不時遷徙漕政與爲轉移我朝因之前督臣創爲海運之說漕政於窮無復之之時藉以維持不敝議者謂運河貫通南北漕艘藉資轉達兼以保衞民田意謂運道存則水利亦存運道廢則水利亦廢臣以爲舍運道而言水利易兼水道而籌水利難民田於運道勢不兩立兼旬不雨民欲啓涵洞以溉田官必閉涵洞以養船迨運河水溢官又開閘壩以保隄隄下民田立成巨浸農事益不可問議者又太息經費之無措舳艫之不備以致河運無成臣以爲卽使道光間歲修之銀與官造之船至今一一俱存以行漕於借黃濟運之河未見其可也近年江北所雇船隻不及從前糧艘之半然必俟黃流汛漲竭千百勇夫之力以挽之過數十船而淤復積今日所淤必甚於去日而今朝所費無益於明朝卽使船大且多何所施其技乎近因西北連年亢旱黃河來源不旺遂乃狎而玩之物極必返設因濟運而奪溜北趨則畿輔受

其害南趨則淮徐受其害如民生何如國計何八年伏秋大汛張家灣運河自蘇莊至姚辛莊沖開新河一段長七百餘丈上下口均與舊河接形勢順直大溜循之而下舊河上口至下口長六千四百餘丈業已斷流惟新河身係自行沖開不能一律深通明年直督李鴻章飭製新式鐵口刮泥大板在兩岸拖拉使一律通暢十二年通州潮白河之平家疃漫口東趨入箭杆河未幾堵復運河故道十三年六月復漫刷平家疃新工下之北市莊東小隄並老隄續塌百數十丈連成一口奪溜東趨十之八尋堵塞之是年河決鄭州山東黃水斷流漕船不能南下向之借黃濟運者至是束手無策旋將臨口積淤疏挑空船始得由黃入運十五年東撫張曜言河運未能久停請改海運漕米二十萬仍歸河運從之十六年用江督曾國荃言修揚屬南運河隄閘涵洞及附城附鎮塼工又用漕督松椿言濬邳宿運河十九年潮白河漲溢運隄兩岸決口七十餘上游務關廳決口七是冬均塞二十年濬濟甯汶上滕嶧茌平陽穀東平各屬運河明年濬陶城埠至臨清運河二百餘里二十四年侍讀學士瑞洵言南漕

改折有益無損請每年提折價在津購米以實倉庾御史秦夔揚亦言河漕勞費太甚請停江北河運皆不許仍飭認眞疏濬照常起運二十六年聯軍入京師各倉被占踞倉儲粒米無存江北河運行至德州改由陸路運送山陝二十七年慶親王奕劻大學士李鴻章言漕糧儲積關於運務者半因時制宜請詔各省漕糧全改折色其採買運解收放儲備各事分飭漕臣倉臣籌辦自是河運遂廢而運河水利亦由各省分籌矣

清史稿

河渠志三

淮河　永定河

海塘

淮水源出桐柏山東南經隨州復北折過桐柏東歷信陽確山羅山正陽息光山光固始阜陽霍邱潁上所挾支水合而東注達正陽關其下有沙河東西淝河洛河洱河芡河天河俱入於淮過鳳陽又有渦河澥河東西濠及漴澮沱潼諸水俱滙淮而注洪澤湖又東北逕清河山陽安東由雲梯關入海經行湖北河南安徽江蘇四省千有七百餘里淮固不爲害也自北宋黃河南徙奪淮瀆下游而入海於是淮受其病淮病而入淮諸水泛溢四出江安兩省無不病夫下壅則上潰水性實然故治河即所以治淮而治淮莫先於治河有清一代經營於淮黃交滙之區致力綦勤糜帑尤鉅迨咸豐中銅瓦廂決黃流北徙宋元來河道爲之一變然河徙淤留導淮之舉又烏容已今於淮流之源委分合及

清口之蓄洩洪澤湖之堰壩工築皆列備焉順治六年夏淮溢息縣壞民田舍康熙元年盱泗民由古溝鎮南及谷家橋北盜決小渠入淮水強半分洩高寶諸湖而清口淮弱無力敵黃六七年間淮大漲沖潰古溝翟家墩由高寶諸湖直射運河決清水潭又溢武家墩高良澗清口湮而黃流上潰十五年淮又大漲合睢湖諸水幷力東激高良磵板工決口二十六高堰石工決口七涓滴不出清口黃又乘高四潰一入洪澤湖由高堰決口會淮並歸清水潭下流益淤墊總河靳輔言洪澤下流自高堰西至清口約二十里原係汪洋巨浸爲全淮會黃之所自淮東決黃內灌一帶湖身漸成平陸止存寬十餘丈深五六尺至一二尺之小河淤沙萬頃挑濬甚難惟有於兩旁離水二十丈許各挑引河一俾分頭沖刷庶淮河下注可以沖闢淤泥徑奔清口會黃刷沙而無阻滯散漫之虞輔又言下流既治淮可直行會黃刷沙但臨湖一帶隄岸除決口外無不殘缺單薄危險堪虞板工固易壞即石工之傾圮亦不可勝數惟堤下係土坦坡雖遇大水不易沖今求費省工堅惟有於隄外近湖處挑土幫築坦坡每隄

一丈築坦坡寬五尺密布草根草子其上俟其長茂則土益堅至高堰石工亦宜幫築坦坡埋石工於內更爲堅穩較之用板用石用埽可省二十一萬有奇且免沖激頹卸之患又言自周家閘歷古溝唐埂至翟家壩南估計築三十二里之隄並堵此原沖成之九河及高良澗高家堰武家墩大小決口三十四需費七十萬五千有奇皆係用埽不過三年悉皆朽壞臣斟酌變通除鑲邊裹頭必須用埽餘俱宜密下排樁多加板纜用蒲包裹土繩紮而填之費可省半而堅久過之今擬改下埽爲包土仍築坦坡制水十八年大濬清口爛泥淺裴家場帥家莊引河使淮水全出清口會黃東下三十五年總河董安國因泗州知州莫之翰議請開盱眙聖人山禹王河導淮注江略言禹王古河自盱眙聖人山歷黑林橋桐城鎮楊村天長縣迄六合之八里橋各有河形溪澗崗不等若開引入江則天長楊村桐城各汊澗大水時可不入高郵湖湖水不致泛溢而下河之水可減至古河之口見與淮不通流必立閘座水小閉閘以濟漕漲則開閘以洩水庶淮水洶湧之勢可減格廷議不行明年上有宜堵塞高堰壩之

諭逾二年總河于成龍申塞六壩之請會病卒未底厥績其年水復大至已堵三壩旋委洪流三十九年張鵬翮爲總河盡塞之使淮無所漏悉歸清口又開張福裴家場張家莊爛泥淺三岔及天然天賜引河七導淮以刷清口又以清口引河寬僅三十餘丈不足暢洩全湖之水加開寬闊於是十餘年斷絕之清流一旦奮湧而出淮高於黄者尺餘四十年築高堰大隄四十四年聖祖南巡閱高堰隄工詔於三壩下濬河築隄束水入高郵邵伯諸湖又洪湖水漲泗盱均被水災應於受水處酌量築隄束水四十五年兩江總督阿山等請於泗州溜淮套别開河道直達張福口以分淮勢計費三百十餘萬部議靳之廷臣亦以河工重大請上親臨指示逾年上南巡閱河諭曰詳勘溜淮套地勢甚高雖開鑿成河亦不能直達清口且所立標杆多在墳上若依此開河不獨壞田廬甚至毀墳冢何必多此一事今欲開溜淮套必鑿山穿嶺不獨斷難成功且恐汛水泛溢不浸入洪湖必衝決運河命撤去標杆並譴阿山鵬翮等有差上又謂明代淮黄與今迥異明代淮弱故有倒灌之虞今則淮强黄弱與其開溜淮

套無益之河不若於洪湖出水處再行挑濬寬深使清水愈加暢流爲利不淺四十九年加長禦黃西壩工程從河督趙世顯請也雍正元年重建清口東西束水壩於風神廟前以蓄清各長二十餘丈三年總河齊勸蘇因朱家海衝決湖底沙淤恐高堰難保改低三壩門檻一尺五寸以洩湖水而救一時之急不知水愈落淮愈不得出致力微不能敵黃連年倒灌分溜直趨李衛頗非之先是高堰石工未能一律堅厚至七年冬發帑百萬命總河孔繼珣總督尹繼善將隄身卑薄傾圮處折砌務令一律堅實十年秋高堰石工成乾隆二年用總河高斌言飭疏濬毛城鋪迤下河道經徐蕭睢宿靈虹各州縣至泗州之安門陡河紆曲六百餘里以達洪湖出清口而淮揚京員夏之芳等言其不便下各督撫及河漕督會議並召詢斌斌至進圖陳說乃知芳等所言非現在情形卒從斌議明年毛城鋪河道工竣四年高宗以高堰三壩既改低過岸之水足洩用大學士鄂爾泰言永禁開放天然二壩五年秋西風大暴湖浪洶湧高堰汛第八堡舊隄撞擊倒卸十四段旋修補之六年斌言江都三汊河乃瓜儀二河

口門瓜河地勢低淮水入瓜河分數少故溜緩不能刷深河道致日漸淤墊應築壩堵閉瓜河舊口門於洋子橋營房迤下別挑越河減淮水入瓜河之分數則儀河可分流刷淤並堵閉瓜洲廣惠閘之舊越河於閘下別開越河使閘越二河水勢均平既緩淮水直下入江之勢於運道更爲便利七年河湖並漲議者又謂淮河上游諸水俱匯入洪湖邵伯以下宜多開入江之路斌亦以爲言於是開濬石羊溝舊河直達於江築滾壩四十丈並開通芒稻閘下之董家油房白塔河之孔家涵三處河流增建滾壩使淮水暢流無阻八年淮暴漲丈餘逼臨淮城改治於周樑橋十六年上以天然壩乃高堰尾閭盛漲輒開下游州縣悉被其患命立石永禁開放並用斌言於三壩外增建智信二壩以資宣洩十八年七月淮溢高郵壞車邏壩邵伯二閘下河田廬多沒二十二年以湖水出清口賴東西二壩堵東併力刷黃湖水過大奔溢五壩亦恐爲下河患因定制五壩過水一寸東壩開寬二丈以此遞增砌石東壩嗣是遇湖水增長即展寬東壩以洩盛漲有展寬至六七十丈者二十七年上言江南濱湖之區每遇

大汛霖潦堪虞洪澤一湖尤爲橐籥關鍵爲澤國計安全莫如廣疏淸口爲及今第一要義見在高堰五壩高於水面七尺有奇淸口口門見寬三十丈當卽依此酌定成算將來兩壩水增長至一尺拆寬淸口十丈水遞長口遞寬以此爲率是年六月五壩水誌逾一尺河督高晉遵旨拆寬淸口十丈宣洩甚暢三十二年南河總督李宏言正陽關三官廟舊立水誌考驗水痕本年所報消長與下游不符請於荆山塗山間及臨淮鎭各增設水誌一以驗諸水消長允之三十四年上恐高堰五壩頂封土障水不足當風浪命酌加石工高晉等言其不便乃增用柴柳四十年大修堰盱各壩及臨河甎石工先是上以淸口倒灌詔循康熙中張鵬翮所開陶莊引河舊跡挑穵導黃使北遣鄂爾泰偕斌往勘以汛水驟至而止旋完顏偉繼斌爲河督慮引河不易就乃用斌議自淸口迤西設木龍挑溜北趨而陶莊終不敢議次年南河督吳嗣爵內召極言倒灌爲害薩載繼任亦主改口議上乃決意開之於是淸口東西壩基移下百六十丈之平成臺築攔黃壩百三十丈並於陶莊迤北開引河使黃離淸口較遠淸水

暢流有力攻刷淤沙明年二月引河成黃流直注周家莊會清東下清口免倒灌之患者近十年五十年洪湖旱涸黃流淤及清口命河南巡撫畢沅祭淮瀆疏賈魯惠濟諸河流以助清湖水仍不出黃復內灌上欲開毛城鋪王家營減壩下大學士阿桂等議阿桂言欲治清口之病必去老壩工以下之淤尤當掣低黃水使清水暢出攻沙不勞自治於是閉張福口四引河浚通湖支河蓄清水至七尺以上始開王營壩減洩黃水盡啓諸河出清口滌沙修清口兜水壩易名東清壩復移下惠濟祠前之東西束水壩三百丈於福神巷前加長東壩以禦黃縮短西壩以出清易名禦黃壩嘉慶元年湖水弱清低於黃者丈餘淮遏不出淮漲則開山盱五壩吳城七堡黃漲或減水入湖以救清口之倒灌五年用江督費淳河督吳璥言開吳城七堡引渠使洩湖水入黃以減盛漲八年黃流入海不暢直注洪澤湖璥赴海口相度請力收運口各壩止留口門清雖力弱難出黃亦不能再入七月淮漲高堰危甚開信義兩壩洩水西風大作壞仁智兩壩淮南奔清口上責璥遂罷免九年春湖水稍發伏汛黃仍倒灌河督

徐端以束清壩在運口北分溜入運致不敵黃請移建湖口迤南從之十一年江督鐵保言潘季馴靳輔治河專力清口誠以清口暢出則河腹刷深海口亦順洪澤亦不致泛濫爲今之計大修閘壩借清刷沙不能不多蓄湖水即不能不保護石隄尤不能不急籌去路又偕徐端陳河工數事一外河廳之方家馬頭及三老壩爲淮揚保障宜塡護碎石一義壩宜堵築一仁智禮信四壩殘損宜拆修廷議如所請上恐四壩同修清水過洩命次第舉行十五年十月大風激浪義壩決堰盱兩工掣坍千餘丈議者謂宜築碎石坦坡以費鉅不果璥與端請加培大隄外靳輔所築二隄以爲重門保障亦爲廷議所駁及陳鳳翔督南河復申二隄之請下江督百齡議百齡言不若培修大隄十七年遣協辦大學士松筠履勘亦主百齡議於是築大隄子堰自束清壩尾至信壩迤南止鳳翔以不知蓄清於湖未長之先即啓智禮兩壩致禮壩潰下游淹清水消耗貽誤全河爲百齡所劾奪職遣戍十八年百齡及南河督黎世序以仁義禮三壩屢經開放壞基跌塘請移建三壩於蔣家壩南近山岡處各挑引河先建仁義

壩因禮壩基改築草壩備本年宣洩上命先建義壩如節宣得宜再分年遞修二十三年增建束清二壩於束清壩北收蓄湖水道光二年增修高堰石工四年冬河漲洪澤湖蓄水至丈七尺尚低於黃尺許高堰十三堡隄頂被大水掣動山盱周橋之息浪菴亦過水八九尺各壩均有坍損上遣尚書文孚汪庭珍履勘而褫河督張文浩職十三堡缺口旋塞侍郎朱士彥言高堰石工在事諸臣惟務節省辦理草率又因搶築大隄就近二隄取土事後亦不培補至山盱五壩宣洩洪湖盛漲未能謹守舊章相機開放致石工掣卸並下文孚等勘覈明年春從文孚等議改湖隄土坦坡爲碎石於仁義禮舊壩處所各增建石滾壩以防異漲八年上以禦黃壩上下積淤丈餘清水不能多蓄禦黃壩終不可開下南總河張井等籌議井等言乾隆間湖高於河七八尺或丈餘入夏折展禦黃壩洩清刷淤至冬始閉嘉慶間因河淤改夏閉秋啓而黃水偶漲即行倒灌今積淤日久縱清水能出止高於黃數寸及尺餘暫開即閉僅免倒灌未能收刷淤之効上不懌曰以昔證今已成不可救藥之勢爲河督者祇知洩清水

以保堰閉禦壩以免倒灌增工請帑但顧目前不思經久如國計何如民生何如後日何十年井言淮水歸海之路不暢請於揚糧廳之八塔鋪商家溝各斜挑一河滙流入江分減漲水並折除芒稻河東西閘挑空淤灘可抵新闢一河之用從之十二年移建信壩於夏家橋十四年以義字引河跌深三四丈堵閉不易允河督麟慶請改挑義字河頭二十一年河決祥符奪溜注洪澤湖而江潮盛漲又復頂托因拆展禦黃東清及禮智仁各壩並啓放車邏等壩以洩湖水二十三年河決中牟全溜下注洪澤湖高堰石工掣卸四千餘丈先後拆展東清禦黃智信各壩並啓放順清禮義等河金灣舊壩及東西灣壩同時並啓減水入江咸豐五年河復決銅瓦廂東注大清河入海黃河自北宋時一決滑州再決澶州分趨東南合泗入淮蓋淮下游爲河所奪者七百七十餘年河病而淮亦病至是北徙江南之患息士民請復淮水故道者歲有所聞同治八年江督馬新貽濬張福口引河淮遂由清口達運嗣又挑楊莊以下之淤黃河以洩中運河盛漲九年新貽等言測量雲梯關以下河身及成子河張福口高良

淍一帶湖心始知黃河底高於洪湖底一丈至丈五六尺不等必先大濬淤黃使淮得暢流入海繼闢清口導之入舊黃河再堵三河以杜旁洩而資擡蓄然非修復堰盱石工堅築運河兩隄不敢遽堵三河闢清口統籌各工非數百萬金不能集事擬分別緩急次第籌辦不求利多但求患減爲得寸得尺之計收循序漸進之功光緒七年江督劉坤一言臣此次周歷河湖知淮揚水利有關國計民生前議導淮未可中輟自楊莊以下舊黃河淤平則山東昭陽微山等湖之水由中運河直趨南運河夏秋之間三閘甚形喫重自洪澤湖淤淺淮水不能合溜北高於南水之分入張福引河者無多大溜由禮河徑趨高寶等湖上年挑濬舊黃河後山東蛟水屢次暴發由此分瀉入海築禮壩後湖水瀦深且由張福河入運口者頗旺此挑舊河築禮壩之不無微効也惟是張福河淺湖水仍趨重禮河越壩終爲可慮倘遇湖水汎濫禮河即無越壩亦難分消必開信智兩壩由高寶湖入南運河亦必開車邏南關等壩由裏下河入海沿途淹沒田廬所損匪細今擬就張福河開挖寬深以引洪澤湖之水復挖碎石河

以分張福河之水由吳城七堡匯順清河水小則由順清入運途紆而勢稍舒水大則由舊黃河入海途直而勢自順約三四年間便可告竣所費尚不過鉅議者或謂導淮入海當盡瀉洪湖之水有妨官運民田臣以爲別開引河或不免有此患今循張福河碎石河故道以歸順清河自非淮漲一二丈則順清河之水何能高過中運河溢出舊黃河如使淮水暴漲方有潰決之虞惟恐水無去路此正導淮之本意也議者或謂多引湖水入運恐三閘不能支持不思洪湖未淤以前湖水四平蓄水深廣張福以外有四引河以濟漕運維時黃未北徙每遇漕船過閘方且蓄清敵黃以五引河全注運口而三閘屹然今特張福一河決無致損三閘之理且上年挑通舊黃河已分減中運河水其入南運河者不過三四成湖水雖增與前略等即遇大水有舊黃河可以分減亦不至專出三閘也議者又謂如此導淮無弊亦屬無利何必虛費帑藏其說亦不盡然夫治水之道必須通盤規畫並須預防變遷洪湖南有禮河北有張福河均爲分洩淮水而水勢就下禮河常苦水大築禮河壩所以蓄張福之水濬張福口

所以顧禮河之隄彼此互相維繫如使禮河受全湖之沖新壩恐不能保續修則所費彌鉅不修則爲害滋深下者益下高者益高張福河漸形壅塞矣且導淮之舉原防盛漲肆虐如引湖由張福出順清以舊黃河爲出海之路偶有泛溢該處土曠人稀趨避尚易若張福不暢全湖之水折而南趨則淮揚繁盛之區億萬生靈將有其魚之歎導淮之利見於目前者猶小見於日後者乃大也疏入下部知之八年江督左宗棠言濬沂泗爲導淮先路洵爲確論惟雲梯關以下二百餘里河身高仰且有遠年沙灘昔以全黃之力所不能通者今欲以沂泗分流通之其勢良難大通在雲梯關下十餘里舊黃河北岸係嘉慶中漫口東北流四十餘里至響水口接連潮河至灌河口入海就此加挑寬深出海較便沂泗來源當大爲分減淮未復而運道亦可稍安淮既復而歸海無虞阻滯此疏濬下游宣洩沂泗實導淮先路不可不亟籌者也淮挾衆流匯爲洪澤本江皖巨浸自道光間爲黃所淤北高南下由禮河趨高寶湖以入運者垂三十年今欲導之復故不啻挽之逆流自張福口過大通響水口入海三百五十

餘里節節窒礙非下游暢其去路上游塞其漏卮其不能舍下就高入黃歸海也明甚查張福口及天然引河皆北趨陳家集之大沖至碎石河以達吳城七堡又北至順清河口接楊莊舊黃河張福河面六十餘丈宜加寬深天然河更須疏瀹吳城七堡一帶高於張福河底丈六七尺尤必大加挑濬使湖水果能入黃然後可堵禮河以截旁趨之出路堵順清河以杜運河之奪河此引淮入海工程當以次接辦者也湖水不高不能入黃太高不特堰盱石工可慮運口閘壩難支且於盱眙五河近湖民田有礙擬修復智信等壩以洩湖漲更建閘大沖俾湖水操縱由人多入淮而少入運此又預籌以善其後者也三十四年江督端方會勘淮河故道力陳導淮四難因於清江浦設局遴紳籌議久之無端緒乃撤局宣統元年江蘇諮議局開總督張人駿以導淮事列案交議決定設江淮水利公司先行測量務使導淮復故專趨入海二年侍讀學士惲毓鼎以濱淮水患日深上言自魏晉以降瀕淮田畝類皆引水開渠灌溉悉成膏腴近則沿淮州縣年報水災浸灌城邑漂沒田廬自正陽至高寶盡爲澤國實緣

近百年間河身淤塞下游不通水無所歸侵成汎濫是則高堰壩之爲害也異時黃淮合流有南下之勢治河者欲束淮以敵黃故特堅築高堰壩頭逼淮由天妃閘以濟運今黃久北徙堰壩無所用之當別籌入海之途其道有二以由清口西壩鹽河至北潮河爲便尾閭既暢水有所歸不獨潁壽鳳泗永澹沈災即高寶興泰亦百年高枕矣事下江督張人駿蘇撫程德全皖撫朱家寶勘議人駿等言正事測量俟測勘竣即遴員開辦報聞三年御史石長信言導淮一舉詢謀僉同美國紅十字會亦擬遣工程師來華查勘則我之思患預防尤不可緩江蘇水利公司既允部撥費用安徽亦應設局測量以爲消弭巨災之圖下部議允之導淮之舉經始於同治六年時曾國藩督兩江嘗謂復瀆之大利不敢謂其遽興淮揚之大害不可不思稍減迨黃流北徙言者益多大要不出兩策一謂宜堵三河闢清口濬舊河排雲梯關使由故道入海一謂導淮當自上流始洪澤湖乃淮之委非淮之源宜於上游闢新道循睢汴北行使淮未注湖中途已洩其半再由桃源之成子河穿舊黃河經中河雙金閘入鹽河至安

東入海使全淮分南北二道納少瀉多淮患從此可減二說所持各異然同光以來濬成子碎石沂泗等河疏楊莊以下至雲梯關故道固已小試其端卒之淮爲黃淤積數百年已無經行之渠由運入江勢難盡挽迄於國變終鮮成功

永定河亦名無定河即桑乾下游源出山西太原之天池伏流至朔州馬邑復出匯衆流經直隸宣化之西甯懷來東南入順天宛平界逕盧師臺下始名盧溝河下匯鳳河入海以其經大同合渾水東北流故又名渾河元史名曰小黃河從古未曾設官營治其曰永定則康熙間所錫名也永定河匯邊外諸水挾泥沙建瓴而下重巒夾峙故鮮潰決至京西四十里石景山而南逕盧溝橋地勢陡而土性疏縱橫蕩漾遷徙弗常爲害頗鉅於是建隄壩疏引河宣防之工亟焉順治八年河由永清徙固安與白溝合明年決口始塞十一年由固安西宮村與清水合經霸州東出清河又決九花臺南里諸口霸州西南遂成巨浸康熙七年決盧溝橋隄命侍郎羅多等築之三十一年以河道漸次北移永清霸州固安文安時被水災用直隸巡撫郭世隆議疏永清東北故道使順流歸

淀三十七年以保定以南諸水與渾水匯流勢不能容時有汎濫聖祖臨視巡撫于成龍疏築兼施自良鄉老君堂舊河口起逕固安北十里鋪永清東南朱家莊會東安狼城河出霸州柳岔口三角淀達西沽入海濬河百四十五里築南北隄百八十餘里賜名永定自是渾流改注東北無遷徙者垂四十年三十九年郎城淀河淤且平上游壅塞命河督王新命開新河改南岸爲北岸南岸接築西隄自郭家務起北岸接築東隄自何麻子營起均至柳岔口止四十年加築南岸排樁遙隄修金門閘四十八年決永清王虎莊旋塞五十六年修兩岸沙隄大隄決賀堯營六十一年復決賀堯營隨塞雍正二年修郭家務大隄築清涼寺月隄修金門閘築霸州堂二鋪南隄決口三年因郭家務以下兩岸頂狹永清受害特重命怡親王允祥大學士朱軾引渾水別由一道入海毋使入淀遂於柳岔口少北改爲下口開新河自郭家務至長淘河凡七十里經三角淀達津歸海築三角淀圍隄以防北軼又築南隄自武家莊至王慶坨北隄自何麻子營至范甕口其冰窖至柳岔口隄工遂廢十二年決梁各莊四聖口

等處三百餘丈黃家灣河溜全奪水穿永清縣郭下注霸州之津水窪歸淀總河顧琮督兵夫塞之十三年決南岸朱家莊北岸趙家樓水由六道口小隄仍歸三角淀乾隆二年總河劉勷勘修南北隄開黃家灣求賢莊曹家新莊各引河濬雙口下口黃花套六月漲漫南岸鐵狗北岸張客等村四十餘處奪溜由張客決口下歸鳳河命吏部尚書顧琮察勘請倣黃河築遙隄之法大學士鄂爾泰持不可議於北截河隄北改挑新河以北隄爲南隄沿之東下下游作洩潮埝數段復於南北岸分建滾水石壩四各開引河一於北岸張家水口建壩即以所衝水道爲引河東匯鳳河一於南岸寺臺建壩以民間洩水舊渠入小清河者爲引河一於南岸金門閘建壩以渾河故道接牤牛河者爲引河一於南岸郭家務建壩即以舊河身爲引河合清隔濁條理自明詔從其請四年直督孫嘉淦請移寺臺壩於曹家務張客壩於求賢莊又於金門閘長安城添築草壩定以四分過水顧琮言金門閘長安城兩壩水勢僅一河宣洩恐汛發難容擬分引河爲兩股一由南窪入中亭河一由楊靑口入津水窪又言郭家務

小梁村等處舊有遙河千七百丈年久淤塞請發帑興修均從之五年孫嘉淦請開金門閘重隄濬西引河開南隄放水復行故道六年凌汛漫溢固良新涿雄霸各境多淹從鄂爾泰議堵閉新引河展寬雙口等河挑葛漁城河槽築張客曹家務月隄改築郭家務等壩八年濬新河下口及董家河三道河口修新河南岸及鳳河以東隄埝又疏穆家口以下至東蕭莊鳳河邊二十里有奇九年以范甕口下統以沙葉兩淀爲歸宿而汛水多歸葉淀遂疏注沙淀路並將南北舊減河濬歸鳳河十五年五月河水驟長由南岸第四溝奪溜出逕固安城下至牛坨循黃家河入津水窪一由牤牛河入中亭河命侍郎三和同直督堵禦於口門下另挑引河截溜築壩遏水南溢使歸故道十六年凌汛水發全河奔注冰窖隄口卽於王慶坨南開引河導經流入葉淀以順水性十九年南埝水漫隄頂決下口東西老隄奪溜南行漫勝芳舊淀逕永淸之武家廠三聖口霸州之信安入口明年高宗臨視改下游由調河頭入海挑引河二十餘里加培埝身二千二百餘丈二十一年直督方觀承請於北埝外更作遙隄預爲

行水地鳳河東隄亦接築至遙埝尾從之二十四年大雨直隸各河並漲下游悉歸淀內大清河不能宣洩轉由鳳河倒漾阻遏渾流南岸四工隄決命御前侍衛赫爾景額協同直督尅日堵築三十五年三十六年兩岸屢決三十七年命尚書高晉裘曰修偕直督周元理履勘疏言永定河自康熙間築隄以來凡六改道救弊之法惟有疏中洪挑下口以暢奔流築岸隄以防衝突濬減河以分盛漲遂興大工用帑十四萬有奇自是水由調河頭逕毛家窪沙家淀達津入海三十八年調河頭受淤其澄清之水散漫而下別由東安響水村直趨沙家淀四十年堵北三工南頭工漫口四十四年展築新北隄加培舊越隄廢去灝河舊隄使河身寬展四十五年盧溝橋西岸漫溢北頭工衝決由良鄉之前官營散溢求賢村減河歸黃花店爰開引溝八百丈引溜歸河五十九年決北二工隄溜注求賢村引河至永定河下游入海旋即斷流又漫南頭工隄水由老君堂莊馬頭入大清河凡築南隄百餘丈又於玉皇廟前築挑水壩嘉慶六年決盧溝橋東西岸石隄四土隄十八命侍郎那彥寶高杞分駐堵築並疏濬

下游集民夫五萬餘治之御製河決歎頒示羣臣兩月餘工竣十五年永定河兩岸同時漫口直督溫承惠駐工堵合之十七年河勢北趨葛漁城淤塞水由黄花店下注乃於舊淤河内挑空引河並於上游築草壩挑溜東行另建圈隄以防泛衍二十年拆鳳河東隄民埝以去下壅六月大雨北岸七工漫塌開引河由舊河身稍南直至黄花店東抵西洲長五千六百九丈九月水復故道二十四年北岸二工漫溢頭工繼溢側注口門三百餘丈大興宛平所屬各村被淹九月塞決口並重濬北上引河道光三年河由南八工隄盡處決而南直趨汪兒淀四年侍郎程含章勘議濬復未果十年直督那彥成請於大范甕口挑引河並將新隄南遥埝加高培厚報可十一年春河溜改向東北遥賨淀歷六道口注大清河汪兒淀口始塞水由范甕口新槽復歸王慶垞故道十四年宛平界北中北下汛決口水由龐各莊循舊減河至武清之黄花店仍歸正河尾閭入海良鄉界南二工決口水由金門閘減河入清河經白溝河歸大清河爰挑引河自漫口迤下至單家溝間段修築二萬七千四百餘丈二十四年南七

工漫口就迤北三里許之河西營為河頭挑引河七十餘里直達鳳河三十年五月上游山水下注河驟漲北七工漫三十餘丈由舊減河逕毋豬泊注鳳河勘於馮家場北河灣開引河十月竣工咸豐間南北隄潰決四次時軍務方棘工費減發補苴罅漏而已同治三年因河日北徙去路淤淺於柳坨築壩堵截北流引歸舊河展寬挑深張坨胡家房河身經東安武清天津入海六年以後時有潰決八年直隸曾國藩請於南七工築截水大壩兩旁修築圈埝並挑濬中洪疏通下口以免壅潰從之十年南岸石隄漫口奪溜逕良鄉涿州注大清河入海明年允直督李鴻章請修金門閘壩疏濬引河由童村入小清河石隄決口塞十二年南四工漫口由霸州牤牛河東流爰將引河增長復築挑水壩一光緒元年南二汛漫口隨塞四年北六汛決口築合後復於坦坡埝尾接築民埝至青光以下十年以鳳河當永定河之衝年久淤墊以工代賑起南苑五空閘訖武清緱上村間段挑濬並培築隄壩決口十六年大水畿輔各河並漲永定北上汛南三汛同時漫決命直督迅籌堵築添修挑壩岸隄又疏引河六

十餘里十八年夏大雨河水陡漲南上汛灰壩漫口四十餘丈給事中洪良品言北岸頭工關繫最重請接運石景山以下添砌石隄以資捍衛下所司籌議因工艱費鉅擇要接築石隄八里並添修石格十九年冬因頻年潰決爲患命河督許振禕偕直督會勘籌辦振禕陳疏下游保近險濬中洪建減壩治上游五事直隸按察使周馥並建議於盧溝南岸築減水大石壩以水抵涵洞上楣爲準逾則瀉去詔如所請二十二年北六工北中汛先後漫溢由韓家樹滙大清河遂挑濬大清河積淤二十餘里二十五年詔直督裕祿詳勘全河形勢以紓水患裕祿言畿輔緯川百道總滙於南北運大清永定子牙五經河由海河達海惟永定水渾善淤變遷無定從前下口遙隄寬四十餘里分南北中三洪嗣因南中兩洪淤墊全由北洪穿鳳入運因陳統籌疏築之策七一先治海河俾暢尾閭然後施工上游一宜以鳳河東隄外大窪爲永定下口一修築北運河西隄一規復大清河下口故道於西沽一修築格淀一修築韓家樹橫直各隄一疏濬中亭河以期一勞永逸需費七十七萬有奇帝命分年籌辦適有拳

匯之亂不果行三十年後南北岸屢見潰決均隨時堵合論者以爲若將險工全作石隄灣狹處改從寬直並於南七工放水東行傍淀達津再加以石壩分洩盛漲庶幾永保安瀾云

海塘惟江浙有之於海濱衛以塘所以捍禦鹹潮奠民居而便耕稼也在江南者自松江之金山至寶山長三萬六千四百餘丈在浙江者自仁和之烏龍廟至江南金山界長三萬七千二百餘丈江南地方平洋暗潮水勢尚緩浙則江水順流而下海潮逆江而上其衝突激涌勢尤猛險唐宋以來屢有修建其制未備清代易土塘爲石塘更民修爲官修鉅工累作力求鞏固濱海生靈始獲樂利矣順治十六年禮科給事中張惟赤言江浙二省杭嘉湖寧紹蘇松七郡皆濱海賴有塘以捍其外至海鹽兩山夾峙潮勢尤猛故明代特編海塘夫銀以事歲修近此欵不知銷歸何地塘基盡圮儻風濤大作徑從坍口深入恐爲害七郡匪淺請嚴飭撫按勒限報竣仍定限歲修以防患未然下部議行康熙三年浙江海寧海溢潰塘二千三百餘丈總督趙廷臣巡撫朱昌祚請發帑修

築並修尖山石隄五千餘丈二十七年修海鹽石塘千丈三十七年颶風大作海潮越隄入衝決海寗塘千六百餘丈海鹽塘三百餘丈築之五十七年巡撫朱軾請修海寗石塘下用木櫃外築坦水再開濬備塘河以防泛溢五十九年總督滿保及軾疏言上虞夏蓋山迤西沿海土塘衝坍無存其南大亹沙淤成陸江水海潮直衝北大亹而東並海寗老鹽倉皆坍沒因陳辦法五一築老鹽倉北岸石塘千三百餘丈保護杭嘉湖三府民田水利一築新式石塘使之穩固一開中小亹淤沙使江海盡歸赭山河莊山中間故道可免潮勢北衝一築夏蓋山石塘千七百餘丈以禦南岸潮患一專員歲修以保永固下部議如所請行雍正二年帝以塘工緊要命吏部尚書朱軾會同浙撫法海蘇撫何天培勘估杭嘉湖等府塘工需銀十萬五千兩有奇松江府華婁上海等縣塘工需銀十九萬兩有奇部議允之六年巡撫李衛請將驟決不可緩待之工先行搶修隨後奏聞搶修之名自此始十一年命內大臣海望直督李衛赴浙查勘海塘諭曰如果工程永固可保民生即費帑千萬不必惜尋請於尖塔兩山間建

石壩堵水並改建草塘及條石塊石各塘爲大石塘更於舊塘內添築土備塘十二年因堵尖山水口開中小亹引河久未施工責浙督程元章等督辦不力命杭州副都統隆昇總理御史偏武佐之五月工竣十三年命南河督嵇曾筠總理塘工曾筠言海寧南門外俯臨江海請先築魚鱗石塘五百餘丈保衞城池下廷臣議行乾隆元年署蘇撫顧琮請設海防道專司海塘歲修事曾筠請於仁寧等處酌建魚鱗大石塘六千餘丈均從之明年建海寧浦兒兜至尖山頭魚鱗大石塘五千九百餘丈四年允浙撫盧焯請築尖山大壩次年秋工竣御製文記之六年左都御史劉統勳言前據閩浙總督德沛請改老鹽倉至章家菴柴塘爲石塘廷議准行臣意以爲草塘改建不必過急南北岸塘工實不宜緩蓋通塘形勢海寧之潮猶屬往來潊盪而海鹽之潮則對面直衝其大石塘歲久罅漏尤宜及早補苴臣以大概計之動發七十萬金而通塘可有苞桑之固疏入命統勳會同浙督德沛浙撫常安察勘尋覆稱改建石工誠經久之圖但須寬以時日年以三百丈爲率七年總督那蘇圖請先於最險處間段排

築石簍俟根脚堅實再建石塘越二年遣尚書訥親勘視疏言仁寧二邑柴塘穩固若慮護沙坍漲無常第將中小亹故道開濬俾潮水循規出入上下塘俱可安堵於是改建石工之議遂寢七月蘇撫陳大受言寶山地濱大海月浦土塘被潮衝刷請建單石壩外加樁石坦坡各百七十丈並接築沙塘使與土塘聯屬中設涵洞宣洩下部議行十一年常安言蜀山迤北有積沙四五百丈橫亙中間先就沙嘴開溝四以引潮水攻刷今伏汛已過南沙坍卸殆盡蜀山已在水中潮汐漸向南趨倘秋汛不復涌沙則大溜竟行中小亹矣報聞十二年常安委員疏濬蜀山一帶用切沙法疏刷十一月朔中小亹引河一夕沖開大溜經由故道南北岸水遠沙長皆成坦途十三年大學士高斌訥親先後奉命查勘塘工斌請於東西柴石各塘後身加築土堰攔護潮頭四月訥親疏陳善後事宜命巡撫方觀承酌議觀承請於北塘北大亹故道及三里橋掇轉廟等處設竹簍滾壩堵禦潮溝大小山圩改建塊石塘南塘各工預籌防護並將右營員弁兵丁調派分汛防駐下廷議允行十六年允巡撫永貴請改建山陰宋

家漊土塘爲石塘加築坦水十七年巡撫雅爾哈善言中亹山勢僅寬六里浮沙易淤且南岸文堂山脚有沙嘴百三十餘丈挑溜北趨北岸河莊山外亦有沙嘴五十餘丈頗礙中亹大溜見將兩處漲沙挑切疏通俾免阻滯得旨嘉勉十九年因浙省塘工無險省海防道二十一年喀爾吉善言水勢南趨北塘穩固而險工在紹興一帶擬於宋家漊楊柳港照海甯魚鱗大條石塘式建四百丈從之二十三年增築鎭海縣海塘二十六年蘇撫陳宏謀言常熟昭文濱海地方從太倉州境接築土塘嗣開白茆河徐六涇二口建閘啓閉本年潮漲石牆傾圮請改爲滾壩得旨允行二十七年帝南巡閱海甯海塘工諭曰朕念海塘爲越中第一保障比歲潮勢漸趨北大亹實關海甯錢塘諸邑利害計改老鹽倉一帶柴塘爲石而議者紛歧及昨臨勘則柴塘沙性澀汕石工斷難措手惟有力繕柴塘得補偏救弊之一策其悉心經理定歲修以固塘根增坦水石簍以資擁護又諭曰尖山塔山之間舊有石塘朕今見其橫截海中直逼大溜實海塘扼要關鍵就目下形勢論或多用竹簍加鑲或改用木櫃排砌如將來

沙漲漸遠宜即改築條石壩工俾屹然如砥柱庶北岸海塘永資保障該督撫等其善體朕意勤勞儹辦並勒石塔山以誌永久二十八年蘇撫莊有恭言江南松太海壖土性善坍華亭寶山向築坦坡皆不足恃應仿浙江老鹽倉改建塊石簍塘詔如所請三十年春帝南巡閱視海甯海塘諭曰繞城石塘實爲全城保障塘下坦水祇建兩層潮勢似覺頂衝若補築三層尤資裨益著將應建之四百六十餘丈一律添建三月工竣三十五年巡撫熊學鵬請於蕭山山陰會稽改建魚鱗大石塘帝以潮勢正趨北亹與南岸渺不相涉斥之三十七年巡撫富勒渾疏報中亹引河情形略言潮頭大溜一由蜀山直趨引河一由巖峰山西斜入引河至河莊山中段會合互相撞擊仍分兩路西行隨令員弁於引河中段挑堰溝二十餘道導引潮溜俾復中亹故道諭曰潮汛遷移乃噓吸自然之勢若開空引河恐徒勞無益止宜實力保衞隄塘以待其自循舊軌不必執意開溝引溜欲以人力勝海潮也四十三年浙撫王亶望疏陳海塘情形命江督高晉會同相度尋疏言章家菴一帶柴工五百丈潮神廟前柴塘三百

丈應添建竹簍並排列兩層樁木以防動搖從之四十五年帝南巡幸海甯尖山閱海塘十二月命大學士阿桂南河督陳輝祖赴浙履勘疏言海塘工程應建石塘二千二百丈若改爲條石施工易而成事速約計三年可以蕆工又言辦理魚鱗石塘仿東塘之例量地勢高下用十六層至十八層約需三十萬帝命工部侍郎楊魁駐工協辦次年八月竣工四十九年帝幸杭州閱視海塘諭曰老鹽倉舊有柴塘一律添建石塘四千二百餘丈於上年告竣自應砌築坦水保護乃該督撫並未慮及設遇異漲豈能抵禦著將柴塘後之土順坡斜做並於其上種柳俾根株盤結則石柴連爲一勢即以柴塘爲石塘之坦水至范公塘一帶亦必接建石工方於省城足資鞏護著撥帑五百萬交該督撫覈算分限分年修築五十二年工竣嘉慶四年浙撫玉德請改山陰土塘爲柴塘十三年浙撫阮元請改蕭山土隄爲柴塘十六年浙撫蔣攸銛請將山陰各土塘隄一律建築柴塘蘇撫章煦請將華亭土塘加築單壩二層均從之道光十三年五月巡撫富呢揚阿疏言東西兩防塘工先擇尤險者修築需銀五十一萬

二千餘兩十一月又言限內限外各工俱擊坍需銀十九萬四千餘兩十二月又言東塘界內應於前後兩塘中間另建鱗塘二千六百餘丈需銀九十二萬二千兩均下部議行十四年命刑部侍郎趙盛奎前東河督嚴烺會同富呢揚阿查勘應修各工尋疏言外護塘根無如坦水擬自念里亭汛至鎭海汛添建盤頭三座改建柴塘三千三百餘丈其西塘烏龍廟以東應接築魚鱗石塊海甯繞城石塘應加高條石兩層俟明年大汛時續辦遣左都御史吳椿往勘留浙會辦十六年三月工竣計修築各工萬七千餘丈用銀一百五十七萬有奇三十年巡撫吳文鎔疊陳海塘石工衝缺令速搶辦十月工竣咸豐七年八月海塘埽各工猝被風潮衝坍十二月次第堵合同治三年御史洪昌燕言浙江海塘潰決請速籌款修理部議將浙海關等稅撥用五年內閣侍讀學士鍾佩賢疏陳海塘關繫東南大局有四害三可慮命巡撫馬新貽詳勘修海甯魚鱗石工二百六十餘丈六年以浙江海塘工鉅費多議分最要次要修築期以十年告竣七年兩江總督曾國藩等請修華亭石塘護壩嗣是塘工歲有修築光

緒三年修寶山北石塘護土建護塘攔水各壩及仁和海甯魚鱗石塘千三百餘丈十年修昭文華亭寶山等處塘壩及石坦坡十二年浙江巡撫劉秉璋言海鹽原建石塘四千六百餘丈積年坍損過半擬擇要興辦埋砌者五百丈建復者四百六十丈需銀二十萬允之十八年浙撫劉樹棠疏言海甯繞城石塘坍塌日甚請添築坦水以塘工加抽絲捐積存餘欵先行開辦隨籌款次第興修從之十九年修太倉茜涇口椿石坦坡百五十一丈鎮洋楊林口椿石二百丈昭文施家橋至老人濱雙椿夾石護壩二百丈華亭外塘純石斜壩四十六丈綜計兩省塘工自道光中葉大修後疊經兵燹半就頹圮迄同治初興辦大工庫款支絀遂開辦海塘捐輸並勸令兩省絲商於正捐外加抽塘工絲捐給票請獎旋即停止光緒三十年浙江巡撫聶緝槼請復捐輸舊章以濟要工因二十七年以後潮汐猛烈次險者變爲極險擬將柴埽各工淸底拆築非籌集鉅款不能歷久鞏固云

清史稿

河渠志四

直省水利

清代軫恤民艱，亟修水政，黃、淮、運、永定諸河、海塘而外，舉凡直省水利，亦皆經營不遺餘力，其事可備列焉。順治四年，給事中梁維請開荒田、興水利，章下所司。十一年，詔曰：「東南財賦之地，素稱沃壤。近年水旱為災，民生重困，皆因水利失修，致誤農工。該督撫責成地方官悉心講求，疏通水道，修築隄防，以時蓄洩，俾水旱無虞，民安樂利。」康熙元年，重修夾江龍興堰，又鑿大渠以廣灌溉。二年，修和州銅成堰、龍首通濟二渠。交城磁瓦河漲，水侵城，築隄障之。三年，修嘉定楠木堰。九年，修郿縣金渠、甯曲水利。十二年，重修城固五門堰。十九年，濬常熟白茆港、武進孟瀆河。二十三年，修五河南湖隄壩。二十七年，修徽州魚梁壩。三十七年，命河督王新命修畿輔水利。三十八年，聖祖南巡至東光，命直隸巡撫李光地察勘漳河、滹沱河故道，覆疏言：「大名、廣平、眞定、河間所屬，凡兩河經行之處宜開濬疏通由館陶入運老漳河與單家橋支流合至鮑家嘴歸運可分子牙河之勢三十九年帝巡視子牙河隄命於閻留二莊間建石閘隨時啟閉御史劉珩言永平眞定近河地應令引水入田耕種諭曰水田之利不可太驟若剋期齊舉必致難行惟於興作之後百姓知其有益自然鼓勵效法事必有成四十年李光地言漳河分四支三支歸運皆弱一支歸淀獨强遇水大時當用挑水壩等法使水分流北不至挾滹沱以浸田南不至合衛河以害運如所請行四十三年挑楊村舊引河先是子牙河廣福樓開引河時文安大成民謂有益靑縣民謂不便各集河干互控至是河成三縣民皆稱便天津總兵官藍理請於豐潤寶坻天津開墾水田下部議旋諭曰昔李光地有此請朕以爲不可輕舉者蓋北方水土之性迥異南方當時水大以爲可種水田不知驟長之水其涸甚易觀琉璃河莽牛河易河之水入夏皆涸可知次年部臣仍以開墾爲請諭以此事暫宜存置可令藍理於天津試開水田俟冬後踏勘四十八年濬鄭州賈魯河故道自東趙訖黃河涯口新莊於東趙建閘一黃河涯口築草

壩石閘各一甘肅巡撫舒圖言唐渠口高於身水勢不暢應引黃河之水滙入宋澄堡如水不足用更於上游近黃處開河引水酌建閘壩以資蓄洩從之江蘇巡撫于準言丹陽練湖冬春洩水濟運夏秋分灌民田自奸民圖利將下湖之地佃種升科民田悉成荒瘠請復令蓄水爲湖得資灌溉從之五十七年以沛縣連年被水命河督趙世顯察勘世顯言金鄉魚臺之水由沛之昭陽湖歷微山湖從荆山口出貓兒窩入運近因荆山口十字河淤墊致低田被淹應將沙淤濬通再於十字河上築草壩若遇運河水淺卽令堵塞俾水全歸微山湖出湖口閘以濟運則民田漕運兩有禆益從之世宗時於畿輔水利尤多區畫雍正三年直隸大水命怡親王允祥大學士朱軾相度修治因疏請濬治衞河淀池子牙永定諸河更於京東之灤薊京南之文霸設營田專官經畫疆理召募老農謀導耕種四年定營田四局設水利營田府命怡親王總理其事置觀察使一自五年分局至七年營成水田六千頃有奇後因水力贏縮靡常半就湮廢是年命侍郎通智單疇書會同川督岳鍾琪開惠農渠於査漢托護以益

屯守復建昌潤渠於惠農渠東北六年浚文水近汾河渠引灌民田開嵩明州楊林海以洩水成田八年帝以寧夏水利在大清漢唐三渠日久頹壞命通智同光祿卿史在甲勘修是年修廣西興安靈渠以利農田通行舟濬陳許二州溝洫十年雲貴總督鄂爾泰言滇省水利全在昆明海口見經修濬膏腴田地漸次涸出惟盤龍江金棱銀棱寶象等河俱與海口近亟宜建築壩臺又言楊林海水勢暢流周圍草塘均可招民開墾宜良江頭村舊河地形稍高宜另開河道以資灌溉尋甸河整石難鑿宜另濬沙河俾得暢流東川城北漫海水消田出亦可招墾均從之十二年營田觀察使陳時夏言文安大城界內修橫隄千五百餘丈營田四十八頃俱獲豐收但恐水涸即成旱田請於大隄東南開建石閘北岸多設涵洞以資宣洩從之乾隆元年大學士嵇曾筠請疏濬杭湖水利兩廣總督鄂彌達言廣肇二屬沿江一帶基圍關繫民田廬舍常致衝坍請於險要處改土爲石陸續興建下部議行江南大雨水淮陽被淹命濬宿遷桃源清河安東及高郵寶應各水道二年命總督尹繼善籌畫雲南水利無論

通粤通川及本省河海凡有關民食者及時興修陝西巡撫崔紀陳鑿井灌田以佐水利之議諭令詳籌勿擾閭閻三年大學士管川陝總事查郎阿言瓜州地多水少民田資以灌溉者惟疏勃河之水河流微細查靖逆衛北有川北鞏昌兩湖西流合一名蘑菇溝其西有三道柳條溝北流歸擺帶湖請從中腰建閘下濬一渠截兩溝之水盡入渠中爲回民灌田之利貴州總督張廣泗請開鑿黔省河道自都勻經舊施秉通淸水江至湖南黔陽直達常德又由獨山三脚坉達古州抵廣西懷遠直達廣東興天地自然之利均下部議行四年安徽布政使晏斯盛言江北鳳潁以睢水爲經廬州以巢湖爲緯他如六安霍有堤堰滁泗亦多溪壑槪應動帑及時修濬從之川陝總督鄂彌達等言甯夏新渠寶豐前因地震水涌二縣治俱沉沒請裁其可耕之田將漢渠尾展長以資灌漑惟查漢渠百九十餘里渠尾餘水無多若將惠農廢渠口修整引水使漢渠尾接長可灌新寶良田數千頃上嘉勉之五年河督顧琮言前經總河白鍾山奏稱漳河復歸故道則衞河不致泛溢爲一勞永逸之計臣等確勘自和兒寨

東起至靑縣鮑家嘴入運之處止計程六百餘里河身淤淺兩岸居民稠密若溢以全漳之水勢難容納則改由故道於直隸不能無患然不由故道又於山東不能無患惟有分洩防禦使兩省均無所害庶爲經久之圖總辦江南水利大理卿汪瀠言鹽城東塘河及阜甯山陽各河道高郵寶應下游及串場河溱潼河俱淤淺應挑濬其串場河之范堤及拼茶角二場隄工俱逼海濱應加寬厚揚州各閘壩應疏築限三年告成均如所請行安徽巡撫陳大受言江北水利關繫田功原任藩司晏斯盛奏定興修估銀四十餘萬竊思水利固爲旱澇有備而緩急輕重必須熟籌各州縣所報如河圩湖澤及大溝長渠工程浩繁民力不能獨舉自應官爲經理其餘零星塘壩見有管業之人原可自行疏濬朝廷豈能以有限錢糧爲小民代謀畚鍤上韙之河南巡撫雅爾圖言豫省水利工程惟上蔡估建隄壩係防蔡河異漲之水其餘汝河潁河隄堰應令地主自行修補至開濬汝河潁河等工請停罷以節縻費報聞六年春雅爾圖言永城地窪積潦城南舊有渠身三長萬一千餘丈通澮河年久淤淺見乘農隙勸

諭紳民挑濬俾水有歸又言前奉諭旨開濬省城乾涯河復於中牟創開新河一分賈魯河水勢由沙河會乾涯河以達江南之過河而滙於淮長六萬五千餘丈今已竣工賜名惠濟九年御史柴潮生言北方地勢平衍原有河渠淀泊水道可尋如聽其自盈自涸則有水無利而獨受其害請遣大臣齎帑興修命吏部尚書劉於義往保定會同總督高斌督率辦理尋請將宛平良鄉涿州新城雄縣大城舊有淀渠與擬開河道並隄埝涵洞橋閘次第興工下廷議如所請行先是御史張漢疏陳湖廣水利命總督鄂彌達查勘至是疏言治水之法有不可與水爭地者有不能棄地就水者三楚之水百派千條其江邊湖岸未開之隙地須嚴禁私築小垸俾水有所滙以緩其流所謂不可爭者也其倚江傍湖已闢之沃壤須加謹防護隄塍俾民有所依以資其生所謂不能棄者也其各屬迎溜頂衝處長隄連接責令每歲增高倍厚寓疏濬於壅築之中報聞十一年大學士署河督劉於義等疏陳慶雲鹽山續勘疏濬事宜下部議行青州瀰河水漲衝開百餘丈決口旋堵博興樂安積水挑引河導入淄河十二年

夏宿遷桃源清河安東之六塘河及沭陽海州之沭河山水漲發地方被淹命大學士高斌總督尹繼善會同河臣周學健往勘議於險處加寬挑直建石橋開引河官民協力防護從之十三年湖北巡撫彭樹葵言荆襄一帶江湖袤延千餘里一遇異漲必借餘地容納宋孟珙知江陵時曾修三海八櫃以潴水無如水濁易淤小民趨利者因於岸脚湖心多方截流以成淤隨借水糧魚課四圍築隄以成垸人與水爭地爲利以致水與人爭地爲殃惟有杜其將來將見垸若干著爲定數此外不許私自增加報聞十四年雲南巡撫圖爾炳阿以疏鑿金沙江底績纂進金沙江志十七年江蘇巡撫莊有恭言蘇州之福山塘河太倉之劉河乃常熟等八州縣水利攸關歲久不修旱澇無備請於附河兩岸需及水利各區按畝酌捐興工修建得旨嘉奬十八年陜甘總督黄廷桂言巴里坤之尖山子至奎素百餘里内地畝皆取用南山之水自山口以外多滲入沙磧必用木槽接引方可暢流請於甘凉肅三處撥種地官兵千名前往疏濬如所請行以江南山東河南積年被水而山東之水滙於淮徐河南之水達

於鳳潁須會三省全局以治之命侍郎裘曰修夢麟往來察閱會江蘇安徽河南各巡撫計議尋曰修言包澮二河在宿永連界處爲洩水通商之要道入安徽境內有石橋六應加寬展洪河睢河與虹縣之柏家河下江之林子河羅家河應補修子堰鳳臺之裔溝黑濠涇泥三河應挑深使暢達入淮夢麟言碭山蕭縣宿遷桃源山陽阜甯沭陽共有支河二十餘應分晰疏濬均從之二十三年豫省開濬河道工竣允紳民請於永城建萬歲亭並御製文誌之山東巡撫阿爾泰言濟甯汶上嘉祥毗連蜀山湖地畝湮沒約千餘頃擬將金錢利運二閘啟閉使湖水濟運坡水歸湖可以盡數涸出得旨嘉獎二十四年濬京師護城河及圓明園一帶河御史李宜青請疏濬畿輔水源命直隸總督方觀承條議以聞觀承言東西二淀千里長隄即宋臣何承矩興堰遺蹟今昔情形有異倘泥往迹害將莫救如就淀言利則三百餘里中水村物產視昔加饒惟遇旱而求通雨澤於水土之氣則人事有當盡者耳四川總督開泰言灌縣都江大堰引灌成都各屬及眉邛二州田畝甯遠南有大渡河自冕甯抵會理三口與

金沙江合支河雜出堰壩最多俱應相機修濬部議從之初御史吳鵬南請責成興修水土之政命各督撫經畫浙江巡撫莊有恭言水之大利五江湖海渠泉他省得其二三而浙實兼數利金衢嚴三郡各有山泉溪澗灌注成渠堰壩塘蕩無不具備惟仁和錢塘之上中市三河墝區塘苕溪塘海鹽之白洋河湯家舖廟涇河長興之東西南溇港永嘉之七都新洲陡門九都水湫三十四都黃田浦陡門實應修舉以收已然之利至杭州臨平湖紹興夏蓋湖有關田疇大利應設法疏挑或召佃墾種再體勘辦理允之二十五年阿爾泰疏言東省水利以濟運爲關鍵以入海爲歸宿濟東泰武之老黃河馬頰徒駭等河兗沂曹之洸涑等河共六十餘道皆挑濬通暢運河民埝計長七百餘里亦修整完固青萊所屬樂安平度昌邑濰縣高密等州縣應挑支河三十餘俱節次挑浚萊州之膠萊河納上游諸水高密有膠河亦趨膠萊易致漫溢應導入百脈湖以分水勢沂州屬蘭郯境內應開之武城等溝河二十五道又續挑之響水等溝河二十五道引窪地之水由江南邳州入運並已工竣帝嘉之二十六年河

東鹽政薩哈岱言鹽池地窪全恃姚暹渠爲宣洩近因渠身日高漲漫南北隄堰禁牆內黑河實產鹽之本年久淺溢涑水河西地勢北高南下倘汛漲南趨則鹽池益難保護五姓湖爲衆水所滙恐下游阻滯逆行爲患均應及時疏通從之明年帝南巡諭曰江南濱河阻洳之區霖潦堪虞而下游蓄洩機宜尤以洪澤湖爲關鍵自邵伯以下金灣及東西灣滾壩節節措置特爲三湖旁疏曲引起見若溯源絜要莫如廣疏清口乃及今第一義至六塘河尾閭橫經鹽河以達於海所有修防事宜該督撫河臣會同鹽政悉心覈議以聞二十八年帝以天津文安大城屢被霪潦積水未消命大學士兆惠督率經理又以日修前辦豫省水利有效命馳往會勘復命阿桂會同總督方觀承酌辦阿桂等以子牙河自大城張家莊以下分爲正支二河支河之尾歸入正河形勢不順請於子牙河村南斜向東北挑河二十餘里安州依城河爲入淀尾閭應挑長二千二百餘丈安肅之漕河應挑長三千七百餘丈其上游之姜女廟應建滾水石壩使水由正河歸淀新安韓家埝一帶爲西北諸水滙歸之所應挑引河十三

里有奇如所議行二十九年改建惠濟河石閘修湖北溪鎮十里長隄及廣濟黃梅江隄濬江都堰開支河一使漲水徑達外江三十二年修築淀河隄岸自文安三灘里至大城莊兒頭長二千七百餘丈山東巡撫崔應階言武定近海地窪每遇汛漲全恃徒駭馬頰二河分流入海徒駭下游至霑化入海處地形轉高難議興挑勘有壩上莊舊漫口河形地勢順利應開支河俾兩道分洩江蘇巡撫明德言蘇州南受浙江諸山經由太湖之水北受揚子江由鎮江入運之水伏秋汛發多致漫溢請修吳江震澤等十縣塘路均從之三十三年滹沱水漲逼臨正定城根添築城西南新隄五百七十餘丈迴水隄迤東築挑水壩五河神祠前築魚鱗壩八十丈藁城東北兩面滹水繞流順岸築埽三百六十丈埽後加築土埝三十五年挑濬蘇郡入海河道白茆河自支塘鎮至滾水壩長六千五百三十餘丈徐六涇河自陳蕩橋至田家壩長五千九百九十餘丈三十六年濬海州之薔薇王家口下坊口王家溝四河以直隸被水命侍郎袁守侗德成分往各處督率疏消尚書裘曰修往來調度總司其事山東巡撫徐

續查勘小清河情形，請自萬丈口挑至還河口，計四十里，使正引兩河分流由河入泊，由泊達溝歸海。詔如所議行。廣西巡撫陳輝祖言：「興安陡河源出海陽山，至分水潭，舊築鏵嘴以分水勢，七分入湘江爲北陡，三分入灕江爲南陡。於進水陡口內南北建大小天坪以資蓄洩，復建梅陽坪以遏旁行故道，並以引灌糧田。近因連雨衝陷，請修復土石各工。」下部知之。三十八年，挑濬禹城漯河、高密百脈湖引河。四十年，修築武昌省城金河洲太乙宮濱江石岸。江南旱，高、寶皆歉收，總督高晉、河督吳嗣爵、薩載合疏言：「嗣後洪湖水勢應以高堰誌樁爲準，各閘壩涵洞相機啟放，總使運河存水五尺以濟漕，餘水儘歸下河以資灌溉。」從之。四十一年，修西安四十七州縣渠堰共千一百餘處。總督高晉言：「瓜州城外查子港工接連迴瀾壩，江岸忽於六月裂縫坍塌入江約百餘丈，西南城墻塌四十餘丈，見在水勢已平，擬將瓜州量爲收進，讓地於江，並沿岸築土壩以通縴路。」諭令妥善經理。四十二年，山西巡撫覺羅巴延三言：「太原西有風峪口，旁俱大山，大雨後山水下注，縣城猝難捍禦。請自峪口起開河溝一直達汾水所占民田止四十餘畝而太原一城可期永無水患四十三年疏濬湖州漊港七十二修昌邑海隄居民認墾隄内鹻廢地千二百餘頃濬鎮洋劉河自西陳門涇上頭起至王家港止四十四年改建宣化城外柳川河石壩並添築石坦坡漳河下游沙莊壩漫口淹及成安廣平水無歸宿於成安柏寺營至杜木營繞築土埝千一百餘丈四十七年雲南巡撫劉秉恬言鄧川之瀰苴河上通浪穹下注洱海中分東西兩湖東湖由河入海河高湖低每遇夏秋漲發迴流入湖淹沒附近糧田紳民倡捐將湖尾入海處堵塞另開子河引東湖水直趨洱海又自靑石澗至天洞山築長隄建石閘使河歸隄内水由閘出歷年所淹田萬一千二百餘畝全行涸出得旨嘉奬又言楚雄龍川江自鎮南發源入金沙江近年河溜逼城請於相近鎮水塔挑濬深通導引河溜復舊又澂江之撫仙湖下游有清水渾水河各一渾水之牛舌石壩被衝漲流入清以致爲害請於牛舌壩東另開子河以洩渾水並將河身改直使清水暢達上奬勉之五十年河南巡撫何裕城言衛河歷汲淇滑濬四縣濱河田畝農民築隄以防淹

浸不能導河灌田輝縣百泉地勢卑下而獲嘉等縣較高難以紆迴導引其餘汲縣新鄉並無泉源祇有鑿井一法既可灌田亦藉以通地氣已派員試開濬賈魯惠濟兩河修甯夏漢延唐來大清惠農四渠五十一年山東商人捐資挑濬鹽河並於東阿長清齊河歷城建閘八五十三年荆州萬城隄潰水從西北兩門入命大學士阿桂往勘尋疏言此次被水較重土人多以下游之窖金洲沙漲逼溜所致恐開挑引河江水平漾無勢仍至淤閉請於對岸楊林州靠隄先築土壩再接築雞觜石壩逐步前進激溜向南俟洲坳刷成兜灣再趁勢酌挑引河較爲得力報聞五十四年濬通惠河朝陽門外護城河及溫榆河五十五年培修千里長堤豬龍河大清河盧僧河等隄鳳河東隄及西沽南倉海河等疊道改建豐城東西隄石工築潛江仙人舊隄千二百八十餘丈挑濬永城洪河五十七年兩江總督書麟等言瓜州均係柴壩江流溜急接築石磯不能鞏固請於迴瀾舊壩外拋砌碎石護住埽根自裏頭坍卸舊城處所靠岸亦用碎石拋砌上面鑲埽嗣後每年挑溜可期溜勢漸遠得旨允行又言無爲州河

形兜灣應將永成圩壩加築寬厚擬於馬頭埂開穵河口三十丈曾家腦至東圩壩舊河亦展寬三十丈俾河流順暢上韙之改蕭山荷花池隄爲石工堵河內民堰漫口五十餘丈修復豐城江岸石隄五十九年荆州沙市大壩因江流激射勢露頂衝添建草壩嘉慶五年挑濬牤牛河黃家河及新安安雄任邱霸高陽正定新樂八州縣河道六年京師連日大雨撥內帑挑濬紫禁城內外大城以內各河道及圓明園一帶引河文安被水命直督陳大文詳議疏言文地極窪受水淺地與河平自建治以來別無疏濬章程惟查大城河之廣安橫隄爲文邑保障迤南有河間千里長隄可資外衛兩隄之中有新建閘座以洩河間漫水再於地勢稍下之龍潭灣開溝疏濬或不致久淹從之八年伊犁將軍松筠言伊犁土田肥潤可耕之地甚多向因乏水今擬設法疏渠引泉以資汲灌應請廣益耕屯以裕滿兵生計並借官款備辦耕種器物如所請行十一年疏築直隸千里長隄及新舊格淀隄十二年湖廣總督汪志伊言隄垸保衛田廬關繫緊要漢陽等州縣均有未涸田畝未築隄塍應亟籌勘辦以興水利而

衛民田從之十六年以畿輔災歉命修築任邱等州縣長隄並雄縣疊道以工代賑十七年濬武進孟瀆河挑阜甯救生河太倉劉河修天津靜海兩縣河道濬東平小淸河及安流龍拱二河民便河十八年江南河道總督初彭齡疏陳江省下河水利宜加修理得旨允行十九年大名淸豐南樂三縣七十餘莊地畝久爲衛水淹沒村民自願出夫挑挖請官爲彈壓御史王嘉棟疏言杭嘉湖被旱歉收請開濬西湖以工代賑皆允之二十一年疏濬吳淞江二十二年章邱民言長白東嶺二山之水向歸小淸河入海自灰壩被衝水歸引河章邱等縣屢被水災命禮部侍郎李鴻賓往勘次年巡撫陳預疏言小淸河以章邱鄒平長山新城爲上游高苑博興樂安爲下游正河及支派溝多有淤墊請先疏濬上游並將滸山等二泊一湖挑挖寬深則水勢不至建瓴直注下游亦不驟虞漫溢得旨允行建沔陽石閘挑引渠以時啟閉二十五年修都江堰御史陳鴻條陳興修水利營田事宜命直隸山東山西河南各督撫一體籌畫興舉修襄陽老龍石隄庫車辦事大臣嵩安疏報別什托固喇克等處挑渠引水墾田

五萬三千餘畝有詔褒勉道光元年修湖州黑窰廠江隄濬涇陽龍洞渠鳳陽新橋河二年加築襄陽老龍石隄濬正定柏棠護城洩水東大道等河並修斜角迴水等隄興修杭州北新關外官河縴道直隸總督顏檢請築滄州捷地減河閘壩濬青縣興濟兩減河修通州果渠村壩埝皆如議行疏濬銅山荊山橋河道及南鄉奎河挑江都三汊河子鹽河五閘淤淺及沙漫州江口沙埂修豐城及新建惠民橋隄三年修汾河隄堰並移築李綽堰改挖河身修天門京山鍾祥隄垸及監利櫻桃堰荊門沙洋堤挑挖熱河旱河並添修荊條單壩堵文安崔家窰崔家房漫口修河東鹽池馬道護隄並濬姚暹渠李綽堰涑水河刑部尚書蔣攸銛言上年漳河漫水下流由大名元城直達紅花隄潰決隄埝由館陶入衛應亟籌議命大學士戴均元馳勘尋奏言元城引河穿隄入衛河身窄狹應挑直展寬以暢其流紅花隄以下新刷水溝五百餘丈應挑成河道以期分洩又漳自南徙合洹以來衛水爲其頂阻每遇異漲民埝不能捍禦以致安陽內黃頻年衝決今漳北趨業已分殺水勢擬於樊馬坊陳家村河幹北岸

築壩堵截使分流歸併一處自柴村橋起接連洹河北岸建築土壩樊馬坊以下王家口添築土格土壩以免串流南趨使漳洹不致再合詔皆從之四年築德化建昌南昌新建四縣圩隄修培荆州萬城大隄横塘以下各工及監利任家口吳謝垸漫決隄塍給事中朱爲弼請疏濬劉河吳淞及附近太湖各河御史郎葆辰請修太湖七十二漊港引苕霅諸水入湖以達於海御史程邦憲請擇太湖洩水最要處所如吳江隄之垂虹橋愛遺亭龐山湖疏剔沙淤剷除蕩田令東注之水源流無滯先後疏入命兩江總督孫玉庭江蘇巡撫韓文綺浙江巡撫師承瀛會勘玉庭等言江南之蘇松常太浙江之杭嘉湖等屬河道淤墊遇漲輒溢見勘水道形勢疆域雖分兩省源委實共一流請專任大員統治全局命江蘇按察使林則徐綜辦江浙水利御史陳澐疏陳畿輔水利請分別緩急修理給事中張元模請於趙北口連橋以南開橋一座以古趙河爲引河並挑北盧僧河以分減白溝之獨流帝命江西巡撫程含章署工部侍郎辦理直隸水利會同蔣攸銛履勘含章請先理大綱興辦大工九如疏天津海口濬

東西淀大清河及相度永定河下口疏子牙河積水復南運河舊制估修北運河培築千里長隄先行擇辦此外如三支黑龍港宣惠滹沱各舊河沙洋洺滋洨唐龍鳳龍泉豬龍牤牛等河及文安大城安州新安等隄工分年次第辦理又言勘定應濬各河道塌河淀承六減河下達七里海應挑寬晉口河以洩北運大清永定子牙四河之水入淀再挑西隄引河添建草壩洩淀水入七里海挑邢家坨洩七里海水入薊運河達北塘入海至東淀西淀爲全省瀦水要區十二連橋爲南北通途亦應擇要修治均如所請行濬虞城惠民溝夏邑巴清河永城減水溝玉庭言三江水利如青浦婁縣吳江震澤華亭承太湖水下注黃浦各支河淺滯淤阻亟應修砌吳淞江爲太湖下注幹河由上海出閘與黃浦合流入海因去路阻塞流行不暢應於受淤最厚處大加挑浚得旨允行五年陝西巡撫盧坤疏報咸甯之龍首渠長安之蒼龍河涇陽之清治二河盩厔之澇峪等河郿縣之井田等渠岐山之石頭河寶雞之利民等渠華州之方山等河榆林之榆溪河芹河均挑濬工竣開復水田百餘頃至數百頃不等修監

利江隄襄陽老龍石隄已革御史蔣時進畿輔水利志百卷直隸總督蔣攸銛疏陳防守千里長隄善後事宜報聞安陽湯陰廣潤陂屢因漳河決口淤墊命巡撫程祖洛委員確勘挑渠將積水引入衞河使及早涸復築荆州得勝臺民隄七年閩浙總督孫爾準言莆田木蘭坡上受諸渠之水下截海潮灌溉南北洋平田二十餘萬畝近因屢經暴漲泥沙淤積陡門石隄損壞以致頻歲歉收現經率同士民捐資修培南北兩岸石工告竣得旨嘉獎濬漢川草橋口消渦湖口水道御史程德潤言荆山王家營屢決下游各州縣連年被災請飭相度修築命湖廣總督嵩孚籌議因請仿黃河工程切灘法平其直射之溜勢再將下游沙洲開挑引河破其環抱以順正流帝恐與水爭地虛糜無益命刑部尚書陳若霖等往勘覆言京山決口三百二十餘丈鍾祥潰口百七十餘丈正河經行二百餘年不應舍此別尋故道惟有挑除胡李灣沙塊先暢下游去路將京山口門挽築月隄展寬水道鍾祥口門於堵閉後添築石壩二護隄攻沙帝韙之命嵩孚駐工督辦八年河南巡撫楊國楨言湯河伏道河並廣潤坡上游

之羨河新惠等河向皆朝宗於衛因故道久湮頻年漫溢見爲一勞永逸之計因勢利導悉令暢流又南陽白河淅川丹江水勢浩瀚俱切近城根亟應築碎石磨盤等壩二十餘道分別挑溜抵禦均如所請行挑濬冀州東海子淤塞溝身以工代賑九年修宿遷各河隄岸丹陽下練湖閘壩濬宿州奎河築喀什噶爾新城沿河隄岸兩江總督蔣攸銛言徐州河道如蕭縣龍山河邳州睢甯界之白塘河邳州舊城民便河碭山利民永定二河又沛縣隄工邳州沂河民埝豐縣太行隄皆最要之工請次第估辦興挑從之十年修湖北省會江岸並添建石壩挑濬漳河故道修保定南關外河道及徐河石橋河間陳家門隄濬東平小清河及安流龍拱二河修公安監利隄十一年修南昌新建進賢圩隄及河間獻縣河隄天門漢水南岸隄工桐梓被水開濬戴家溝河道命工部尚書朱士彥察勘江南水患疏請修築無爲及銅陵江壩給事中邵正笏言江湖漲灘占墾日甚諭兩江總督陶澍湖廣總督盧坤等飭屬詳勘其沙洲地畝無礙水道者聽民認墾否則設法嚴禁十二年挑除星子蓼花池淤沙疏通溝道並

築避沙壍壩修築南昌新建隄圩又改豐城土隄爲石十三年湖廣總督訥爾經額請修襄陽老龍及漢陽護城石隄武昌荆州沿江隄岸兩江總督陶澍請修六合雙城果盒二圩隄埂濬孟瀆得勝灣港三河並建閘座均如議行戶部請興修直隸水利城工命總督琦善確察附近民田之溝渠陂塘擇要興修以工代賑御史朱逵吉言湖北連年被水請疏江水支河使南匯洞庭湖疏漢水支河使北匯三臺等湖並疏江漢支河使分匯雲夢七澤間隄防可固水患可息御史陳誼言安陸濱江隄塍衝決爲害請建五閘壩挑濬河道以洩水勢疏入先後命訥爾經額尹濟源吳榮光等遴員詳勘十四年修良鄉河道橋座濬沔陽天門牛蹏支河漢陽通順支河並修築濱臨江漢各隄濬石首潛江漢川支河修荆州萬城大隄華容等縣水衝官民各垸濬碭山利民永定二河築南昌新建進賢建昌鄱陽德安星子德化八縣水淹圩隄修潛江鍾祥京山天門沔陽漢陽六州縣臨江潰隄以工代賑修邳宿二州縣沂河隄埝及王翻湖等工濬太倉七浦及太湖以下泖澱並修元和南塘寶帶橋十六年濬河東姚暹

渠修庫車沿河隄壩濬海鹽河道又貸江蘇司庫銀濬鹽城皮大河豐縣順隄
河並修築隄工從兩江總督林則徐等請也命大學士穆彰阿步軍統領耆英
工部尚書載銓勘估京城內外應修河道溝渠十七年修武昌沿江石岸鍾祥
劉公菴何家潭老隄潛江城外土隄及豐城土石隄工並建小港口石閘石埽
十八年修黃梅隄濬豐潤玉田黑龍河十九年修武昌保安門外江隄蘄州衛
軍堤漢陽臨江石隄葉爾羌參贊大臣恩特亨額覆陳巴爾楚克開墾屯田情
形先是帝允伊犁將軍特依順保之請命於巴爾楚開墾屯田嗣署參贊大臣
金和疏陳不便復命恩特亨額詳籌至是疏言該處渠身僅三百二十八里有
奇沿隄兩岸培修水勢甚旺足資灌溉並派屯丁分段看守遇水漲時有渠旁
草湖可洩不致淹漫要路諭照舊妥辦務於屯務邊防實有裨益伊犁將軍關
福疏報額魯特愛曼所屬界內塔什畢圖開正渠二萬五千七百餘丈計百四
十餘里得地十六萬四千餘畝實屬肥腴引水足資灌溉詔褒勉之是歲漢水
盛漲漢川沔陽天門京山隄垸潰決二十年總督周天爵疏報江漢情形擬疏

堵章程六一沙灘上游作一引壩攔入湖口再作沙隄障其外面以堵旁洩一江之南岸改虎渡口東支隄為西隄別添新東堤留寬水路四里餘下達黃金口歸於洞庭再於石首調弦口留三四十里沮洳之地瀉入洞庭一江之北岸舊有閘門應改為滾壩冬啟夏閉一襄陽上游多作挑壩撐水外出再於險要處所加築護隄護灘一襄陽河四面隄畔應用磚石多砌陡門夏令相機啟閉一襄河水勢浩大應添造滾壩冬啟夏閉於兩岸低窪處所引渠納水下所司議行是年修華容武陵龍陽沅江四縣官民隄垸又修荊州大隄及公安監利江陵潛江四縣隄工二十二年堵鹿邑渦河決口先是黃水決口大溜直趨渦河將南岸觀武集鄭橋劉窪莊古家橋及淮甯之閻家口吳家橋徐家灘婁家林季家樓隄頂漫塌太和民田悉成巨浸阜陽以次州縣亦被漫淹至是安徽巡撫程楙采言豫工將次合龍渦河決口若不及時興修下游受害益深請敕河南撫臣迅籌堵築從之湖廣總督裕泰等疏報江水盛漲衝陷萬城隄以上之吳家橋水閘並決下游上漁埠頭大堤直灌荊州郡城倉庫監獄均被淹漫

水消退後而埠頭漫口較寬勢難對口接築擬修挽月隄一並先於上下游各築橫隄一如所請行修築庫倫隄壩及鄒縣橫河口李家河口民堰二十三年直隸總督訥爾經額疏陳直隸難以興舉屯政水利略云天津至山海關戶口殷繁地無遺利其無人開墾之處乃沿海鹻灘潮水鹹濇不足以資灌溉至全省水利歷經試墾水田屢興屢廢總由南北水土異宜民多未便而開源疏洎建閘修塘皆需重帑未敢輕議試行但宜於各境溝洫及時疏通以期旱澇有備或開鑿井泉以車戽水亦足裨益田功如所議行修海陽寮哥宮涸溪竹崎頭隄工二十四年修江夏江隄濬海州沭河七月荊州江勢汎漲李家埠內隄決口水灌城內江陵虎渡口汎江支各隄亦多漫溢諭總督裕泰籌款修築九月萬城大隄合龍伊犁將軍布彥泰等言惠遠城東阿齊烏蘇廢地可墾復良田十餘萬畝擬引哈什河水以資灌注將塔什鄂斯坦田莊舊有渠道展寬接開新渠引入阿齊烏蘇東界並間段酌挑支河又言伊拉里克地畝與喀喇沙爾屬蒙古游牧地以山爲界該處河水一道由山之東面流出距游牧地尚隔

一山於蒙古生計無礙堪以開墾請濬大渠支渠並洩水渠引用伊拉里克河水又言奎屯地方寬廣有河一道係由庫爾喀喇烏蘇南山積雪融化滙流成河近水地畝早有營屯戶民承種又蘇沁荒地有萬餘畝土脈肥潤祇須挑渠引水可以俱成沃壤均如所請行二十五年濬賈魯河修汶上馬踏湖民堰命喀喇沙爾辦事大臣全慶查勘和爾罕水利疏言和爾罕地本膏腴宜將西北哈拉木扎什水渠並東南和色熱瓦特大渠接引可資耕種中隔大小沙梁業已挑通宜於衝要處砌石釘樁使沙土不致坍卸渠道日深足以灌溉良田又言伊拉里克地居吐魯番所轄托克遜軍臺之西土脈腴潤謂之板土戈壁其西爲沙石戈壁二百餘里至山口出泉處有大阿拉渾小阿拉渾兩水滙成一河從前渠道未開水無收束一至沙石戈壁散漫沙中而板土戈壁水流不到轉成荒灘今將極西之水導引而東在沙石戈壁鑿成大渠三段復於板土戈壁多開支渠即遇大汛水有所歸又吐魯番地畝多係掘井取泉名曰卡井連環導引其利甚溥惟高埠難引水逆流而上應聽戶民自行穵井冬春水微時

可補不足下廷臣議行二十六年烏魯木齊都統惟勤請修理喀喇沙爾渠道壩隄並陳章程四命伊犁將軍薩迎阿覆覈尚無流弊詔如所請行六塘河隄衝潰各州縣連年被水命兩江總督璧昌等覈辦覆言海州境內六塘河及薔薇河淤墊衝決田廬受淹於運道宣防大有關繫應從速借款挑築允之修溫榆河果渠村壩埽二十七年扎薩克郡王伯錫爾呈獻私墾地畝內有生地四千八百三十餘畝接濬新渠二添開支渠二以資分灌二十八年兩江總督李星沅請修沛縣民埝埽壩裕泰請修江夏隄工鍾祥家家店外灘岸直隸總督訥爾經額請修築萬全護城石壩均如所請御史楊彤如劾河南撫臣三次挑浚賈魯河決口費幾百萬迄無成功請敕查辦詔褫鄂順安以下職新任巡撫潘鐸疏言賈魯河工程應以復朱仙鎮爲修河關鍵惟朱仙鎮內及街南北河道淤墊最甚今議添辦柴稭埽工以防兩岸淤沙其淤沙最深處挑濬較難另擇乾土十數里改道以通舊河責成各員賠修限四十五日工竣從之二十九年江蘇巡撫傅繩勛言陰雨連緜積水無從宣洩以致江淮揚等屬隄圩多被

衝破請仿農政全書櫃田之法以土護田堅築高峻內水易於車涸勸民舉行以工代賑並查勘海口開挖閘洞洩水帝嘉勉之三十年修襄陽老龍石隄及漢陽隄壩武昌沿江石岸潛江土堤鍾祥高家隄御史汪元方以浙江水災多由棚民開山水道淤阻所致疏請禁止諭巡撫吳文鎔嚴查並命江蘇安徽江西湖廣各督撫一體稽查妥辦咸豐元年浙江巡撫常大淳疏陳清理種山棚民情形略言浙西水利餘杭南湖驟難濬復應先開支河修石閘以資蓄洩上游治而下游之患亦可稍平浙東則紹興之三閘口外鄞縣象山等河溪見經籌挑報聞三年太常卿唐鑑進畿輔水利備覽命給直隸總督桂良閱看並著於軍務告竣時酌度情形妥辦同治元年御史朱潮請開畿輔水利並以田地之治否定府縣考績之殿最命直隸總督文煜等將所轄境內山泉河渠淀湖及可開渠引水地方詳查並妥議章程尋覆疏言有可舉行之處或礙於地界或限於力量或當掘井製車或須抽溝築圩均設法催勸推行盡利三年江蘇士民殷自芳等以山陽鹽城境內市河十字河小市河蜿蜒百里東注馬家蕩

沿河民田數千頃旱則資其灌溉潦則資其宣洩自乾隆六年大挑以後迄今百餘年河淤田廢水旱均易成災懇請挑濬築壚引運河水入市河以蘇民困命兩江總督江蘇巡撫覈辦五年御史王書瑞言浙江水利海塘而外又有漊港烏程有三十九漊長興有三十四漊自逆匪竄擾後泥沙堆積漊口淤阻請設法開濬又言蘇松諸郡與杭嘉湖異派同歸湖州處上游之最要蘇松等郡處下游之最要上游阻塞則害在湖州下游阻塞則害在蘇松並害及杭嘉湖請飭江蘇一併勘治從之六年濬清河張福口引河八年安徽巡撫吳坤修言永城與宿州接壤之南股河久經淤塞下接靈壁低窪如釜早成巨浸水無出路擬查勘籌辦從之九年濬白茆河道改建近海石閘江蘇紳民請濬復淮水故道命兩江總督江蘇巡撫漕運總督會籌覆疏言挽淮歸故必先大濬淤黄河以暢其入海之路繼開清口以導其入黄繼堵成子河張福口高良澗三河以杜旁洩應分別緩急興工期以數年有效下部議從之是年內閣侍讀學士鍾佩賢亦以疏濬海港爲請於是浙撫楊昌濬言漊港年久淤塞查明最要次

要各工分別估修擬趁冬隙時先將寺橋等九港及諸沈二漊趕辦其餘各工及碧浪湖工程次第籌畫應與吳江長橋及太湖出水各口同時修濬得旨允行十年修龍洞舊渠並開新渠以引涇水江蘇巡撫張之萬請設水利局興修三吳水利於是重修元和吳縣吳江震澤橋竇各工最大者爲吳淞江下游至新閘百四十丈別以機器船疏之凡太倉七浦河昭文徐六涇河常熟福山港河常州河武進孟瀆超瓢港江陰黃田港河道塘閘徒陽河丹徒口支河丹陽小城河鎮江京口河均以次分年疏導幾及十年始克竣事先是侯家林決口河督喬松年以爲時較晚請來年冬舉辦至是巡撫丁寶楨言此處決口不堵必致浸淹曹兗濟十餘州縣若再向東南奔注則清淮裏下河一帶更形吃重請親往督工堵築詔獎勉之十二年以直隸河患頻仍命總督李鴻章仿雍正間成法籌修畿輔水利旋議定直隸諸河皆以淀池爲宣蓄西淀數百里河道爲民生一大關鍵先堵趙村決口築磁河瀦龍河南隄以禦外水挑濬盧僧中亭兩河分減大清河水勢以免倒灌並疏通趙王河道將苟各莊以上巨隄及

下口鷹嘴壩各建閘座是年秋直隸運河隄決内閣學士宋晉請擇修各河渠以工代賑從之十三年挑濬天津陳家溝至塌河淀邊減河三千七百餘丈又自塌河淀循金鐘河故道斜趨入薊運河開新河萬四千一百餘丈俾通省河流分溜由北塘歸海石莊戶決口奪溜南趨命寶楨速籌堵築旋以決口驟難施工請在迤下之賈莊建壩堵合即於南北岸普築長隄而北岸濮州之上游爲開州並飭直督合力籌辦光緒元年濬文安勝芳河修菏澤賈莊南岸長隄及北岸金隄二年濬張家橋新舊泗河三年濬濟甯夏鎮迤南十字河給事中夏獻馨請修水利以裕民食諭各督撫酌奪情形悉心區畫四年修補濱江黄柏山至樊口四十里老隄並於樊口内建石閘五年修都江堰隄灌縣温江崇慶舊淹田地涸復八萬二千餘畝七年挑濬大清河下游使水暢入東淀並於獻縣朱家口古羊河東岸另闢滹沱減河使水歸子牙河故道達津入海濬寶坻武清境内北運減河大學士左宗棠請興辦順直水利以陝甘應餉之軍助直隸治河之役總督李鴻章言近畿水利受病過深凡永定大清滹沱北運南

運五大河及附麗之六十餘支河原有閘壩堤埝無一不壞減河引河無一不塞而節宣諸水之南泊北泊東淀西淀早被濁流塡淤僅恃天津三岔口一綫海河迤邐出口平時既不能暢消秋冬海潮頂托倒灌節節皆病修治之法須先從此入手五大河中以永定之害爲最深其大清北運南運須分別挑濬築隄修復減河滹沱趨向無定自來未設隄防同治七年由槀城北徙以文安大窪爲壑其故道之難復上游之難分下游之難洩曾國藩與臣詳陳有案東西淀寬廣數百里淤泥厚積人力難施頻年以來修復永定河金門閘壩裁灣切灘加築隄段大清河則於新雄境內開盧僧減河霸州文安境內接開中亭勝芳等河分洩上游盛漲於任邱開趙王減河分洩西淀盛漲又於文安左各莊至臺頭挑河身二十餘里以暢下游去路滹沱河則於河間及文安窪開引河二又於獻縣朱家口另闢減河三十餘里均歸子牙河達津北運河則於通州築壩挽潮白河歸槽於香河王家務武清筐兒港修復石壩以洩漲水於天津霍家觜疏濬引河以通下口又於武清寶坻挑挖王家務筐兒港兩減河以資

暢洩南運河則於靑滄靜海修隄二百餘里於靜海新官屯另闢減河六十餘里使別途出海又於天津城東永定大淸滹沱北運交會之陳家灣開河百餘里分洩四大河之水巡達北塘入海其無極蠡博高陽一帶則堅築珠龍河隄以防滹沱北越任邱至天津一帶則加築千里隄格淀隄使河自河而淀自淀又於廣平開洺河順德挑澧河趙州濬洨槐午諸河此外河道受害較深者均酌量疏築今宗棠請以隨帶各營移治上游正可輔直隸之不逮此後應修河處當隨時會商實力襄助疏入命恭親王奕訢醇親王奕譞會同辦理是年加修子牙河隄萬七千四百餘丈文安西隄二千九百餘丈展寬靜海東堤二千四百餘丈九年安徽學政徐郙言江皖兩省水患頻仍亟須挑泗沂爲導淮先路仿抽溝法循序疏治由大通口引河入海洩水較易命宗棠昌濬會商籌辦尋疏覆言天下無有利無害之水疏舊黃河分減泗沂近年已著成效自當加挑寬深兼疏大通口以暢出海之途設復淮局於淸江派員提調估計分年分段興辦去其太甚之害留其本然之利江北於皖省爲下游下游利上游自無

不利矣報聞十年河南巡撫鹿傳霖言豫省地勢平衍衛淇沁漳襟帶西北淮汝渦潁交滙東南如果一律疏通加以溝渠引灌農田大可受益今河道半皆壅滯溝渠亦多荒廢擬借人力以補天災派員分赴各州縣履勘籌畫或疏或濬志在必成使民間曉然於有利農田自能踴躍用命詔如所請行宗棠言興修江南水利各工最大者爲朱家山赤山湖朱家山自浦口至張家堡接通滁河綿亘百二十餘里赤山湖自道士壩蟹子壩至三汊河下游亦綿亘二十餘里兩年工竣不惟沿江圩田均受其利而糧艘貨船亦可由內河行尤屬農商兩便下部知之十一年七月以張曜所部十營馮南斌二營蔣東才四營濬京師內外護城河十一月竣工十三年河決鄭州全溜注淮因濬張福口引河及興化之大周閘河丁溪場之古河口小海三河俾由新陽射陽等河入海十四年鑿廣西江面險灘由蒼梧迄陽朔七百餘里共開險灘三十五十六年江蘇巡撫剛毅以寶山蘊藻河道失修迤西大壩壅遏水脈請興工挑築給事中金壽松言利少害多命總督曾國荃妥籌覆疏言擬拆去同治間所築土壩以通

嘉定寶山之水道仍規復咸豐間所建舊閘以還嘉定之水利另開引河以通河流俾得隨時宣洩下部知之挑濬餘杭南湖並疏濬苕溪華州羅紋河下游各村連年遭水沿河數百頃良田盡成澤國巡撫鹿傳霖請由吳家橋北大荔之胡村開渠引水注渭則其流舒暢被淹民田即可涸復耕作從之給事中洪良品以直隸頻年水災請籌疏濬以興水利事下總督籌議鴻章言原奏大致以開溝渠營稻田爲急大都沿襲舊聞信爲確論而於古今地勢之異致南北天時之異宜尚未深考夫以太行左轉西北萬峰矗天伏秋大雨口外數千里千溪萬派之水奔騰而下畿南一帶地平土疏頃刻輒漲數尺或一二丈衝蕩泛溢勢所必然聖祖慮清濁河流之不可制也乃築千里隄格淀隄使淀與子牙河各行一路世宗慮永定河南行之淤淀也令引渾河別由一道改移下口其餘官隄民隄今昔增築綜計不下三四千里沙土雜半險工林立每當伏秋盛漲兵民日夜防守甚於防寇豈有放水灌入平地之理今若語沿河居民開渠引水鮮不錯愕駭怪者且水田之利不獨地勢難行即天時亦南北迥異春

夏之交布秧宜雨而直隸彼時則苦雨少泉涸今釜陽各河出山處士人頗知鑿渠藝稻節屆芒種上游水入渠則下游舟行苦淺屢起訟端東西淀左近窪地鄉民亦散布稻種私冀旱年一穫每當伏秋漲發輒遭漂沒此實限於天時斷非人力所能補救者也以近代事考之明徐貞明僅營田三百九十餘頃汪應蛟僅營田五十頃董應舉營田最多亦僅千八百餘頃然皆黍粟兼收非皆水稻且其志在墾荒殖穀並非藉減水患今訪其遺蹟所營之田非導山泉即傍海潮絕不引大河無節制之水以資灌溉安能藉減河水之患又安能廣營多穫以抵南漕之入雍正間怡賢親王等興修直隸水利四年之間營治稻田六千餘頃然不旋踵而其利頓減九年大學士朱軾河道總督劉於義即將距水較遠地勢稍高之田聽民隨便種植可見直隸水田之不能盡營而踵行擴充之不易也恭讀乾隆二十七年上諭物土宜者南北燥溼不能不從其性儻將窪地盡改作秧田雨水多時自可藉以儲用雨澤一歉又將何以救旱從前近京議修水利營田始終未收實濟可見地利不能强同謨訓昭垂永宜遵守

即如天津地方康熙間總兵藍理在城南墾水田二百餘頃未久淤廢咸豐九年親王僧格林沁督師海口墾水田四十餘頃嗣以旱潦不時迄未能一律種稻而所費已屬不貲光緒初臣以海防緊要不可不講求屯政曾飭提督周盛傳在天津東南開挖引河墾水田千三百餘頃用淮勇民夫數萬人經營六七年之久始獲成熟此在潮汐可恃之地役南方習農之人尙且勞費若此若於五大河經流多分支派穿穴隄防濬溝遂於平原易黍粟以秔稻水不應時土非澤埴竊恐欲富民而適以擾民欲減水患而適以增水患也十七年剛毅言吳淞江爲農田水利所資自道光六年浚治後又經六十餘年淤墊日甚前年秋雨連旬河湖汎濫積潦竟無消路去年十月派員開辦並調營勇協同民夫分段合作約三月內可告竣報聞鴻章又言寶坻靑龍灣減河自香河之王家務經寶坻至甯河入海去歲霪雨兼旬河流狂漲橫隄決岸寶坻受害獨深廣安橋以下河身淺窄大寶莊以上並無河槽應與昔年所開之普濟河黃莊新河一律挑深添建石閘沈秉成松椿言湖南堰圩廳所管之洪澤湖關繫水道

利病鹽漕諸務今全湖之水下趨毫無節制見勘得應行先辦之工曰修復三壩曰修整東水隄曰展挑三福口計三項工程不過數萬兩可以集事或有議於禮河迤西蔡家莊建滾水石壩使水可蓄洩較有把握惟巨款難籌應暫緩辦均詔如所請堵築吳橋宣惠河缺口二河陝汝道鐵珊以閿鄉北濱黃河城垣屢被衝坍因於城外築大石壩挑溜護城十八年疏鑿福山港徐六涇二河及高浦耿涇海洋塘西洋港四河山東巡撫福潤言小清河爲民田水利所關年久淤塞前撫臣張曜籌議疏通因工長款絀僅修下游博興之金家橋至壽光海道長百餘里其上游工程應接續興挑庶使歷城等縣所受各水悉可入海今擬規復小清河正軌而不拘牽故道由金家橋而西取直擇窪區接開正河歷博興高苑新城長山鄒平至齊東曹家坡長九十七里又於金家橋迤下開支河二十四里至柳橋以承濟麻大湖上游各河之水引入新河計長四千二百餘丈詔從之二十年崇明海岸被湖衝齧逼近城牆於青龍港東西兩面設立敵水壩四加建木橋疊砌石塊以禦風潮二十一年署兩江總督張之洞

言黄河支流之減水河洪河自虞城夏邑永城經碭山蕭縣達宿州靈璧泗州之睢河而注於洪湖其間湖港紛歧皆下注睢河乾隆年間以睢河不能容導水爲三曰北股中股南股中股爲睢河正流咸豐初黄河日益淤墊漸及改徙豫江皖各河亦逐段淤阻水潦泛溢爲害尤以永蕭碭爲甚同治間建議疏河恆以工程過大屢議屢輟今擬改道辦法導北股河之水以達靈壁岳河導中股南股河之水合流入宿州運糧溝以達澮河而運糧一溝恐不能容納應治沱河梁溝以復其舊使各河之水皆順軌下注洪湖不致横溢則各屬水患永息矣詔如所請行二十二年御史華煇疏陳興修水利八事曰引泉曰築塘曰開渠曰通湖曰開井曰蓄水曰用車曰墳石下所司議二十四年濬太倉劉河自殷港門至浦家港口四千一百餘丈二十八年江西巡撫李興鋭言近年水患頻仍皆由鄱陽湖日見淤淺而長江昔寬今狹驟遭大雨疏洩不及遂至四溢爲災請於冬晴水淺時購製挖泥機器輪船數艘將全湖分别挑挖其上游河道亦一律擇要疏治既爲防水患起見亦爲興商務張本從之修湖北省城

北路隄紅關至春山八段南路隄白沙洲至金口十段以禦外江之汎漲建石閘數座以備內湖之宣洩又於附郭沿江十餘里一律增修石剝岸濬小清河開徒陽河百二十餘里宣統元年署直隸總督那桐言通州鮎魚溝隄岸自光緒九年決口流入港溝而歸鳳河嗣後屢堵屢潰至二十四年大汛復決迄今未能堵閉以致武清百數十村頻年潰沒今擬於鮎魚溝暫建滾水壩俾全溜不致旁趨倘遇盛漲即將土埝挑除俾資分洩一面將上游堤壩挑補整齊疏濬青龍灣等處引河以減盛漲築攔水埝以禦渾流修估龍鳳河以疏積潦滾水壩工程應即興辦其修隄及疏引河應於本年秋後部署來年二月興工攔水埝及龍鳳河應於來年秋後部署次年二月興工均限伏汛前報竣下部議行湖廣總督陳夔龍請修復江襄潰口略謂江襄各隄以潛江之袁家月隄爲最要此次潰口隄身沖刷頓落四百餘丈迴流湍急附近悉成澤國應及時築合此外郭家嘴禹王廟潰隄及天門黑牛渡沔陽呂蒙營公安高李公松滋楊家腦監利河龍廟各隄工均擬派員督辦籌修以期鞏固從之甯夏滿營開墾

馬廠荒地先治唐渠以裕瀦停之地挑濬百二十餘里曰正渠自靖鎰堡開支口引水西北行四十餘里而入之溝曰新渠沿渠列小口四十挾水以歸諸田曰支渠唐渠以西淪爲澤國非溝以宣之不爲功自杏子湖起穿溝二百八十餘里建大小石閘木閘四十二石橋木橋三十三經始上年九月至本年八月告放名曰湛恩渠約成腴田二十萬畝是年東三省總督奉天巡撫合詞請修遼河先從雙臺子河隄入手次年續修鴨島冷家口工程並挑挖海口攔江沙與遼河工程同時舉辦下部知之

大學用書

河工方略

余家洵編著

正中書局印行

大學理工學院用書

書名及著譯者	定價
微積分學　Fine原著李　銳夫譯	印刷中
微分方程通論　Cohen原著　李楷文　倪可權譯	7.00
高等方程式論　余介石　陸子芬編著	2.00
矢之理論與運動學　何衍璿編著	2.50
普通化學原理　常伯華譯	10.00
毒氣化學　[illegible]森岸譯	1.40
發酵學　郭質良編著	4.20
化學史　陳志藩譯述	6.00
普通生物學　鄭作新編著	上7.00 下5.50
脊椎動物形態學實驗教程　鄭作新編著	1.00
植物組織學實驗法　管光地編著	2.50
氣候學　[illegible]廷[illegible]譯	1.50
電工原理及實用　王國松編譯	上[illegible].00 下7.00
材料力學　石志清編著	上8.00 下6.00
工程熱力學　戈本捷編著	8.00
風洞干擾　賈鶴蓀編著	2.00
普通水力學　劉德潤編著	上7.30 下5.30
高等結構學　王達時編著	2.50
公路土壤學　陳孚華編著	4.10
鐵路定線計畫學（總論篇）　王竹亭編著	4.50
河工方略　余家洵編著	3.00
航空站設計　吳柳生編著	印刷中
工程地質學　孫鼐編著	印刷中

部定大學用書

書名及著譯者	定價
工程材料試驗　吳柳生編著	8.20
材料力學　王德榮譯	印刷中
基本空氣動力學　柏實義編著	印刷中
交流電路　陳宗善編著	印刷中

正中書局印行

總局：重慶中山一路二四二號

分支局　各大都市

（各書概照定價按各地加成後售價發售）

大學用書

河工方略

余家洵編著

正中書局印行

弁　言

河工學，非新興之科學也.自禹之後，治水之人多矣.其以治黃河名世者，如西漢賈讓、東漢王景、元賈魯、明潘季馴、清靳輔，皆能洞察水性.其所主張，往往與近代科學理論相吻合.惜多不詳所治之法.至元賈魯治河.歐陽玄就魯問方略，作至正河防記，其疏濬埽岸堤工之法略備.及明萬曆潘季馴著河防一覽，對於治河之方略更備.夫治水非徒法也，因乎地形，察乎水勢，而加以精思神用焉.然規矩備，有所依據，不更佳乎？此河工方略編著之動機也.

中國之治黃河也，其歷史有數千年之久，而河卒未長治者，蓋以治河者但囿於局部之整理，如北宋治河，欲以限制契丹，明代治黃，意在疏通漕運，俱未能根絕病源，求一勞永逸之計.且多但知防，未可以言治也.昔裘修常奏：「治水當先審其受病之由，再論治病之法.就一縣一府而言，病有其處，合一省而言，則不然.就一省而言，病有其處，合數省而言，又不然.若僅於一處受病處治之，而下流之去路，未清，則為患滋甚.」旨哉言乎！且治河云者，不止祛害已也，必兼及興利，如發動機械也，潤澤禾稼也，便利航運也，均為福國利民之要圖，又豈止防止氾濫已哉？

余嘗瀏覽我國治河紀載，歐洲河工專集，摭拾其精華，納之一帙，俾讀者得相互參照，庶既能兼古人之長，又能補古人之所未備.特河性善變，宜於今者，或不必膠於古，適於此者，未必合乎彼，是在從事河工者之因勢利導，因地制宜也.

中華民國三十一年秋江右余家洵識

目　次

第一章 緒論

治河有兩種絕不相同之問題：一在求水流之通暢，對於沙石之宣洩，祇研究其對於水量宣洩之影響。凡以農田利益，水力運用及市政水利爲主，非爲求充分之航水深者，類如是。

另一問題，則在力求河槽之深度大而均匀，即須使沙石之移動合規，尤以在中水及低水時爲然。故河流之冲刷力甚形重要，對於水量之流動，祇研究其所致之冲刷力如何而已。於此不在求水量之流動一致，而在求沙石之移動一致。因河槽之各橫斷面非一致者，欲達此目的，惟有使水量之流動不一致，故須變動河流各段之比降（Gefälle）以適應之。凡河流之深度充裕而能通航者，類多須使沙石之移動一致也。

析言之，此兩問題所包括者，計有下列八項：

1. 防洪。
2. 冲淤，即增加河深，間或降低地下水位。
3. 促成淤墳，即提高河底。
4. 改良航水深，或增加航水深。
5. 求流量分配之合當。
6. 利用水力。
7. 減少冰凍損失。
8. 便利灌溉及排水工程。

以上八項，亦即河流工程之目的也。至於改善河道之工作，多可分爲下列三桶：

1. 伸直河道，結果比降加大，河床刷深。

2.固定中水河床.

3.導水流於固定之河槽內，使水深充裕而均等，以利航行.

天然河流，恆為蜿蜒彎曲者，河灣凹岸被水流囓蝕，該處沙石之冲動過劇.凸岸方面，冲刷力薄弱，積成沙嘴.兩灣過渡處冲刷力中

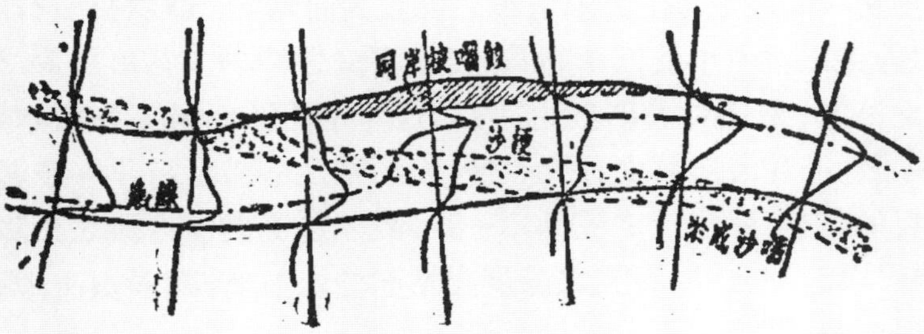

第 1 圖

等，則淤成水下沙梗(第1圖).就航行之目的言，該處之冲刷力常嫌太小也.欲期沙石之移動均勻，則必須犧牲河流深處之深度，以使淺灘處加深；換言之，即使深度均勻是也.世人恆以均勻比降，為解決此問題最佳之法，實屬謬誤，而應平衡水流之冲刷力.平衡水流之冲刷力，必求水之流勁均勻，即求彎曲處之流速均勻是也.水深處之流速必須減小，在河床其他部分則須增加.河流之挾沙力(Schleppkraft)，可以公式

$$S=\alpha\cdot t\cdot J \quad 「公噸/公尺^2」 \tag{1}$$

表示之，或書作 $S=1000\,\alpha\cdot t\cdot J$「公斤/公尺^2」.式內 t 為水深，J 為水面比降，α 為一係數，據恩格思(Engels)試驗，α 小於1，但極近於1.水流愈順，α 愈大，水內旋渦愈多，α 愈小.冲刷力(Räumungskraft)之值，與此相仿.河灣凹岸深度雖較大，然造物對之已有調整，使該處之比降，小於過渡處者，俾 S 之值不至過大.然因凹岸深度之大，故冲刷力仍大於過渡處.若能藉機械之力，隨時浚深兩灣過渡處，固

可增加冲刷力，但每次洪水之後，復又淤高，故改良航道，實非疏濬所能濟事者也．即使疏濬設備齊全，仍應迫令河流自力冲刷淺灘(Furt)，此可增加淺灘上之比降，以達到之．河灣中深水段(Kolk)甚長，苟將其比降略微減小，已足使兩灣過渡處之比降增加不少．蓋淺灘上之陡比降，在淺灘以上數公尺處方開始，其情形與壩正相似．其回水(Stau)遠達灣內．其下游比降雖陡，然不久即與次一灣之平緩水面吻合．是故比降平緩之段甚長，淺灘處比降陡急之段則較短．凡河床過寬之大河流，咸應縮狹其兩灣過渡處之寬度．

沙石之推移，隨水之動能$\frac{mV^2}{2}$之大小而變更，航行之阻力，亦繫於此．在河流中，若有數點之流速增加，自能發生不良之影響，但甚微，且其範圍亦不廣．苟枯水時之航水深增加，自爲航行者所樂受．經過淺灘時，並不必增加拖輪之機力，僅須行駛較緩即可．但在灣內則能速駛，蓋該處之流速減小也．因水流速度之不均，拖輪所耗能量勢必略增，但因船隻載重之增加，河流之航運價值則必大增．

治河者務須明瞭治河之基本原則，庶可免工程上之重大錯誤．局部之錯誤固所難免，但可無礙於治河之全局．關於增加比降之方法，後當論及，此處所擬指出者，即其恆須改造河床是也．

水流之情形，影響河工方略至鉅．在規劃治河之先，必須明瞭河性．水之流動非爲有順序各層平行前流者，恆迴旋滾動，因之流速時變．因流速之不同，故水面形狀亦異．設有近於直線之河身一段，其橫斷面爲盆狀(muldenförmig)，則中部水流最速，靠兩岸最慢．近兩岸之水，因水與水間之摩擦，被帶至河之中心，由緩慢之邊流(Randbewegung)，逐漸變爲迅速之中流(Mittenbewegung)．因水量趨向河中心，故水面由兩旁向中心漸降，而成橫比降(Quergefälle)，所謂橫溜(Querbewegung)．

此種現象，不僅發生於水位固定之時，水位降落時亦然．惟水位上溯時，則適相反，觀浮舟楫在漲水時漂向兩岸，是其明證。

因橫溜而生漩渦，遂使兩岸逐漸被侵蝕 如第2圖所示。河床土

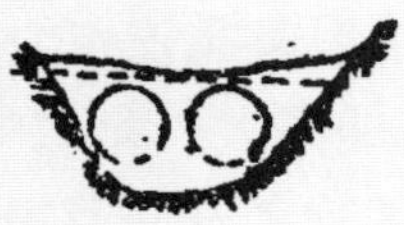

第2圖

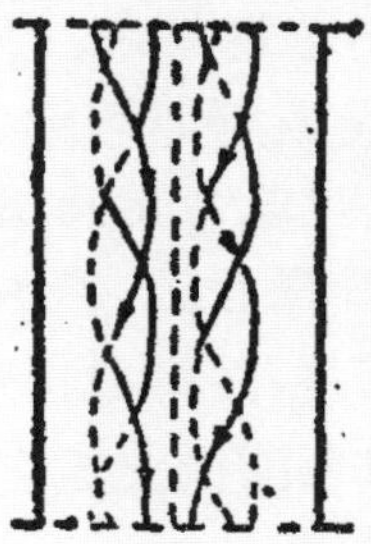

第3圖

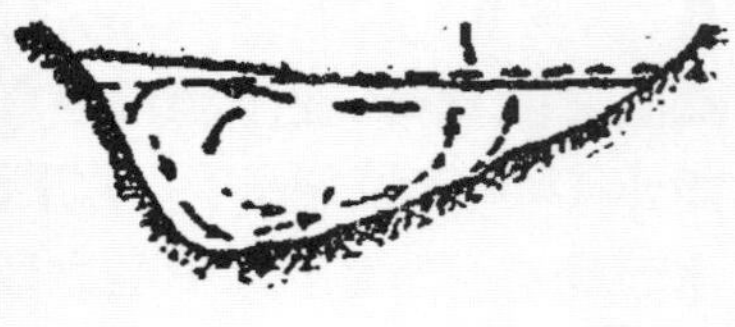

第4圖

質，殆有均勻一律者，故整齊之橫斷面遂逐漸變為不整齊者，而為彎曲之肇始。因彎曲而橫溜增劇，益以離心力之關係，大溜趨河灣凹岸，該處水流較速，凸岸水流較緩。因水量趨向凹岸者較多，故凹岸之水面乃高於凸岸者，形成所謂單面橫比降（einseitiges Quergefälle）。水面既非平衡，則水內壓力之分配，自不均勻。凹岸之水，受壓先由水面垂直下降，循河床流向凸岸，復由水面流向凹岸，成為橫溜（見第4圖）。凹岸河床被其冲刷，在洪水時尤甚。如為黏性土壤，則岸腳被冲洗。洪水期內，岸土受水之反壓力支持，尚不至遽爾崩坍，水退後，遂隨之崩潰。如為沙土，其情形亦類似。洪水時沙土飽含水量，迨水位降落後，岸內所含之水源源流出，細沙隨之，以至坍塌。日積月累，因河灣凹岸之崩坍，原有之彎曲，繼續增劇。被冲去之沙土，後聚積於緊接河灣凹岸之下游，形成沙嘴，益足以促成河道之蜿蜒而折曲（第5圖）。

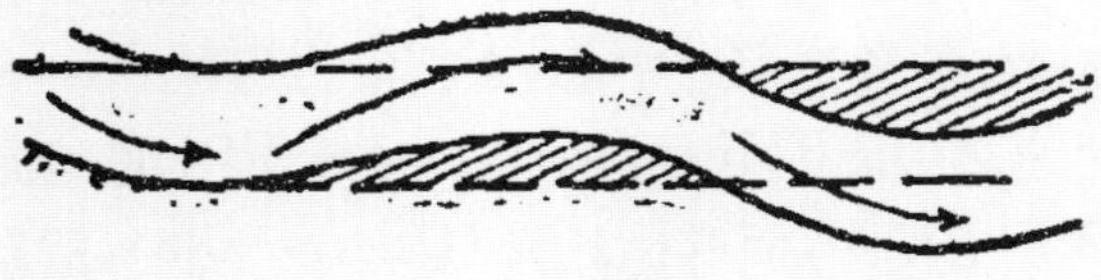

第5圖

沙石僅在洪水時移動不斷，是時沙石爲水流挾過最短途徑，經恩格兒之試驗，證明沙石由凸岸向凸岸移動，於兩灣過渡處斜越河身，由此岸趨向彼岸(第6圖)．洪水時，凹岸水深處與兩灣過渡處之

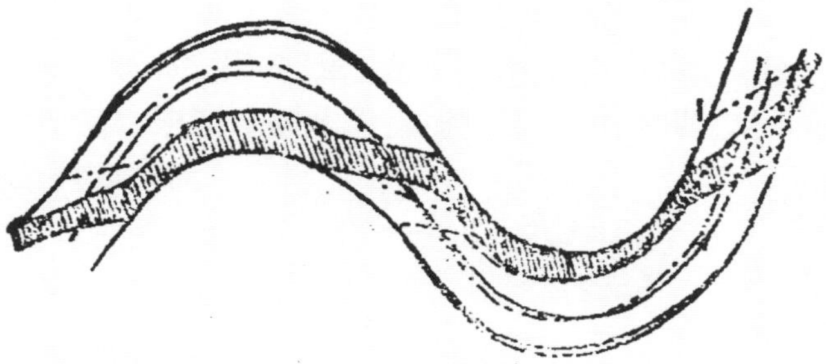

第 6 圖

第 7 圖

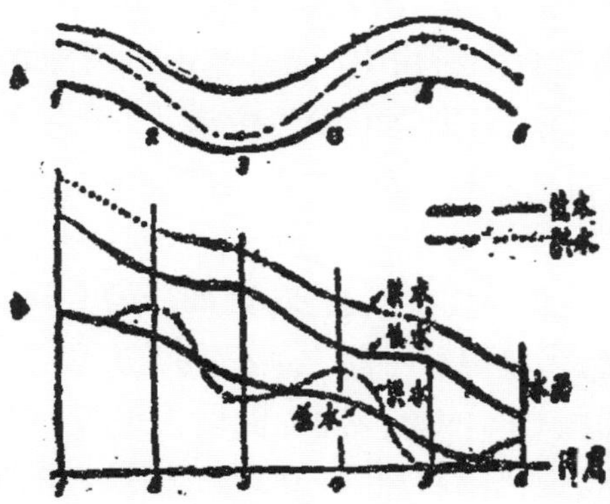

第 8 圖

比降幾相等，迨至低水，水流在河灣凹岸水深處所遇之阻力最微，故其流向與沙石所就之道適異，由凹岸流向凹岸，在兩灣過渡處與沙石交叉，而爲之所阻，水量積聚，結果將沙石冲去(第7圖)．在低水時期，沙石大部停止移動．

吾人僉得河床在洪水時變遷之程序如下(第8圖a及b)：在洪水之時，凹灣刷深，無利航行，蓋過深也，而兩灣間之淺灘填高，成

爲沙梗，在洪水時期無礙航行，至低水時其弊方顯．是洪水期內，航行乃較便利．是時雖河床坡度頗有變動；而水深差別，比較微小，水面比降頗均等，沙石移動亦通暢．洪水愈降，水面比降之區別亦愈甚，凹岸水深處，比降平微，淺灘之上，水流壅滯，比降較大．冲刷力大都全部減小，惟凹灣之內，較淺灘之上爲甚．低水期內，凹灣內淤填，兩灣間之淺灘，則被冲刷，河床坡度之差別，因之亦減．第8圖示洪水時期及低水時期水面與河床變遷，第9圖示河床之橫斷面．

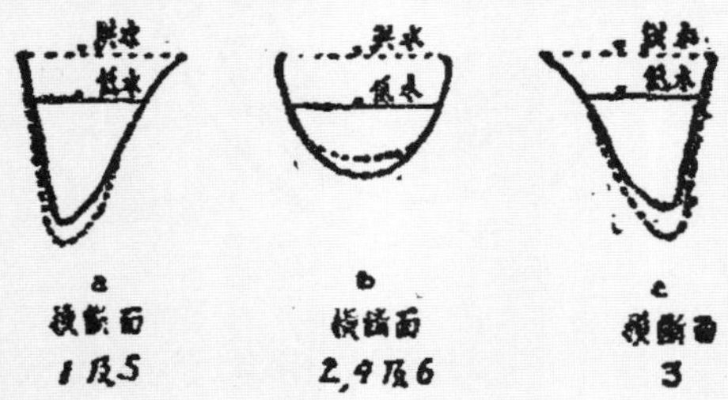

第 9 圖

河流所挾沙礫，關係治河計劃極爲重要，河流泰半源出山中，山中巖石時有崩墜，上游水流湍急，沙石隨流而下，故每值暴雨之時，恆能聞溪流內激石之聲．愈至下游，石塊亦愈碎小，其笨重者，須俟大水方能冲動，細小者，則隨流而下．沙石之推移，繫於水之挾沙力，如水之挾沙力逐漸減小，則沙礫中顆粒較大者，最先淤積，細者繼之，最後則爲細沙，故河床內淤積層次，恆至有規律．

下游河內之沙石，非盡來自上游山中，而泰半由於河岸之冲刷坍塌而來．至於由山中冲來之沙石，則逐漸淤於中游，觀乎洪水後河灘之爲沙粒所掩覆，即足證明之．另一部則於磨成細沙後，隨流入海矣．

吾人對於河道變遷，所作重要之觀察甚多，譬如沙帶（Geschiebebank）之常變更其位置者，多發現於平緩之河灣內或直段內．因沙帶之位置時變，故河流之谿線（Talweg）亦變．直段內每經一次洪水之後，沙磧即向下移動一次，但仍附着於同一河岸．移動之距離，則視洪水之高度與久暫而異．

河流之發展愈良好，則沙帶之位置愈固定，但當水位高，流速大，挾沙力增加之時，凡屬能移動之沉澱物，均被冲動．據德國奧德爾(Oder)河之船夫云：洪水時撑篙，必須先穿過一厚約30公分之游動沙層，方能插着實地．迨水位降低，水力不足以移動較大之沙礫，此種物質，乃先行下沉，繼之以較細者，再次爲更細者，已如上述，故智慧之淘沙者，常可隨心所欲，淘取粗沙或細沙．因細沙沉澱於最上層，對於兩灣過渡處，實頗有利，蓋流速稍增，卽易冲動．但因較粗之沙礫淤積於下，故冲刷至某一深度時，卽不復刷深，至此深度，兩灣過渡處爲所謂鐵板沙所保護，若加浚渫，則向者固定之沙帶，反有移動之虞矣．

2　凡挾沙河流，幾無一不有沙帶，尤以在支流匯入處之下游爲甚．該處水面比降突變，成一比降屈折之點(Gefällsbruch)，已足使幹河爲其所擾，加之復有大量沙石輸入，視水量之增加爲甚．新增之沙石，必更向前移動，而淤於適當之處．卽施以治理，使沙帶及航道之位置相當固定(於每次洪水後恢復原有航道)，仍不能阻沙石之移動．是以除極少數之例外，不可以此爲治理之目的．蓋固定航道，正須使來自上游之沙石，繼續向下移動也．固定沙帶之可能性，則與挾沙量及其性質、水面比降、河內流量及河流之大小，均有關係．

在洪水時，觀察沙石之移動，殆不可能．對於沙石移動之實況，今日所知者仍不多，而亟須更肯切之剖明．在德國拜雍(Bayern)邦及奧國，因地勢多山，河流挾沙問題，較諸德國北部平原河流爲重要，故對之曾作較深之研究，然仍不足以語詳盡也．據其所得經驗，知最高洪水位(H.H.W.)，非爲判斷沙石移動之主要因素．最高洪水位爲時甚暫，故其影響較其他水位爲微，在其他水位時，沙石亦移動，祇較緩耳．不顧及水位之觀察，實爲完全謬誤者．

欲明瞭沙石移動情形，須先明下列數者：

1. 沙石開始移動時之水位. 如此項水位未經觀察得之, 則可按奧國水工研究者, 蘇克力許(Schoklitsch)與沙芬納克(Schaffernack)之試驗結果估計之.

2. 數種水位時之挾沙量. 若估計不可靠, 則有三、四理論之數字亦可, 但其中一、二數字, 必須經實測證明.

3. 流量頻率曲線(Die Häufigkeitslinie der Wassermengen). 俾能於其上加繪挾沙量頻率曲線(Die Häufigkeitslinie der Geschiebefracht).

於是可於挾沙量頻率曲線之尖點, 讀得造床水位(bettbildender Wasserstand). 所謂造床水位者, 即一年內挾沙量最鉅之水位. 而某兩時間內之面積, 即示該兩時間內之挾沙量(見後). 經過工程之改造後, 造床水位能因之稍變, 但河床不變時, 或未施浚渫工事者, 總挾沙量必不變也.

經過治導後, 即淤積之沙帶, 極有規則, 每次洪水後, 舊航道之位置不變, 然因新沙石自上游流來, 究不能免沙石之移動也.

就大體而言, 河流之水面比降, 常與沙石之種類相稱. 在上游沙石大, 比降亦大, 致水流能以移動巨石. 比降減小, 沙石之大小亦減, 比降與挾沙之間, 宛如互相默契. 若有橫斷河床之暗礁, 致比降屈折者, 則比降驟變, 不復循此定理, 此種地點, 亟待加以治理.

治河之目的及方法, 視河流之種類, 或各段情形之不同而異. 如為不通航之山流, 則着重於防止氾濫, 並防地下水之過低, 不僅在保護濱河地帶, 更須防止挾沙量之增加. 如為通航河流, 則應使其有整齊之橫斷面, 及均勻之水深. 但若河流不通航, 則河床之勻整, 較非重要, 祗求兩岸因此而受之災患不鉅, 及不至因一段河床之參差, 而影響次一段過甚. 總之, 治河不可操之過急, 以免發生意外之禍患. 治河無須有數學上之精確度, 昔人所謂治河乃一種藝術, 誠非虛言.

今日較之往昔之進步，在有不少學理之發明，若干定義與原則之產生，足資遵循。德人恩格思曾立治河原則數條，可稱近代治河經驗之精髓，爰譯之於下：

(1)在施工前，詳察該河流之性質，所施之工程，必須適合於該河道。

(2)河流之病，如冲刷河岸，刷深河底等，不應祗治其標，而應研討其病源，惟有根絕病源，方能收永久之效。

(3)力求水流在洪水時爲患最小，在枯水時爲利最大。

(4)力避勉強改變現狀，而須在可能範圍內適合現狀。河流之分歧者，則屬例外，如事實許可，應堵塞支流。

(5)除特別之情形外，河流之冲刷力，不宜令其加強。枯水時露出之沙帶，非爲河流挾沙力不足之表現。

(6)單恃疏濬非治河良法，因其乃治標非治本也。

(7)通航河流，欲藉治河工事改善之者，如增加航水深度，不可專恃建築物之功效，宜輔以浚渫。苟治河工事設計得當，則浚渫深度得以維持。

(8)驟降水流速度，乃有害者，因足使其剩餘動能，冲刷河底。故河流橫斷面突變之處，應有防止冲刷之措置。

(9)若發現冲刷過甚之處，不論其由於天然或人工，必須塡補冲刷之處，並固築河底。

綜觀上述，治河之目的，在暢水流，調劑流量，減少沙礫，求沙礫移動無阻，在通航之河道內，求有充分之航水深，其他等等，已於章首言之矣。

治河之法，不外規定河槽橫斷面，調整河流比降，護岸及護底等工作。其最大之困難，厥爲低水量及洪水量之懸殊，大凡河流之病均在此，而並非由於橫斷面及比降之不合，亦非由於彎曲過銳及挾沙量之末事調整也.

第二章　治理河源之要義

第一節　森林農田對於流量之影響

河流水量,基於流域內之雨量.河流源出山中,該處雨量最大,所生影響亦至鉅.故明瞭發源地情形,爲治河先務.欲言治河,應作通盤之計畫,而不可囿於局部之改革.並應研究森林、農田所生之影響,以及建築水庫,或利用天然湖泊蓄水等對於調劑水量之功效.

深山之中,冰雪始熔於春末夏初之時,對於水量已具有相當調節之作用.冰山(Gletscher)之功效,與水庫相仿.在河流上游,能否建築水庫,及其是否合乎經濟,胥視地形及地質如何而定.在渭河上游,曾有人擬議於寶雞峽建築水庫,惟渭河含泥沙甚鉅,水庫之淤積,頗爲難解決之問題也.

天然湖泊,如岷江上游之疊溪,計分上、中、下三海.疊溪乃由山崩而成,堵塞水流,形成天然之蓄水庫.都江堰流域以往頗以無水旱之患.迨民國二十四年,疊溪之一部因不勝水之壓力而崩潰,曾蕩沒田舍無數,而都江堰流域自是不免旱潦之災矣.

洞庭、鄱陽二湖之於長江亦然,因湖濱開墾,近年兩湖淤填,長江流域因之時有水患.

因人民生殖日繁,所有耕種之地漸不足用,或因水旱盜賊之煎迫,棄故土而墾荒山中.刊樹木,平坡澗,以爲耕地.易林爲農,夷山爲田,山坡或溝澗間荒地旣成爲農田,若遇驟雨或久雨之後,洪水暴發,急湍下流,坡澗土壤被冲入河,河流之挾沙量愈增,山坡之土壤瘠薄,乃氾濫之成因,亦治河之障礙.夫山坡宜植林,平原宜耕種,殆爲定論.政府對於墾山,宜奉取締.德國規定耕地坡度至十五度爲止，牧草地至十八度爲止，過此統屬於森林地，可資參考．蓋地面斜度常能影響農作物之產量，地勢愈高峻，生產力亦愈減也．

美國密西西比(Mississippi)河河工局長頗特(Potter)氏所作治理該河之建議有云:「與其植林山嶺，不如墾殖其地，卽不然，任其滋蔓可也」．以爲熟地與草地阻止雨水下流之功效，皆較森林爲大，其言殊發前人所未發．福利門(Freenan)氏之意，以爲此當視地面之斜度及土壤之性質而判，不能概括言之．

美國北加羅利那(North Carolina)州在過去之三十年中，從事開墾，成績甚著，其法係將山地墾成階級，每級之寬自20至100呎(約6.10至31.00公尺)不等．此項墾殖法之原理，乃在沿層次線(亦稱等高線)之地位，施以墾殖，庶使雨水因階級之故，不能直接下流，而有充分滲入土中之機會．故名「層次墾殖法」(contour plowing)，卽所謂梯田是也．

森林對於洪流，多具調劑之功效，使暴雨不至一瀉直下，又阻冰雪之熔解過速，是故森林砍伐後，必須重事種植．

在深山中，森林之作用是否恆有利，頗滋疑義．就大體言，森林爲有益者，則不容否認．若干河流因其上游富於森林，林中冰雪延緩至與深山中之冰雪同時熔解，致使洪水增高．設上游無森林，則該處之冰雪早已熔解，而不至與發源地之解凍相重矣，是森林之作用爲不利也．但在夏季，則其作用仍爲有利者，蓋其阻滯雨水之逕流，對於夏季洪水仍具緩和之功用．

第二節 天然或人爲之蓄水庫

蓄水所以調節流量也．蓋河內流量之分配，非能盡如人意，旱潦之患，自古卽爲人類所苦，是亦造物之缺憾，而應人力挽救者也．建築蓄水庫，或利用天然之蓄水庫，儲多餘之水，以備乾旱時之宣洩，作合理之調劑，使無過或不足，實爲最理想之方法．惟蓄水工程，現尚在初創時代，尠有僅爲河流利益而建築之者．多數均爲利用水力所設，但欲收調節流量之全效，則利用水力，應爲附帶者．惜蓄水庫之建築費過鉅，在最近將來之數十年內，難期專爲河道利益而建築之．水庫不獨具調節水量，減小水位差別之功效，且能澄淸水流，庫內恆淤積大量之沙石，致減少蓄水容積及功用．故在挾沙量大之河流上游，尠有建築水庫者．蓄水工程具有兩大功效，即容納洪水量以免氾濫，而於枯水時放洩之，以提高下游水位．惜此兩大功效未爲一般人所認識，否則建築專爲河流利益而設之蓄水庫，亦未始不可能．今日必須能供給廉價之電流，方能引起一班人之興趣也．蓄水庫在枯水時提高水位之功效，在上游最顯，在下游漸減，其故至爲明顯．蓋下游河身漸寬，由庫內放洩水量，在二十公尺寬之河床內，與在二百公尺寬之河床內，所生影響之大小，自不待言矣．所幸者，下游之水流較緩，惟其功效究視上游爲低．故專恃水庫而不另當改造河床，仍難收治河之功也．

功效最大者，爲廣大之天然水庫，如鄱陽湖、洞庭湖之於長江，波丁湖（Bodensee）之於萊因（Rhein）河，根非爾湖（Genfersee）之於羅尼（Rhône）河，加拿大五大湖之於尼亞加拉（Niagara）河是．

在我國、印度、埃及均有專爲水利而建之蓄水堤堰，古人之偉績，堪資景式．此種工程，有之則水利興，無之則水患作，國家民族之貧富，胥繫於此．

湖泊間可以人工爲之，特其蓄水功用僅爲暫時者．其洩流量須加調節，使之均勻．並須審愼研究據築是項湖泊是否將收得相反之效果．設若某河流之兩支流，汛期不等，則不得因湖泊之阻滯，而使兩支流之洪水同時入注幹河內．

沼澤、冰山，各有調節流量之功效．發源於深山峻嶺之河流，其夏季洪水由於冰雪之熔解，沼澤在久旱之後，能吸收大量之水，乾亢之時，亦吐出所含之水．但飽含水量之沼澤，不復能再吸收水量，是時如遇洪水，則逕於其上流去，其情形正與人工水庫相仿，必爲空水庫，方能容納水量也．

近世人口密度過大之國家，不得不從事於沼澤低地之排水，或填塞池沼，以增加殖民之地．兼之交通日繁，公路、鐵路網日密，凡交通途徑之兩旁，大率掘有水溝，以容雨水之匯集，藉以迅速導入河內，此均不利於河內流量之分配者也．向者同一之雨量，一部沉滲而與地下水匯合，今則均歸逕流(Abfluss)矣．

沼澤、湖泊之排水，一方增加耕地，一方又有裨益於人民之健康，然究應視爲局部之利益也．惟沼澤卑溼地之存在，就國民經濟之立場上言，非盡屬有利者，且多因國民健康上之關係，而不能不廢棄之．例如意大利 Neapel Ostia Spagna 平原，Pola-Ferrara 等地沼澤之排水面積達 900,000 公頃，改善二百萬人民之健康問題．又如法國加斯可納(Gascogne)區之排水面積爲 800,000 公頃，使每 1 公頃地之租價由 65 佛郎增至 270 佛郎，即每年增加收入 164,000,000 佛郎．荷蘭須德 (Zuider) 湖之排水工程，預計需時 33 年，可得肥沃之地 194,410 公頃，增加 250,000 人民之食糧．利用沼澤地蓄水，其功效對於匯集區較廣之河流甚微，對於小河流較著．

惟天然水庫之蓄水功能，究屬有限，證諸密西西比、密蘇里(Missouri)及俄亥俄(Ohio)等河，其流域內，富於森林、沼澤，且未施排水工事，每年均有洪水爲災，尤以 1913 年夏季爲甚．故流域內之天然水庫，每亦不足容納非常雨量．然人工水庫之蓄水量，亦有一定之限度(限於工費)，超過此限度，則必洩水於下游，無異於水庫之不存在．故欲於大河流之流域內建築有效之蓄水庫，久已視爲不可能，其應用範圍，僅限於山溪，及發源於中等高度山脈內之河流焉．

第三節　荒溪之治理(Wildbachverbauung)

水庫之爲功旣如上述，但專恃水庫，尙不足以言治理荒溪也，前已述及之矣.

荒溪爲匯集泉流而成，全流約可分爲三區：上部爲匯集區(Sammeltrichter oder Zirkus)，在此區內，常有巖石崩墜.中部爲流槽(Der schluchartige Abflusskanal oder der Tobel).下部爲冲積扇(Der Schuttkegel)，爲上游冲來沙石淤積而成，位於荒溪入注廣平山谷之處，因水力頓微，故沙石淤積而成一平坦廣袤之圓錐，恆寬數百公尺.所成圓錐，石礫與沙泥混雜，極爲肥沃，故多人烟村落.

成都平原乃一廣大盆地，西北隅高而東南低，土質肥厚，農業稱盛，自昔號稱天府之國.據地質學家之斷定，西川平原原係湖泊，岷江之水自灌縣流入此湖，當江源行經山中，水流湍急，迨過灌縣，水入平原，其流速銳減，所挾石礫泥沙隨地停積，年復一年，造成所謂沙積錐，卽地質學家所稱之冲積扇.其扇愈積愈寬，結果互相連接，而成冲積平原，是謂成都平原.成都平原形成三角，以灌縣爲頂點，而以金堂、成都、新津爲底，面積3,500餘方里，共包括十四縣之廣.

因冲積扇上不乏村落，當不能容沙石之復又移動，及新沙石之

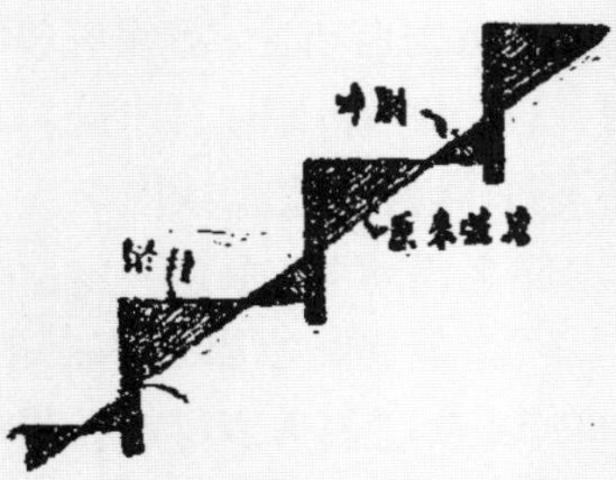

第10圖

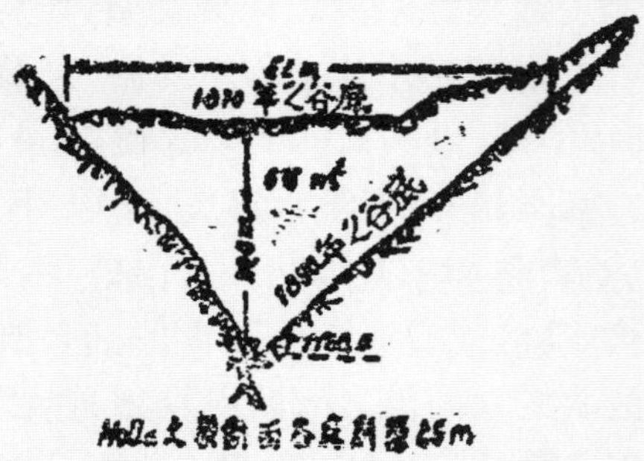

第 1 圖

沈積其上，故治理荒溪之目標，在防止石之剝圮過甚．或兜攔沙石而令其淤積於一無礙之處．樹木或植物生長之處，石質不露，受風雨之侵蝕不甚，故其傾圮多不甚烈，則僅須擇最陡之處加以保護．如石質暴露，則必須築固之，將斜坡改成階級，編竹或樹枝為籬，填以石塊（見後），使成小瀑(Kaskaden)，而殺水勢（第 10 圖）.

荒溪之底，亦常被冲刷（第 11 圖），防止之法與上述者同．於溪內每隔相當距離築壩，使溪底變成階級，壩之材料，在產木之區可用木材，否則用天然石．視具備之材料，居民之職業，運輸道途之遠近，以考慮採用之建築方式，何者為最經濟最持久．木材建築固較省，但養

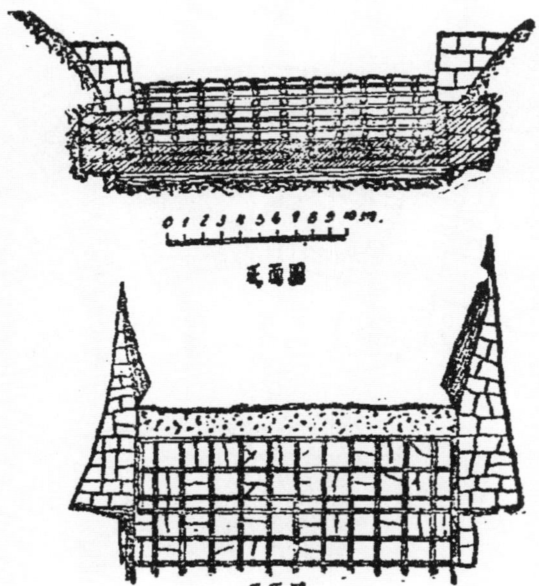

編籬壩

第 12 圖

太費用大，故仍以石建爲佳。僅在搶險之時，可不顧此項材料及經濟上之問題，而擇其爲效最速者。第 12 圖及第 13 圖示木建與石建之壩，觀圖卽可明瞭，而不必加以解釋矣。

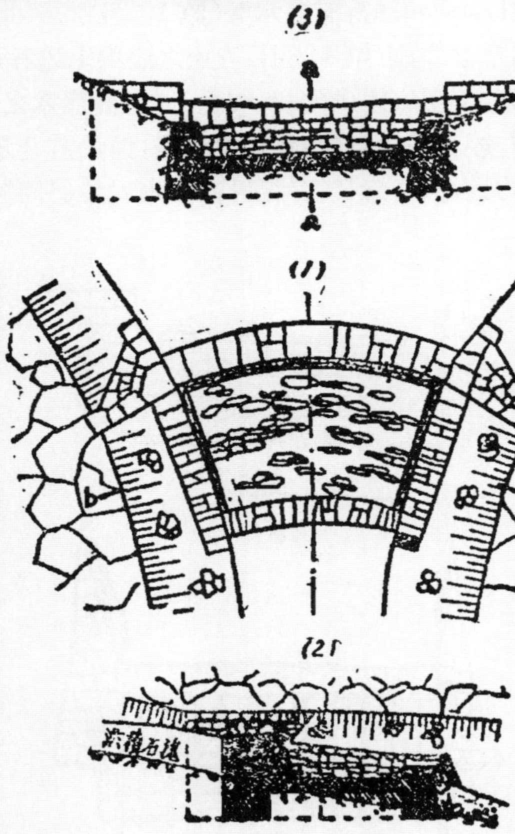

第 13 圖　石壩　(1)平面圖　(2)斷面 a-a　(3)斷面 b-b

築壩欄石，並不絕對可靠，每値大雨之後，凌汛之時，溪內石塊洶湧，勢不可遏，闖徑下注，甚或淤塞山溪，致令上游蒙受水患。

此種石崩（Muren）之成因，有下數端：

1．土壤鬆動，原質堆石、冲積之沙石及易風化之巖石．

2．山坡過陡．

3．洪流之衝擊．

防止石崩之法，可將溪床分築成若干跌水及平坦段落，水流在跌水處消失其一部分能量，而平坦之段，遂成為人工之冲積扇．

森林對於荒溪之影響亦甚大，惟雨量過大，則森林阻滯水量之能力亦有其限度．

水庫，湖泊，治理荒溪，保護山坡，所能收之功效，亦僅限於普通之洪水，在特殊情況下，其功能亦有限．

沼澤，草地，有似海綿，乾涸時方能吸收水量，故須將其原含之水排去．

荒溪中游之治理，與上游無異，惟因沙石量增加，故所築之堰亦較大，造成水瀑，以殺水勢，亦如上述．中游之比降較微，故槽之距離可較大．

在冲積扇之上，溪流多分成數股，應歸納之於一統一之槽內，防其漫溢，及防溪床之滲漏．蓋滲漏之水，浸軟下部之沙石，苟受石崩時衝來之壓力，足以發生劇烈之震動，故山溪之槽，恆用混凝土及石塊築成（第 14 圖及第 15 圖）．

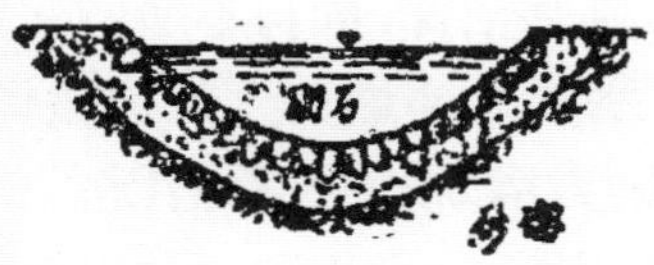

第 14 圖

第 15 圖

第三章　不通航河流之治理

不通航之河流，多為山流．一因低水位及中水位時期水量之不足，及水位之懸殊，又因坡度之過大，以致水流過速，不能行舟．

近代船隻尺寸日大，故一班小河流亦躋於不通航之列．此項河流之治理，因無顧慮舟楫航行之必要，乃較簡單．而治理之目標，可轉移於漁佃農產及工業之推進，市政水利之發展，以及水力之運用．當利用水力之時，應考慮其推廣及於全河後，是否能藉以渠化河流，而兼顧航運利益．故利用水力應與渠化河流並論．山溪洪水位及低水位之更迭每甚速，而中水位為時又甚暫，故河床之橫斷面無適合三種水位之必要．不通航之小河流，即非山溪，其水量之微，亦不足以言築置三不同水位之各別橫斷面，僅須具洪水及中水橫斷面可矣．中水橫斷面之內，即可容納低水，而不必特具低水橫斷面也（第16圖）．惟亦有例外，非概括而言（見後）．

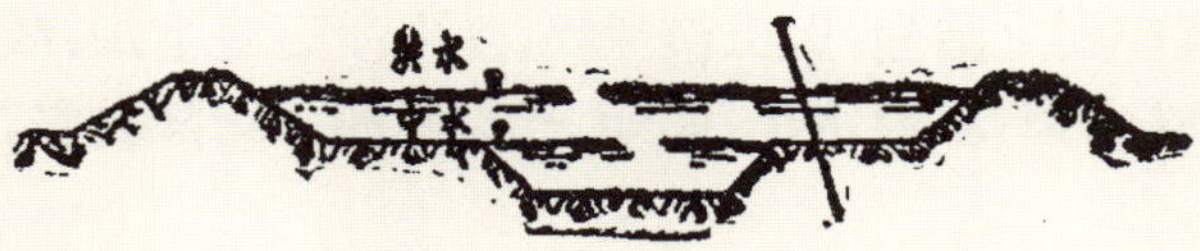

第16圖

治理不通航河流之目的有二：(1)在防止氾濫，故須調節流量．(2)在使沙石之移動暢順，使既不淤積又不冲刷．

苟沙石移動不暢，則漸淤積成灘，河槽既淤塞，河水必外溢，不及早治理，將成水患，使濱河之地，成為沼澤．如為不通航之河流，多可裁彎取直(Durchstich)，以增加水流之冲刷力．此種裁彎取直工程，在通航之河流內易遇困難，冲刷力增加固可避免氾濫，但應注意河床如有變更，即限於一點，亦足以影響於上下游．苟一段之比降增加，則必影響上游，間亦影響下游，上游之比降必增加．第17圖示裁彎取直後河床比降之變遷．新開引河之比降，常較其上下游者為大，故沙石在新開河道內流動過速，而復聚積於其下游．若開引河後，其下游啣接段內之比降亦因之增加，則沙石之停積不過稍向下移，是

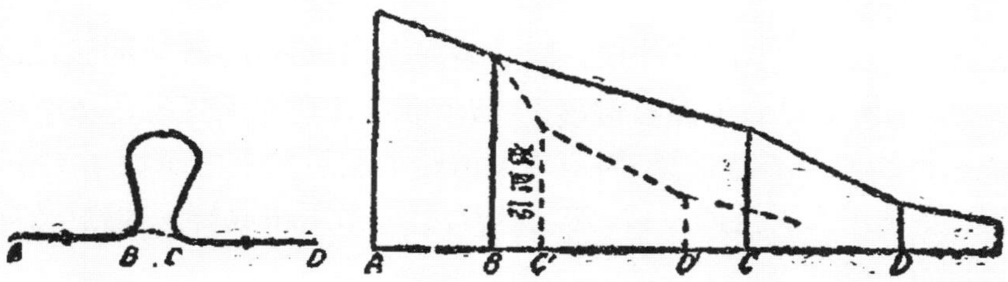

第17圖

裁彎取直結果使引河及其上下游之水面降低,對於排洩水量固較有利,但若水位降低爲有害者,則應設法提高之.

在不通航之河流內,若水流具有相當之冲刷力,則裁彎取直工程之進行,約如下述:先開引河一窄條至其將來應具之深度,引河工竣後,將其上游之橫堤鑿通,河內一部分水量流入引河內,因引河之比降較舊河灣之比降爲大,故流經引河之水量亦較多,其冲刷作用

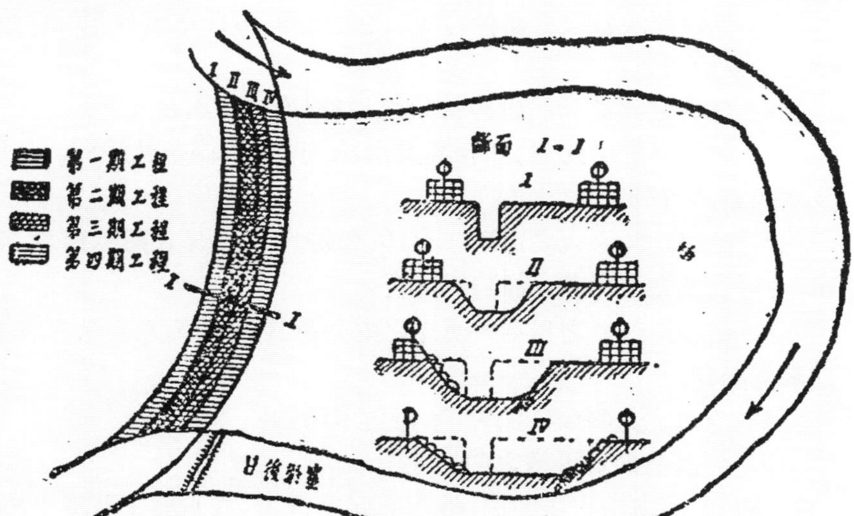

第1[illegible]圖

甚大，不久即將新河床冲成．同時舊河灣內流速小，流量漸減，故漸淤塞．引河之岸坡可拋石保護之，即就預定之將來河岸線堆置石塊，迨引河冲寬至石堆之脚時，石塊即滑墜而壓於將來之岸坡上（第18圖）．亦可用人工挖掘岸坡，鋪之以石．引河最好略具彎形，偏於凸岸，蓋凹岸一方冲刷較速也．

如不通航河流之比降及流速均太小，則裁彎取直之工程，須人工開闢引河至其應具之寬度．但山溪比降例皆甚大，藉水力以冲開引河，多為可能者．

德國拜雍邦於1888年根據治河經驗，頒布治河條例數則，至今尚發生效力，爰譯之如次：

1．凡具有高岸之河流，應依就其凹岸．

2．在直段內亦應依就河岸之一邊．

3．欲求河流線之有規律，其凸出之河岸，可任水流冲刷之，同時力求偏於凹岸．

4．已有之建築物及曾經保護之岸線，均須特別顧及之．

5．如河道過於荒廢，須捨棄其岸線，則新河線應就沙洲、沙灘及水淺處，以省工程．

6．治理比降過大之山溪，如目的在排除濱河廣大區域內之積水，方可將其完全伸直，或略為伸直．

7．在顧及農田之利益與河岸之安全及其養護下，應避免河內水面降低過甚．

8．原來之比降如已過大，不得再事增加．

9．河道最好為平緩之曲線．

10．若河道沿山坡而流，坡內有泉水透出，或山坡上有水下注，則新河線不宜再依就此山坡．因河岸不能抵抗水流之侵襲，時有坍塌之虞．

若洪水侵及河灘，則不得再縮小洪水床，使冲刷增劇。合多數分歧之河股為一股，固屬有利，但在不通航之河流內，並非必要。長期減少河內流量，足以影響沙石之流動。水量之減小，或為天然者，或為人為者，天然者為汎滲，人為者如開渠引水以發動機械，潤澤禾稼，補充運河水量等，所耗水量每甚大。在引水渠入口之下游，即在所謂取水段(Entnahmestrecke)內，因水量突減，水面降落，挾沙力減小，若不設法救止，則沙石停積，弊端百出。此段河槽之橫斷面有縮小之必要，須符合下列之條件：

1. 新橫斷面須能宣洩尚有之流量。
2. 沙石之移動須有規則，即期望橫斷面不變。
3. 如通航運，在低水時須有相當之航水深。
4. 各種水位時之水面比降不得差別過大。
5. 流速不得過大於其上下方啣接段內者。

如為引水發動機械，則在取水段下游，因尾水之復又洩入，恆能恢復原有狀況。

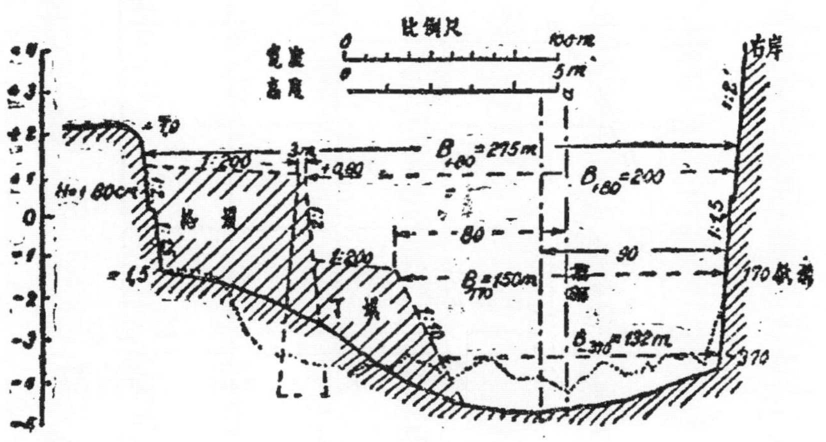

第19圖

欲求一橫斷面在所有水位時均符合此五種條件，殆不可能．所以在爲一具有特性之水位設計新橫斷面．若設計時着重於求沙石之宣洩合規，則此水位應等於一年內宣洩沙石量最鉅之水位，此水位爲何，即所謂造床水位是也．計算時即根據杜博愛(Du Boy)之挾沙力定理；應用克勞依特(Kreuter)公式．第19及20圖示一例：某水力

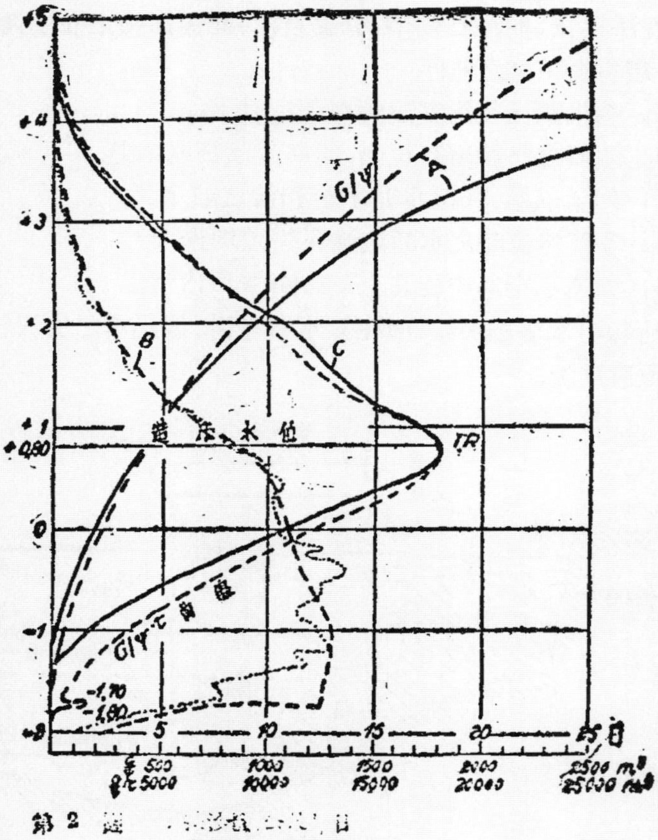

第 2 圖　[illegible]

B．水位頻率曲線．

C．某河段研究之時期內之挾沙量(公尺³)頻率曲線．

發電廠,每秒鐘由一河流內取水 400 立方公尺,故須改造取水段內之橫斷面.第 19 圖示改造以前(河底用點線繪)及以後之橫斷面,a—a 線示新軸.第 20 圖內,舊河床之水位頻率曲線用點線繪成;新河床者用虛線繪成. $\frac{G}{\psi}$ 曲線示水位在 −2.0 m a.p. 至 +4.7 m a.p. 時流經該橫斷面之比較沙石量(relative Geschiebefracht),計 0 至 2,500 立方公尺. G 爲每秒鐘內流經該橫斷面之實際沙石量. ψ 爲一與沙石種類有關之沙石宣洩係數 (Geschiebeabfuhrziffer). 因關於此係數所知者尚尠,且其極小,故作比較之計算時,以 $\frac{G}{\psi}$ 值代入,但能得一正確之比較,蓋 ψ 並不因河床之改造而變動也,所以 $\frac{G}{\psi}$ 曲線之橫坐標乃爲理想者. $\frac{G}{\psi}$ 值可用杜博雯·克勞依特 (Dubois-Kreuter) 之挾沙量公式計算之,其原理如何,可略而不詳,此處祇在應用其法.若以所屬之理想沙石量乘水位頻率曲線,則得挾沙量頻率曲線 $\left(\frac{G}{\psi}\cdot\tau\right)$, τ 表示一時期.

因當水位爲 −1 m a.p. 時,幾無沙石移動,故 $\frac{G}{\psi}\cdot\tau$ 曲線尚直接於左邊線.當水位爲 +0.80 m a.p. 時,該曲線之橫坐標最大,而達頂峯.以後移動之沙石量雖增加,但因水位之頻率減,而復返降至左邊線.舊曲線之頂點(T)與新曲線之頂點(R)幾相合於高度 +0.80 m a.p. 處,是即造床水位之高度.新河床即按此高度 +0.80 設計者(中水導堤之頂高).此理想之曲線與實際之挾沙量頻率曲線完全相仿.可藉以求得造床水位,但不能求得宣洩之沙石量.

【例題】茲擬利用某挾沙河流之比降以發電,該河流曾經治理,河床固定,將來建壩處之水文紀載俱全,製有水位頻率曲線,水位與流量間之關係曲線（Schlüsselkurve），水位期間線（Wasserstandsdauerlinie）(第 21 圖)．建壩處之河床橫斷面見第 22 圖．各種水位時之水面比降均可假定爲 1‰（千分之一）．糙率可按巴慶(Bazin)假定爲$\gamma=1.70$．挾沙力之臨界値測得爲$S_0=3.8$公斤/公尺^3．沙石下之河底本身對於水流之侵襲，具有較大之抵抗力．

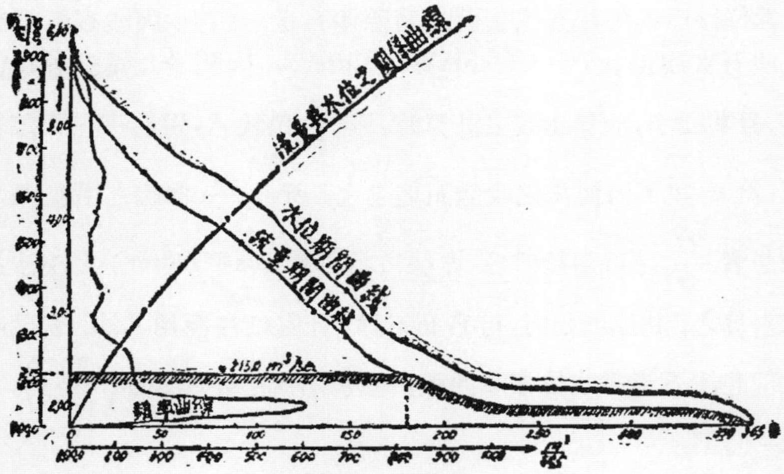

第 21 圖

第 22 圖

設利用以發電之水量，爲每年內 180 日所常有者，即每秒鐘用 215 立方公尺（參閱第 21 圖）．所建活動壩與尾水渠出口間（即取水段）之河床橫斷面，若按造床水位設計之，應如何改造該河床，庶可保障沙石之宣洩合規？

取水段內之水面比降，在每秒鐘取用水量 215 立方公尺後，仍應至少爲 1‰.

【解】每秒鐘由河內取水 215 立方公尺，對於水流本身之影響甚大，蓋使其消失一部分能量，其固定不變之狀態(Beharrungszustand)遂不能不遭受窒礙. 其對於取水段之作用如何，首繫於壩之種類，後者爲堵水以便引入渠內之所必需.

若爲固定壩 (festes Wehr)，則由上游流來之沙石被阻而淤於壩之上方，積久而將壩後填滿. 在此期間內，取水段內無沙石流動，水內所含之動能剩餘，雖水量被取用而減小，河流之能量亦隨之而減，然所餘之動能，究足以冲刷河床而有餘裕.

茲所擬建者乃活動壩，則當水量相當大時，壩孔一部或全部開啓，沙石流動無阻，在取水段內因水量減，能量亦減，是否尚能冲動此沙石，乃屬疑問. 應如何改造此段河床之橫斷面，使其：

1. 恰能容納所剩之水量.

2. 保證沙石之移動完全合規，亦即期望壩下游新河槽內水流所具之能量能使新橫斷面內產生固定不變之狀態.

新橫斷面能輸洩之水量爲

$$Q=V\cdot F=C\cdot\sqrt{R\cdot J}\cdot F. \qquad (2)$$

命 $S=1000\cdot t\cdot J$ 爲水深 t 比降 J 時河底單位面積上所受之挾沙力，$S_0=1000\cdot t_0\cdot J_0$ 爲水深 t_0 比降 J_0 時挾沙力之臨界値，則每秒鐘流經河槽單位寬度內之沙石量按杜博愛或按克勞依特求得爲

$$G=\psi\cdot S\cdot(S-S_0)=\psi\cdot 1000^2\cdot t\cdot J(t\cdot J-t_0\cdot J_0). \qquad (3)$$

ψ 爲杜博愛氏常數，即所謂沙石宣洩係數，隨沙石之大小而定.

本例假定 J 固定不變，所以 $J=J_0$. 上公式又可書爲

$$G=\psi\cdot(1000\cdot J)^{2}\cdot t(t-t_0)\cdot \tag{4}$$

若將全部河寬內凡 $t>t_0$ 處即沙石流動之範圍內流動之沙石量相加，則得

$$G=\psi\cdot(1000\cdot J)^{2}\int_0^b(t-t_0)t\,dx. \tag{5}$$

因可靠之 ψ 值迄今尚無法定之，故將其摒於計算之外，而以比較值

$$G'=\frac{G}{\psi} \tag{6}$$

代實際每秒遷之沙石量，此外復令公式(5)內之

$$\int_0^b(t-t_0)t\cdot dx=M. \tag{7}$$

M 名爲沙石移動度(Mass der Geschiebebewegung)，與橫斷面之尺寸有關，即 $M=f(b,t)$，所以公式(5)可書爲

$$G'=\frac{G}{\psi}=(1000\cdot J)^{2}\cdot M. \tag{8}$$

G' 之求法見後，可假定爲已知者，Q 及 J 假定已求得，所以在公式(2)及(7)內祇 b 及 t 爲未知數，可以由該兩公式求得之矣.

嚴格言之，用公式(2)及(7)求得之橫斷面，祇能保證在一種水位下水量與沙石之宣洩順利，該水位即用以作計算該橫斷面之根據者也. 在其他水位時，該新求得之斷面不復充分符合(2)及(7)項下所舉之條件，蓋本例水位變，比降雖不變，但沙石移動度與水量均變也. 欲求設計一橫斷面，使其在各種水位時均能符合上舉宣洩水量與沙石之條件，則須令該橫斷面有伸縮性，此實際不可能者也.

是以須爲一具有特性之水位設計新橫斷面，吾人之目標着重於求沙石宣洩之合規，則該具有特性之水位，應與一年內宣洩沙石量最鉅之水位相合，此水位即所謂造床水位是也。

若欲保障在未來之取水段內水量與沙石宣洩之情形，與原河槽內未建壩引水前相同，則新橫斷面內之造床水位，應與原橫斷面內者等高，同時須能宣洩減去發電水量後剩餘之水量，及原有之沙石量.

所以須先按以往水流情形，求原來橫斷面內之造床水位，然後以所得之值，作爲解公式(2)及(8)之根據.

凡與原來情形有關之數值，附以指數 a，新斷面之數值，則附以指數 b.得

$$G'_a=(1000\cdot J_a)^2\cdot M_a, \tag{8a}$$

$$G'_b=(1000\cdot J_b)^2\cdot M_b. \tag{8b}$$

若欲新橫斷面內沙石之宣洩不受阻礙，與原來橫斷面內同，則應

$$G'_a=G'_b, \tag{9}$$

亦即
$$(1000\cdot J_a)^2\cdot M_a=(1000\cdot J_b)^2\cdot M_b; \tag{10}$$

由此得
$$M_b=\left(\frac{J_a}{J_b}\right)^2\cdot M_a. \tag{11}$$

設復求未來取水段內之比降與原來者無異，即

$$J_a=J_b, \tag{12}$$

則亦應

$$M_a=M_b.$$

所以祗須由原來橫斷面求相當於造床水位之 M_a 值，再按 $M_a = M_b = f(b, t)$ 之關係，並兼顧公式(2)之關係，以定新橫斷面之尺寸。

據克勞依特云：

$$M = U\cdot(t_0 + 2y), \tag{13}$$

式內 U = 給斜綫之面積(第23圖)，y = 面積 U 之重心與水平線 AB 之距離，所以

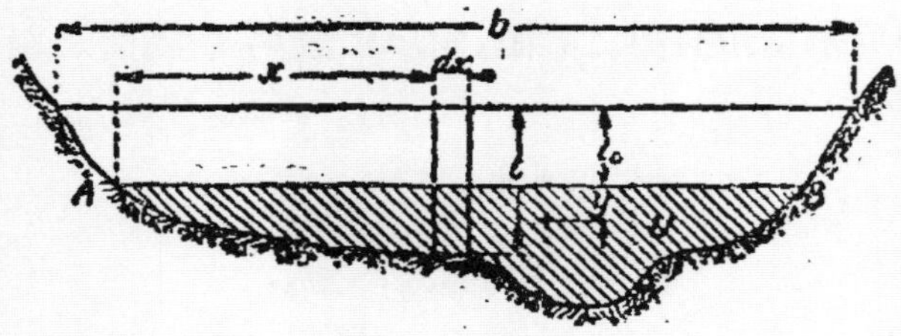

第23圖

$$G' = \frac{G}{\psi} = (1000\cdot J)^2\cdot U\cdot(t_0 + 2y), \tag{14}$$

而 t_0 可求得為

$$t_0 = \frac{S_0}{1000\cdot J}. \tag{15}$$

S_0 已求得，J 亦然，於是臨界深度 t_0 亦定，即

$$t_0 = \frac{3.8}{1000\times 0.001} = 3.8\,\mathrm{m}.$$

吾人能為每一水位即每一水深求 U 及 M，所以每一水位之 $G' = \frac{G}{\psi}$ 均可求得而繪成一曲線。茲將該項計算列第1表內，並將所得結果

繪成曲線如第 24 圖.

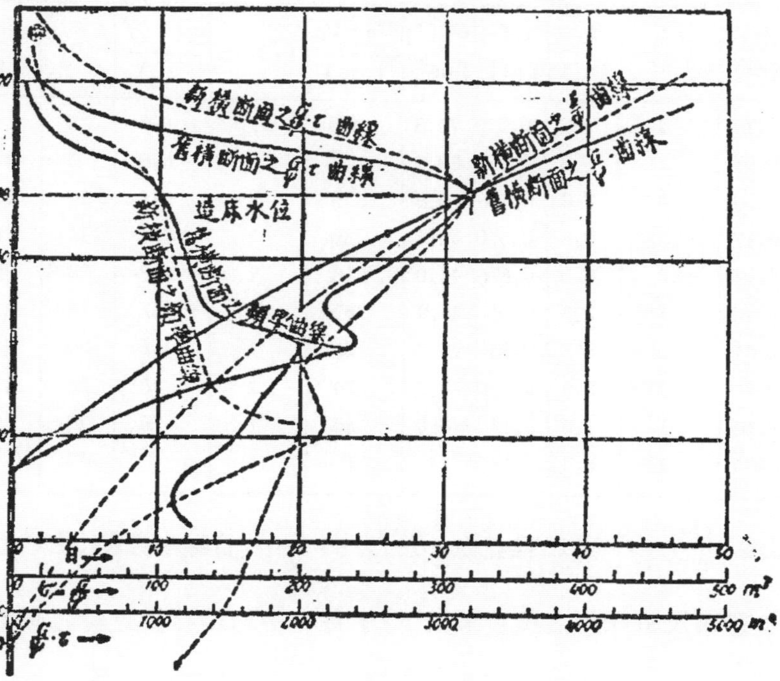

第 24 圖

關於第 1 表所列之計算値，尙須加以說明者如下:

按根據河流內建壩處附近水位之觀測，可求得每種水位之期間 τ，而於第 21 圖內用頻率曲線表示之.其與沙石宣洩有關之部分，並在第 24 圖內放大. 該圖內又繪有原來橫斷面之 $G'=\frac{G}{\psi}$ 曲線，已如上述. 於是可爲每種水位求 $\frac{G}{\psi}\cdot\tau$ 之積，亦以一曲線表示之. 計算時，選定水位十種，爲此十種水位求得第 24 圖內之 $\frac{G}{\psi}\cdot\tau$ 曲線. 圖內一方

第1表

t [m]	$J‰$ $=1000\cdot J$	t_0 [m]	y_a(1) [m]	U_a(1) [m²]	$M_a=U_a(t_0+2y)$ [m³]	$(J‰)^2$	$G'=\frac{G}{\psi}$	τ	$\frac{G}{\psi}\cdot\tau$
5.74	1	3.8	0.940	75.8	430	1	430	2	860
5.57	1	3.8	0.857	68.6	378	1	578	6	2208
5.36	1	3.8	0.758	59.8	318	1	318	10	3180
5.17_5	1	3.8	0.670	52.2	268	1	288	11	2943
4.97_5	1	3.8	0.576	44.0	218	1	218	12	2616
4.75	1	3.8	0.467	35.2	167	1	167	13	2171
4.52_5	1	3.8	0.358	26.6	120	1	120	20	2400
4.29	1	3.8	0.243	17.7	76	1	76	18	1368
4.05	1	3.8	0.12[illegible]	8.9	36	1	36	16	576
3.80	1	3.8	0	0	0	1	0	12	0

由經 $\frac{G}{\psi}\cdot\tau=0$ 點之垂直線,另一方由 $\frac{G}{\psi}\cdot\tau$ 曲線本身範圍之面積,即在顧及所採用之尺度單位下,示每年平均沙石量比較之數值 $\frac{G}{\psi}$,在此一年內宣洩沙石量最鉅之水位,即在 $\frac{G}{\psi}\cdot\tau$ 曲綫具有最大橫坐標者,此水位非他,即所謂造床水位是也.在本例求得爲 5.36 m (第24圖).

爲 $t=5.36$ m 求得 $M_a=318$ m³ (參閱第1表),相當於此之水

註(1)原來横斷面爲梯形,所以

$$y_a=\frac{t-t_0}{6}\cdot\frac{3s+4(t-t_0)}{s+2(t-t_0)},$$

$$U_a=s(t-t_0)+2(t-t_0)^2;$$

式內 s 爲底寬 $=35.15$ m,岸坡 2 : 1 (參閱第22圖),餘詳第23圖.

量 $Q_a=750\ \mathrm{m^3/sec}$ 可由水位與流量之關係曲線或由流量期間曲線讀得(第21圖).

取水段內新横斷面應如何設計之,俾當流量

$$Q_b=Q_a-Q_w=750-215=535\ \mathrm{m^3/sec}$$

時造床水位之高度,與在原來河槽內當流量爲 $Q_a=750\ \mathrm{m^3/sec}$ 時者同.

新舊河床横斷面內之沙石宣洩度應相等,即

$$M_a=M_b,$$

所以

$$M_a=M_b=U\cdot(t_0+2y).$$

若新横斷面亦爲具 2∶1 岸坡之梯形與原來横斷面同,則按照以前:

$$U=s(t-t_0)+2(t-t_0)^2,$$

$$y=\frac{t-t_0}{6}\cdot\frac{3s+4(t-t_0)}{s+2(t-t_0)},$$

所以

$$M_b=[s(t-t_0)+2(t-t_0)^2]\left[t_0+\frac{t-t_0}{3}\cdot\frac{3s+4(t-t_0)}{s+2(t-t_0)}\right]. \quad (16)$$

再因 $Q=C\sqrt{R\cdot J}\cdot F;$

若 $F=s\cdot t+m\cdot t^2,$

及 $p=s+2t\sqrt{1+m^2},$

得 $$R=\frac{s\cdot t+m\cdot t^2}{s+2t\sqrt{1+m^2}}.$$

所以

$$Q=\frac{87}{1+\frac{\gamma}{\sqrt{\frac{s\cdot t+m\cdot t^2}{s+2t\sqrt{1+m^2}}}}}\cdot\sqrt{\frac{s\cdot t+m\cdot t^2}{s+2t\sqrt{1+m^2}}\cdot J}\cdot(s\cdot t+m\cdot t^2).\quad(17)$$

公式(16)與(17)內已知或已規定之各量爲

$M_b=318\ \mathrm{m}^3$；　$t_0=3.80\ \mathrm{m}$；　$Q=Q_b=535\ \mathrm{m}^3/\mathrm{sec}$；

$\gamma=1.70$；　$m_b=2$；　$J_b=1‰$.

故得

$$318=f(b,t)=[s(t-3.80)+2(t-3.80)^2]\times\left[3.80+\frac{t-3.80}{3}\cdot\frac{3s+4(t-3.80)}{s+2(t-3.80)}\right],\quad(16_a)$$

及

$$535=f(b,t)=\frac{2.75}{\sqrt{\frac{s\cdot t+2t^2}{s+4.47t}}+1.70}\cdot\frac{(s\cdot t+2t^2)^2}{s+4.47t}.\quad(17_a)$$

若選定 t 後，由公式(16_a)及(17_a)均能求得 s，二數間之關係可用一曲線表示之(見第25圖及第2表)．公式(17_a)之 s 與 t 值均相當於流量 $Q=535\ \mathrm{m}^3/\mathrm{sec}$，公式($16_a$)之 s 與 t 值均相當於沙石宣洩度 $318\ \mathrm{m}^3$．吾人今欲求得者爲相當於流量 $Q=535\ \mathrm{m}^3/\mathrm{sec}$ 並相當於沙石宣洩度 $M_b=318\ \mathrm{m}^3$ 之 s 與 t，此可由該兩 s，t 曲線之切點求得之(第25圖)．屬於該切點之 $t=6.34\ \mathrm{m}$，$s=15.30\ \mathrm{m}$.

因新舊兩橫斷面內之造床水位均應位於 $+5.36\ \mathrm{m}$ 之高度，所以新橫斷面之底應位於

$$+5.36-6.34=-0.98\,m.$$

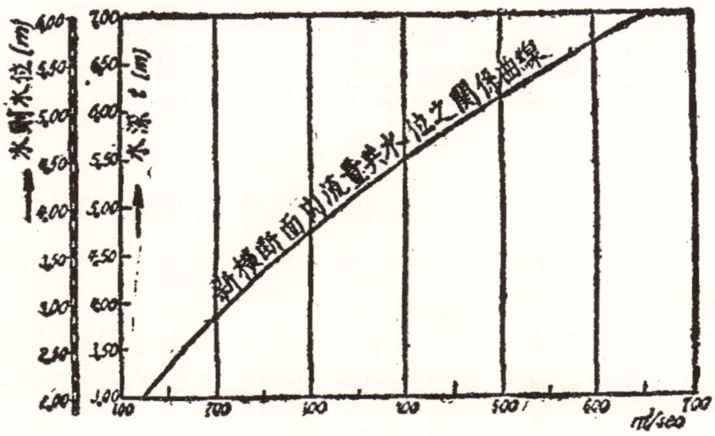

第 25 圖

第2表

$M=318\,m^3$		$Q=535\,m^3/sec$	
t [m]	s [m]	t [m]	s [m]
5.00	50.60	5.00	27.80
5.40	34.00	5.40	23.30
5.80	23.80	5.80	19.50
6.20	17.20	6.20	16.35
6.80	10.50	6.80	12.35
7.40	5.90	7.40	8.75
6.34	15.30	6.34	15.30

第 26 圖示舊新二橫斷面及造床水位，是相當於造床水位之新橫斷面已求得矣。

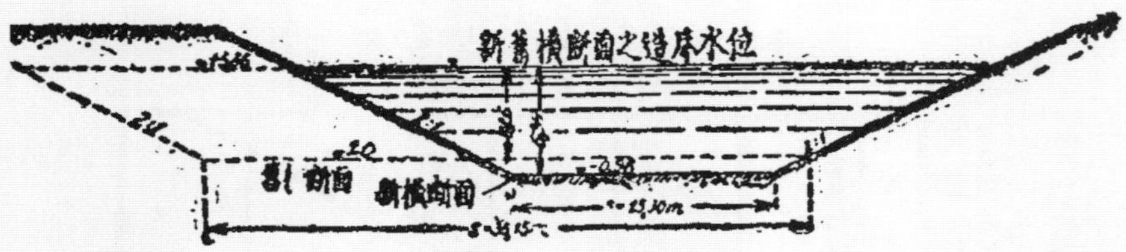

第 26 圖

惟沙石之移動不獨在造床水位時為然,當其他水位時沙石亦被冲動. 若新橫斷面應如舊橫斷面每年宣洩同一之沙石量,則尚須加以研討如下:

第 1 表內所列水位及其相當之流量 Q_a 可由第 21 圖內之曲線求得.迨水力工程完成,開始用水後,此流量減少 $Q_w=215\ m^3/sec$ 而成為 Q_b,但其頻率與 Q_a 同. 另一方面,可利用公式(17)為新橫斷面內之各種水位,求得其所屬之流量,而用一曲線表示其間之關係(第 27 圖),由此可為 Q_b 求得其所屬之水位高,並得其頻率與流量 Q_b 同. 復知相當於流量 Q_b 之昔日流量 Q_a,及屬於此之水位,亦具同一頻率.

繪相當於流量 Q_b 之水位頻率曲線,求其所屬之 M, $\frac{G}{\psi}$ 及 $\frac{G}{\psi}\cdot\tau$ 值,並將後二值亦繪成曲線(第 24 圖),則新橫斷面每年宣洩之沙石量,適等於由經過 $\frac{G}{\psi}\cdot\tau=0$ 點之垂直線及新橫斷面之 $\frac{G}{\psi}\cdot\tau$ 曲線所圍之面積.計算得之值用以繪上述曲線者,列第 3 表內.

由第 24 圖可知新橫斷面內每年可能宣洩之沙石量,大於舊橫斷面實際能宣洩者,故可無慮由上游流來之沙石,將有一部分淤於取水段內. 苟河床本身不致有被刷深之虞,則求得之新橫斷面毋須再加改正,本例所舉,與此情形相符. 不然者,須試求一橫斷面,除

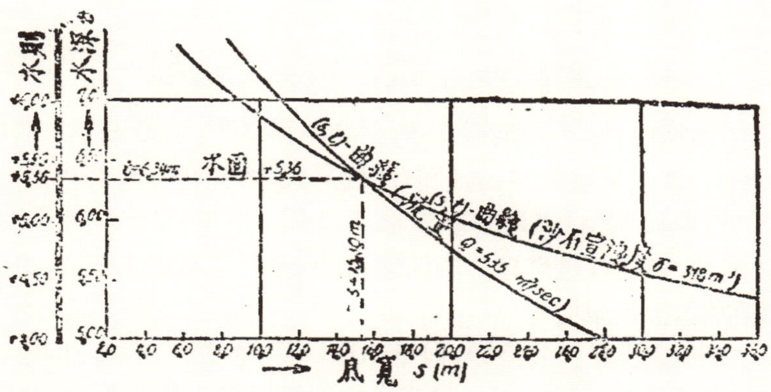

第 27 圖

當水位爲 +5.36 時其能宣洩之流量爲 535 m^3/sec，沙石宣洩度爲 318 m^3 外，每年宣洩之沙石量應與舊橫斷面等.

第3表

舊橫斷面之水位高	頻率	取水前之流量 Q	取水後之流量 $Q_b=Q_a-Q_w$	新橫斷面內相當於 Q_b 之水位高	U	y	t_0+2y	M	$G'=\frac{G}{\psi}$	$\frac{G}{\psi}\cdot\tau$
5.74	2	850	635	+5.92	66.67	1.40	6.00	410	410	880
5.[illegible]7	6	800	585	+5.66	59.[illegible]8	1.29	6.38	[illegible]	330	2[illegible]80
[illegible]	10	750	525	+5.36	51.70	1.17	6.13	318	318	3180
5.1[illegible]	11	700	485	+5.07	44.5[illegible]	1.04	5.88	[illegible]	252	2580
4.97₅	12	650	435	+4.76	37.2[illegible]	0.91	5.61	[illegible]	209	2519
4.75	[illegible]3	600	385	+4.42	29.[illegible]9	0.76	5.31	15[illegible]	157	2040
4.[illegible]25	2[illegible]	5[illegible]0	335	+4.0[illegible]	21.85	0.59	4.97	[illegible]	109	2160
4.[illegible]9	18	500	285	+3.65	14.08	0.40	4.60	6[illegible]	65	1170
4.05	1[illegible]	450	235	+3.22	6.42	0.20	4.19	27	27	431
3.80	12	400	185	+2.82	0	0	3.80	0	0	0

附錄一　挾沙山溪之治理

清靳輔有言:「至柔莫爲水,然苟不得其平,則雖天下之至剛者不能禦」.是以欲言治河,必須明河性.夫水爲液體,有其體重,受地心之引力而下墜,此其所以就下也.凡物體之陸落,具有位能及動能,故能挾沙,亦能嚙蝕堤岸.治河之目的,在避免有害之淤積,達到有效之冲刷,使流量通暢.

設施之始,必審其全勢,因乎地形,察乎水勢,而加以精思神用焉.大凡河流之荒蕪,恆由於河道之變遷無常,而其病源莫不由於淤,蓄淤而後決,決而後徙也.換言之,河流內之挾沙,實爲其致病之由,根治病源,當從河源着手.正本清源,爲治河之原則,然治本工程藉以減少挾沙量者,非短時間所能收效,每以中下游之急待整理,而迫不及待.沙石之來路既未減,必籌其去路之通暢,俾不至影響水流之宣洩.此朱子之所以云,治水先從低處下手.蓋以下游爲全河之尾閭,下游深廣,自然全局安流.使淤非其處,則如人之患噎,小噎則傷氣,大噎則傷食也.導洪刷沙,昔多取伸直河道之法,並於兩岸建築堅固之導水堤,以防潰決,今不復然.斯法固能收局部之效甚速,但足貽害下游.因此乃局部之改革,不過將本段弊病,移至他段.下游受其影響,其弊益深,冲去之沙石,聚於該段下游,蓋是處之水不復爲導水堤所束,水勢散漫,沙石停滯,不能隨流而下,以致之河水四溢,水流荒蕪,莫此爲甚,其有不潰決者幾希.故捨同時治理下游外,不足以弭此害.非謂此患即可弭,特將其逐漸移往下游而已.以迄入注幹河,冀藉較大水量冲去流來沙石,而沙石之多,恆有非幹河水量所能冲去者.

上述諸弊,姑可認爲暫時者,在全河治理以後,亦隨之消滅.但河道伸直後,河床比降隨之而增,水流因急,若水流爲導水堤所束而河面設計較狹，則挾沙力劇增，河流除輸送據下之沙石外，復侵及河底，而刷之日深．其初尚慶幸河床之刷深，有符治河目的，繼漸感乖望．蓋河底日益深陷，有繼續保護兩岸坦坡之必要．普通之梯形橫斷面，因河底日深，水面日落，兩岸距離亦日狹，而挾沙力亦增無已．河內水面既低，地下水位常隨之降落，發生不良影響：如農作物缺水，房屋沉陷，井內水涸等．於是不得不謀補救之方，例如築潛壩(Grundschwelle)以鞏固河底．惟此項工程，其建築及養護，每需費甚鉅也．

且伸直河道所能利用之原來河床甚少．挑濬新河，若以人力或機械之力爲之，其工事必鉅．若藉水力冲刷，則欲土壤之冲動，流量必須在中水量以上．是一年之時間，僅有比較短暫之時間，可收冲刷之效，而河工之曠時必久，無以符濱河居民之期望．至於工程完竣後河床必然之深陷，更須籌防止之策，如護岸固底等工程，其所費亦鉅，況鞏固河底，究以何法爲最佳，有待經驗之教訓，故此項工程尚具一種試驗性質，其養護費因之亦至高也．

有此諸端，足證此項治河方法之不能存在，而非經濟不裕之國家所能擔負者．

按美國福利門氏對於治理黃河，亦主張伸直河道，使流於一狹直之河槽中．德國恩格思教授已辨其違反天然，恐難以爲功矣．蓋其抑制河流本性太甚，故伸直河道之觀點，實屬謬誤，而應根本避免者也．即河身彎曲過甚，亦非所宜，故治河應儘量適合河道原來之位置，須用王道，不可強行霸道也．

河身時有變遷，治理計劃宜於興工前不久確定之，關於河灣半徑之選擇，甚爲重要，治河目的之是否能達到，及養護費用之高低，胥繫於此．設計彎曲半徑，並無成例可循，惟有觀察河流形勢而定之，可得而言者，無論河流如何荒蕪，必有情形良好之段落，絕不或僅在特殊情況下變更其位置，若此段河床比降與施工段之設計比降相仿，則足資吾人於選擇河灣半徑時之借鏡，證諸[illegible]驗，深[illegible]不謬. 試一考[illegible]天然形勢優美之河流段落，則其河灣曲線，咸非圓弧，亦足供吾人之仿效. 河灣不可過長，何者爲適當之長度，則或由觀察得之，或按經驗以定之. 然亦不可過短，蓋河灣內之谿線(Talweg oder Stromstich)[illegible]凹岸，過短則水流不及由此岸趨就彼岸. 第28圖示治理得法河灣內之谿線，祇須於其一旁建導水堤，令導水堤在灣之上方稍[illegible]長，以防水流之萬一脫軌也.

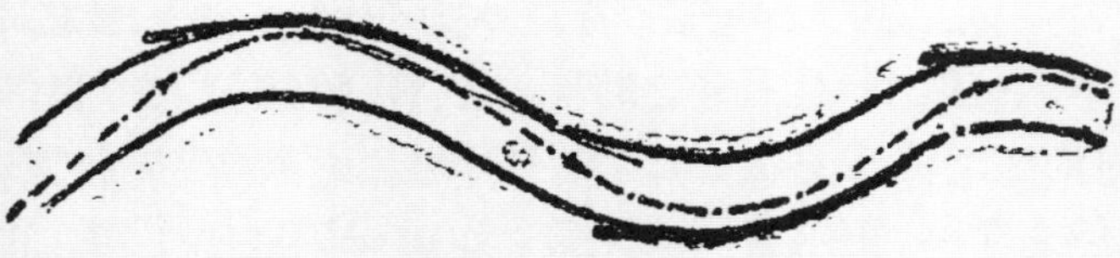

第28圖

若河面寬而河灣短，則溜頭亦冲及河灣凸岸，故該處亦有加以鞏固之必要. 彎曲半徑首繫於河床比降，次與河面之寬狹，流量之多寡，沙石量之大小有關. 河床比降愈大，半徑選擇不當之爲害亦愈顯. 比降如大，河灣半徑宜小，但過小則洪水又有旁出之虞，刷堤後成穴，結果河堤必內潰，故最小半徑，當以洪水時水流不至越岸爲度.

治河應力求適合原來河道，已如上述，不獨節省工費已也. 而採用曲[illegible]河道[illegible]較易達此目的，除少數舊河灣可以直接採用外，多數[illegible]僅須略事修改，其有較長段落，須大事修改者，亦可度其形勢，利用水流本身力量，納河身於適當位置，曠時雖較久，需費則較省也. 法藉暫時建築物如浮壩(Gehänge)之類(詳後第七章)，以利用河流本身力量，納河道於應有之位置，行之於河面寬廣，水流荒蕪之處，頗爲有效. 在正式興工之前一年或二年，即須着手，苟築置得當，能藉洪水冲去劃定河道內之沙石，而填塞河汊．工程進行之緩速，繫於所發之洪水，山溪在夏季雖常有洪水多次，然應視其水量之大小，爲時之久暫，而後判斷其改造能力之強弱．如値洪水不大之年，則僅能收一部之效．第29圖示於河內築置浮壩後，不獨沙嘴 *A* 逐漸被冲刷，卽 *B* 處範圍較大之沙灘亦能被冲出於所劃定河道之外．

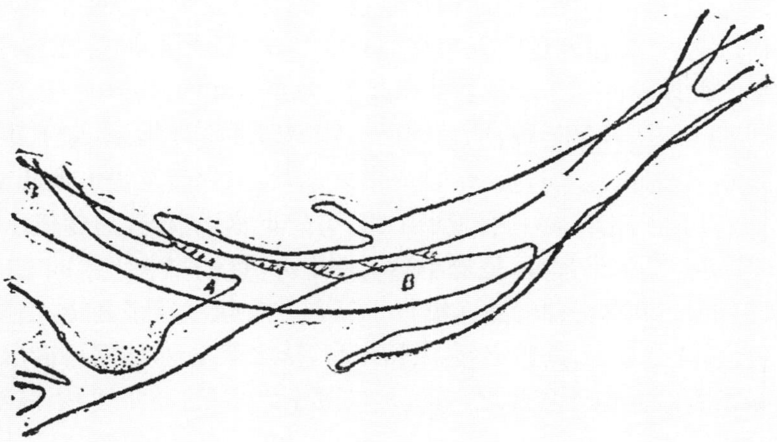

第29圖

浮壩之築，不得一次完成，應視沙灘冲刷之情形，次第爲之．河身既爲其束狹，壩前流速增加，河床刷深，壩後則流速減小，沙石淤塡，洪水之後，河道每漸就其應有位置．

茲進而討論河床縱斷面，縮短河身過甚之弊，已如上述，蓋河床比降增，挾沙力亦隨之而增．又以截灣者言，土方鉅而工費，設非河身蜿蜒過甚，當不宜裁彎取直，應力求保持原有河長，冀造成全河均勻之河底比降．河底比降曲折，如突平突陡，攸爲有害者．或使沙石停滯，或使河底刷深，均能逐漸波及上游．但未經治理之河流，其河底比降常增降無常，依治河目的在使河底比降均勻，惟均勻之比降，在工成之始，尚未能達到，故堤頂高度不能以未來之河底高度爲依據，在河底高起處亦應稍隆堤頂，以免小潦卽溢，溢則水勢削而沙石停，洪水時必氾濫而不循軌．加高堤頂乃暫時之工事，旨在使河槽內能容納之流量各段相等，可用石塊或梢料(詳見後第六章)等材料爲之．

堤頂應具之高度，大都祇限其能容納中水，而不求其能防洪水之漫溢，卽所謂固定中水河床是也．更視需要於兩岸築洪水堤以防河水之氾濫．洪水堤距及頂高，自以能容納最大洪水，不至傷堤爲標準．此卽歐洲河工所稱複式橫斷面 Doppelquerschnitt) 是也(見第16 圖)．明潘季馴治黃，所著河防一覽有曰：「堤外爲岸，岸下爲河，平時水不及岸，堤若贅疣，伏秋異常之水，始出岸而及堤」，與此正不謀而合．其所謂岸，必具有護岸工事，方能束水以導河，謂爲導水堤，亦無不可．是治河理論，原無中外古今之分，惟治河之方略則不可拘泥倣往耳．洪水堤卽所謂遙堤也，離河頗遠，伏秋暴漲之時，出岸之水較淺，既遠且淺，其勢必緩，淤留岸高，積之數年，水雖漲不能出岸矣．故計畫時卽應注意及之，蓋溢於河灘上之水量，經年遞減，以至於完全阻塞也．

堤頂之高度，應高出預計之洪水面，以策安全，普通高出 50 至 80 公分已足，惟遇特殊情形，亦有超過此尺度之必要．如在河身彎曲過甚之處，兩岸水面高差常有至 50 公分，或過之者．又如河灘之比降，較河底比降爲弱時，灘上水流較慢，故其水面較河槽內水面爲高，其差別亦常超過 50 公分，均有特別增高堤防之必要．

暫時加高堤防，在使該處河槽刷深，冀河底全部比降均勻，迨此目的達到後，仍須將添高處拆除．如所用爲石料，可用以鎮壓岸坡，如爲梢料(如梢輥)，則不能重用．前者之價較昂，而後者因不能重用而不經濟．惟在產梢之區，而又須趕築時(譬如汛前)，仍以採用梢輥

(Faschinenwalzen)爲最適宜最經濟也.

若利用水力不能迅速爲功,或迫不及待,爲促速工作之進展,亦可用機浚渫.如爲裁彎取直工程,浚渫工作應自下端開始,其深度約與將來之河底齊,至少須能容納低水.第30圖示一裁彎取直工程之

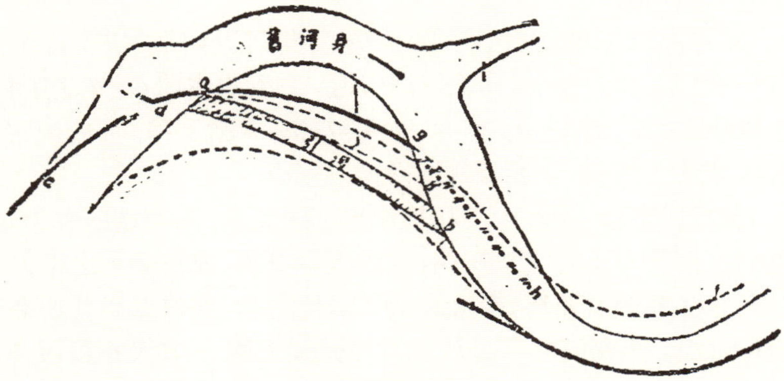

第30圖

梗概,其進行步驟約如下:當開闢引河 a—b 時(a—b' 爲不利,蓋趨向凹岸之水沖寬在 a—b 方向所開之引河較速,同時沖刷之沙石即淤積於 g 點之下方.而前者之沙石有淤於引河右方之虞,或隨流下沖,妨害下游河道),可同時修築導水壩 a—g.引河暢通後,即將導水壩 g—a 延長至 d,此段爲梢工(Faschinenbau),以遏水流而納諸引河之內.俟展築至 d 後,再築導水壩 d—c 及 e—f,同時着手自 g 點起築浮壩,d—c 及 e—f 之工程愈進展,則歸納於引河之流量亦愈增.此時 e—f,d—a 及 d—c 壩身均當溜衝,尤以 d—c 段爲最甚,蓋流來之水,幾直衝壩上,又嫌被阻遏,水面高起,故須將 d—c 段特別築固,且須較其他部分至少高半公尺,即與其相連之導水壩,亦宜略事增高,俾水位高時,得儘量納水流於引河之內,促其早日刷寬.其自 g 點起始之浮壩工程之進展,則繫於經缺口 f—e 流入舊河身之水量,

俟 $f—e$ 後河面淤填至中水位高度時，始得將 $g—h$ 全段築成，並隨之自上端以堅固之導水壩代之．新開引河愈由 b 向 b' 發展，則水流亦愈不利於浮壩，淤填之功效亦漸減．但其初由逐漸冲寬之新河道冲來之沙石每甚鉅，使 g 點下端之助工程幾能於乾涸中為之，因之工費得以稍減．

水位高時工作之效率降低，是以新開河道，應於掘成後於洪水前鑿通之．工作之分配，在使挖掘引河，築置導水壩 $a—g$ 諸工程，在低水時期施行，而 $a—d$, $d—c$, $e—f$ 及 $g—h$ 諸工程，可於規定期間內，晝夜加工趕築，使於最短期內得以完成．

河槽橫斷面工程，因工程地情形不同而異．新河槽所經之地，或為沃野(河邊草地)，或為沙洲，或為破裂岸線，或在深水之中．設為沃野，則工程較為簡單，挖底高於低水位之槽，其內岸坦坡即令具將來應具之坡度，每隔 0.2 公尺置方形混凝土塊一，其大小視河身之大小而定，約高 0.4 公尺，邊長 0.6 至 1.0 公尺，以作日後岸坡鋪石之基礎，阻石塊滾入河內而為洪水冲去．用以護岸之石塊，或為天然石，或為混凝土塊，其數量視河身將達到之深度及岸坡與河槽之工程而定．天然石之具有大比重者，自較混凝土塊為佳，姑不論其硬度普通均較高，抵抗水內沙石之磨削力亦較強，即就其比重言(花崗石 2.8，混凝土 2.4(1))，因較不易為洪水冲去，已顯優越．因石在水中受浮力作用，比重減小 1.0，故花崗石與混凝土塊重量之比為 1.8 : 1.4，或 9 : 7，若置硬度不提，則花崗石或他種等重等硬之天然石，縱使較混凝土塊貴 30%，不至因其價較昂而不經濟．岸坡不得過陡，凹灣之岸坡若平，能阻水流逼近河岸，第 31 圖示一經沃野上之工程．

破裂岸線處之工程，當力求依就岸線，但因破岸恆為極不規則者，常不可能，而有在水中建築之必要，可如第 32 圖所示，取其易於

註(1)普通混凝土之比重為 2.2．

第31圖

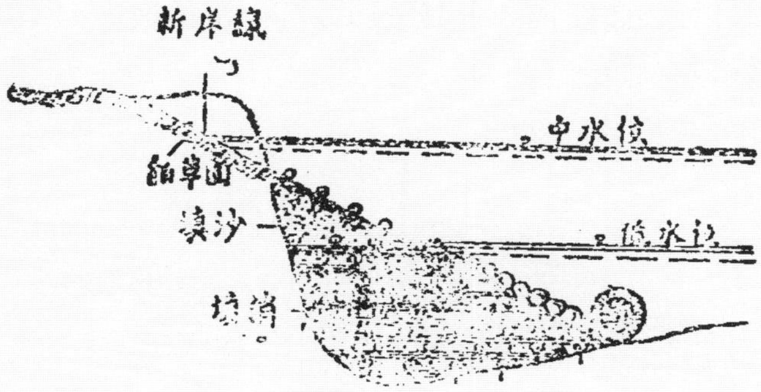

第32圖

纍置，採用鐵絲輥(Drahtwalze)或梢輥，以作岸坡鋪石之基，自亦可採用混凝土塊. 纍置之法，或令滾入水中，或用起重機吊入.

第33圖示沙洲上工程之大概，於沙洲上填鋪梢料，至堤頂應具

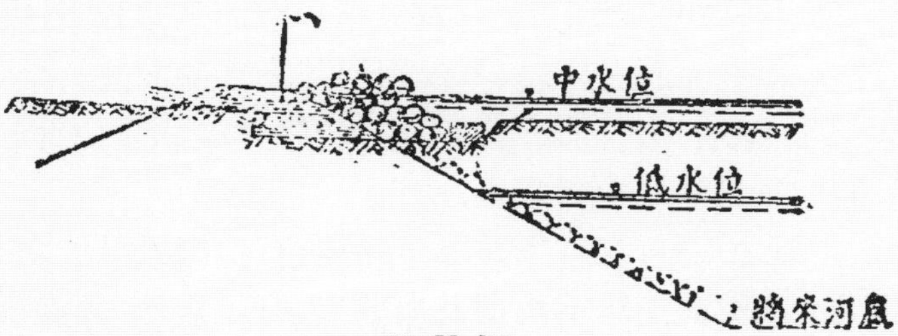

第33圖

之高度爲止（每層塡梢平均約厚 30 公分），但不得少於兩層，寧可將下層埋入土中．工程之大概，與沃野上之工程相似，以石塊或混凝土塊鎭壓其上，給與塡梢以較大之重量，並防護最上層被水冲刷，或被沙石磨削，必要時可以此石塊鎭壓岸坡．儲備之石料須充裕，俟河身就其應就之位置時，以之鎭壓岸坡，而不感缺乏．

[illegible]深水中之工程，因工費鉅，當力求避免之．工程之原則與沙洲上者同，沉梢於水中，其底寬視水深而定，拋石壓梢，使沉着河底，斜坡上之石塊並不必急於拋置，不過二年後至遲三年，亦當拋上．並須用石鎭壓梢工之頂，而以混凝土塊或沉梢沉於坡脚，以支持坦坡上之石塊（第 34 圖）．

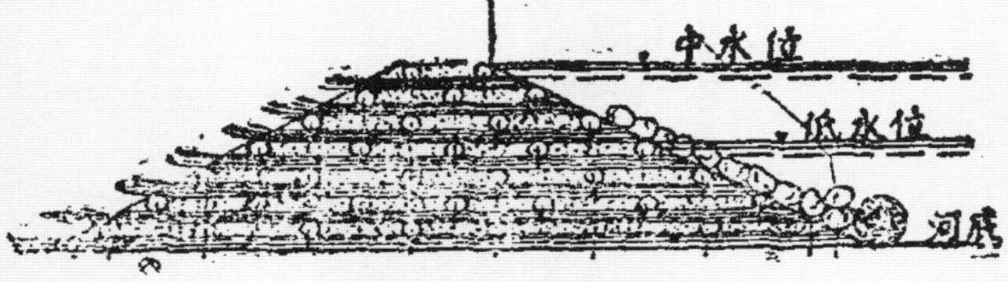

第 34 圖

如梢不易得，或其價昂貴，則沙洲上及深水中建築之材料，可採用[illegible]，[illegible]得法，鐵絲鍍鋅完善，其成績甚佳，有經二十餘年而[illegible]者．又有採用鐵絲籠者，內貯石塊，籠框須相當堅固．此項[illegible]，以鐵絲互相牢結之，成一堅固之結合體，同時不失其活動性，能隨合河底之變遷，不致因局部之變動而波及全體．第 35 圖及 36 圖爲其例．鐵絲籠之築置，自最宜於乾地中之工程，蓋以鐵絲連結諸籠，不易於水中爲之也．

河槽横斷面之工事，宜避免其僵硬，故將石塊拋置岸坡之上，而不鋪砌之．昔有以混凝土鋪築堤頂及岸坡者，今不復然．蓋混凝土下

第 35 圖

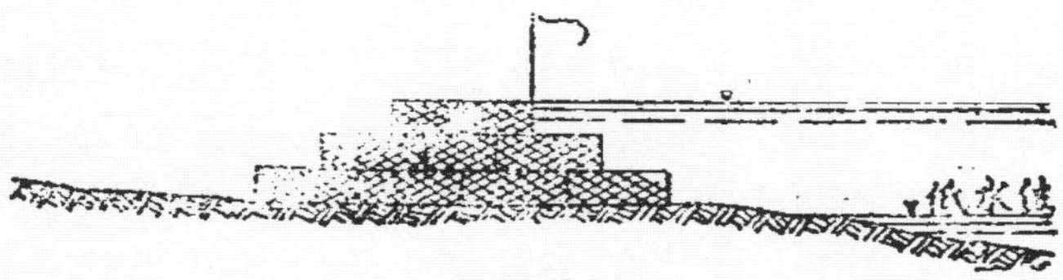

第 36 圖

之變動，不能察覺，迨至其罅裂，而為害已甚大，甚且潰決不可收拾．然亦有特殊情形，而必須鋪砌石塊者，譬如河流在冬季結冰或封凍，或浮冰沖擊岸坡，或冰塊附結岸坡之上，受水流之沖擊．在上述諸情形之下，堆置岸坡上之石塊，凍結於冰塊之內，至凍解遂隨流飄去，不獨石塊損失，岸坡亦受其損害，故有鋪砌石塊之必要，但不必灌灰漿，鋪之太固，俾其差能隨合建築物之變動．

此項僅建築一旁之工程，其施工條件，為水內挾沙不過事，河槽能容納中水，而洪水則流於洪水堤內．若欲納洪水於槽內，則彎曲較弱處之凸岸，普通亦應加以保護，河床坡度宜在 6.6 至 4‰ 之間．

固定河床最費斟酌者，即固定兩岸之寬度，過狹則壅遏水流，過寬則低水時期河水沖盪於兩岸之間，積久亦足以崩岸．若採用曲線僅有一旁之護岸工程，換言之，即先固定其一方，然後徐察對岸之演變，以決定後來之固定計畫．且如是有着手局部治理之可能，不至妨及上下游，惟選擇治理段之起迄點，則須審慎，務求啣接首尾端之曲線恰當,不經受若何之變動,然後上下游之河床,不至受其影響.夫河之最長者,恆在數千里以上,安能同時加以固定,必須別其緩急,以定舉辦之後先,是則局部治理之重要性,更不容忽視,而唯有力求吻合河流天然形勢,採取曲線,而後局部之治理爲可能焉.

第四章 通航河流之治理

治理通航河流,視治理不通航者多一條件,即水深有一最低限度也.此惟有使沙石之流動合軌而後可能.至於流量,自亦須算之使不爲害.欲維持相當之水深,實爲一艱難之問題.而謀此問題之有效解決,應注意之要點,在不過抑河性.河流之比降,不得強事更改,河身彎曲顯著,兩灣之間較直,爲沙梗之所在.灣內則槽較深. 河灣內水面比降較弱,而兩灣間沙梗阻滯水流,抬高水面,比降增加. 河灣之內,水面比降弱,而反較深者,其故因縱比降之外,有強大之橫比降存在,發生橫溜,冲刷凹岸,使之日深. 兩灣之間,無此項冲刷力,所以能保持相當深度者,賴有較強之比降也.

由此觀知,對於處置河流比降,苟增加河灣內之比降,足使河灣更深,降低兩灣間之比降,足使沙梗更高,是以不能違反水流之天然原則,僅可糾正水流之有過或不足也.

苟使水面比降均勻,反有害處,欲使河床各段之冲刷力均等,反有使比降特別局部增加之必要.

若兩灣間之沙梗冲刷過甚,水面降落,足以使上游水面連帶降低,致使沙灘上或他處兩灣間之水過淺,而影響航行,故預應於沙梗之上築潛壩,以鞏固之.或預於沙梗之上下游築潛壩,以確定沙梗之深度.

是以治理通航河流之第一條件,爲研究河灣內及兩灣間之比降,彎曲不同,比降亦異,吾人應研求比降變更之原理.

於是再進而研討河床橫斷面之設計，應否更動河流之位置．河流之位置，乃常變者．河流位置之變動，為河床變動之結果．若河床之形狀不變，則河身亦無愈形彎曲之趨勢，及天然裁決等現象．故欲固定河床位置，應先固定河床形狀．適合於同一河流，同一段落之河床橫斷[illegible]不一，何者為絕對良好，不能一概而論．設計時應擇察情形良好段落之橫斷面，若該段比降與吾人從事治理段內者相仿，可模仿之．

故在着手治理某一段河流[illegible]先築一小段，以事實驗，根據比較得之式樣或經驗，以築[illegible]之．如[illegible]錯，則改正之．經過試驗，必可得一橫斷面之略能符合吾人之[illegible]作者，可免築而不合，虛糜工費．若專恃理論，鮮能得滿意之結果．蓋理論上之公式，缺乏實際之觀察，且為便於計算起見，所作假定渦甚多，故頗不符合實[illegible]情形．計算得之結果，不若觀察得者之可靠．

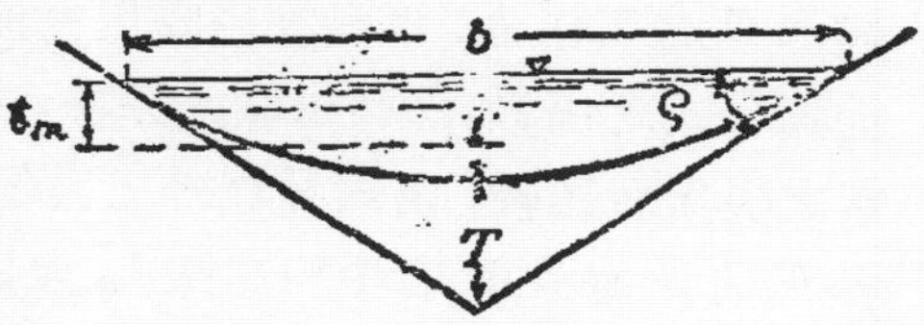

第 37 圖

德[illegible]托柏(Teubert)氏常用下法以計算橫斷面：假設橫斷面為拋物線形，其岸坡之自然坡角為 ρ（第 37 圖）．命

$$\cot g\ \rho = m = \frac{b/2}{2T},$$

$$t_m = \frac{2}{3}T,$$

則
$$\cot g\ \rho = \frac{2b}{2\cdot 2\cdot 3\cdot t_m} = \frac{b}{6t_m} = m.$$

所以
$$b = 6m\cdot t_m. \tag{18}$$

巳知者爲比降 J，流量 Q 及 m，求橫斷面積 F，水面寬 b 及平均水深 t_m. 按提齊(Chezy)之速度公式 $V=C\sqrt{t_m\cdot J}$,

於是得
$$F=\frac{Q}{V}=\frac{Q}{C\sqrt{t_m\cdot J}}=bt_m=6m\cdot t_m^2, \tag{19}$$

及
$$t_m=\sqrt[5]{\left(\frac{Q}{m\cdot C}\right)^2\frac{1}{36J}}. \tag{20}$$

式內之 C 與 t 有關，故須先用假定之 C 值試算一次，俾能求得一近似之 t，由此以求得一較正確之 C 值，再用以求 t. 如是試算至充分符合爲止. 因 C 值之變動甚微，故普通試算兩次卽可. 惟 C 值在未能判別橫斷面之性質以前，不能確定之，若已求得 C 值，則嚴格言之，應已求得適當之橫斷面，並已認其合當矣. 但用托柏之方法，正欲減輕求 C 之工作也. 惟最初須應用巴慶(Bazin)或赫曼克(Hermanek)流速公式之係數，然後根據此係數，求理論上恰當之橫斷面，以與天然之橫斷面相較，由與計算得之橫斷面相仿之天然橫斷面，察其變遷，而將 C 值改正. 若平均水深 t_m 大於 1.5 公尺小於 6 公尺，則按赫曼克公式 令 $C=34\sqrt[4]{t_m}$，得 $t_m=\left(\frac{Q}{204\,m\sqrt{J}}\right)^{\frac{4}{11}}$，餘類推.

由此公式求得之 t_m，更可約知河流內可達到之[illegible]水深.

因洪水時期水深每甚充裕，而水面比降在此時期亦最均勻，故欲作精確之治理計畫，應自低水河床着手. 反之，工程之實施，則須自洪水河床開始，低水時亦最易求得最良好最固定之橫斷面. 橫斷面之優劣，可觀察河內水流方向以判斷之，若一橫斷面內各種水位時之流向差異甚微，則該橫斷面必多固定. 大河流之低水床多蜿蜒於中水床內，故祇求洪水及中水時之流向相同，洪水與中水旣同槽下注，則冲刷方向亦同. 若洪水床設計不善，則流向必差別甚大. 太寬之洪水床雖利於洪水之宣洩，但對於中水床與低水床則甚危險，故須築堤以束狹洪水床，制馭洪水，使與中水同向而流，惟不得危及上游堤防，故洪水皋之設計至關重要。

若欲河槽橫斷面固定不變，必須鞏固河岸，欲河灣內之岸固定，必須減輕冲刷.凹灣之岸多甚陡，冲刷愈深，傾陡亦愈甚.河灣之岸愈平，則漩渦亦愈少，對於船隻之航行亦愈無危險，故灣內之岸坡應求平坦.若欲岸坡平坦，必須減輕冲刷，此種措置，迫令凸岸增深，而使該處之淤沙冲動.凸岸在中水位下多甚平坦，緊接坡腳或即爲一沙灘，或沙灘與岸腳之間尚有一槽（情形惡劣之橫斷面類多如此）.故改造河床須使凹岸岸坡平坦，減輕冲刷，挖掘凸岸沙灘，使岸坡不過平.填平冲刷而成之深渦，可築潛檻，以沙土填塞潛檻間空地，此項工程之結果，多令沙灘被冲刷.河灣內之寬度，普通應避免其改狹，但或需要將其放寬，惟兩灣間多應縮狹，兩灣間長度與灣長較頗小，且有一灣直接轉入另一灣，而無過渡段（Übergangsstrecke）者，此處需要人工爲之造成一過渡段.

上述之考察，最好以圖表明之.河面寬狹之得當與否，及其對於沙灘位置之影響，如第38圖（一）及（二）所示.第38圖（一）示兩灣間河面狹窄，灣內寬大.第38圖（二）示其相反者.前者優，後者劣.在第38圖（一）可見航水道之由一灣逐漸轉向

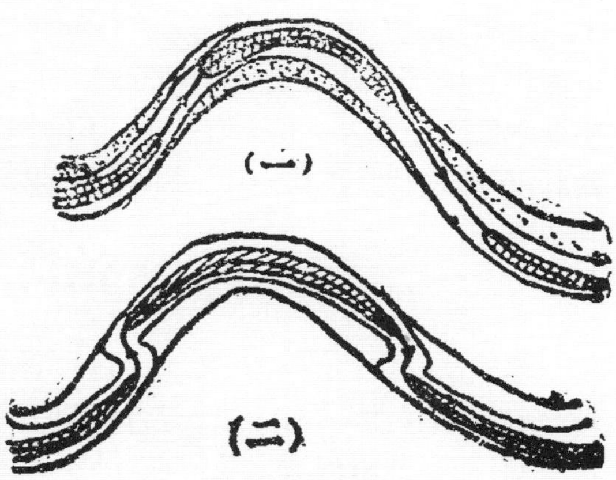

第38圖

另一灣，沙灘之位置亦頗規則，航行便利．第38圖(二)則不然．第39圖示河面寬度設計之[illegible]，每一灣內橫斷面，較上一灣內之橫斷面大，而較下一灣內之橫斷面小．每一兩灣過渡處之橫斷面，亦較其

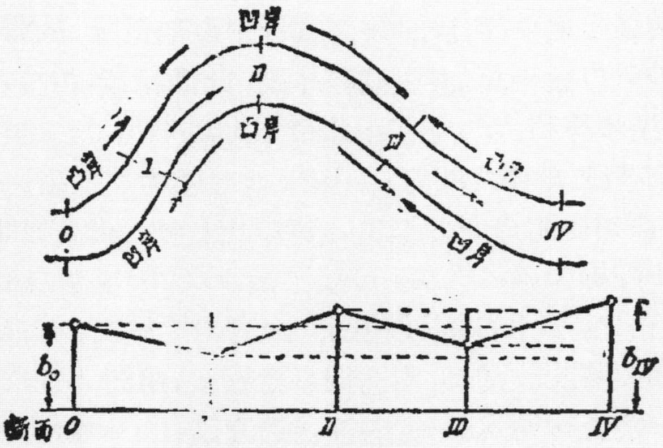

第39圖

上一兩灣間之橫斷面[illegible]較下一兩灣間[illegible]橫斷面小，且並較其上下灣內之橫斷面小，[illegible]亦不同．灣內小而兩灣間大．此圖合乎低水位或中水位[illegible]因地下水之流入向下游漸增者．此種設計，在洪水時意義[illegible]水時則須視[illegible]部情形而定．

第五章　治河方略

未經制馭之河流，[illegible]侵蝕河岸，流槽分歧，水流氾濫等現象，危害沿河居民生命財產，[illegible]此為甚．過去但知作無計畫之防禦，惟築堤是事，而不能阻河流之荒蕪也．洪水堤因漫溢而潰決，沿河有淪為沼澤之虞．因鑒於護[illegible]之不能為功，遂不能不從事於河床本身內消滅水勢，使其不足為害，其方略乃本章所擬加以論列者．

第一節　裁彎取直(Durchstiche)

天然河流之未經治理者，恆彎曲過甚，不獨有潰決之虞，且為航行之阻礙，故有裁彎取直之必要。伸直河道不當之為害，前已略為論及，此在不通航之河流，尚無大礙，在通航之河流內，影響行舟甚鉅。若假定裁彎取直後下游比降不變(實際上亦常如此)，則因引河內比降過大，影響上游比降，使之增加，其範圍可由水面降低曲線(Senkungskurve)求得之。然後將引河上游之河床橫斷面縮小，以適合新比降，該段內淤積之沙石被沖而淤於下游，下游受其影響，經年不減，勢必須加以疏濬，其費工甚鉅。故應考慮茍於河身過彎之處建船閘，是否較為得當，而不廢除河灣。

船隻過閘所需時間，可與不繞行河灣所省時間相抵。如河灣甚長，則且有利用水力之可能。譬如河流比降為 1：2000，若被裁去之河灣長 8 公里，則可得 4 公尺之水頭(Fallhöhe)，視設計之方式，約可利用水頭 3.5 至 3.8 公尺。

不通航河流內，尤以山溪內之裁彎取直工程，可開引河一窄道，而藉水力沖寬之。在通航之河流內，則多不可能。蓋一因流速不足，普通均不能於短時期內將新河沖成，復因河道分歧之後，舊河灣內流量減少，致使在工程進行期間，有停航之必要。故此種開闢引河，然後藉水流本身力量將其沖寬之法(Grabenverfahren)，即使水勢相當充裕，然為顧及航運計，亦不應採用之。

是故在通航之河流內，須用人工將全部新河挖成，俟工竣後，再行通水。地下水位以上之工程，可於乾涸中施行，或降低地下水位，俾全部工程得以在乾涸中為之。間亦可於中部挖掘一溝，溝深於引河之底，而使地下水位相當降低。溝之築置，則為降低地下水，或於水中用挖泥機施行浚渫(Nassbaggerung)。溝之比降，可小於引河者，此法至少可將引河上半部之水位降低，而將其引入下游河中．蓋其出口處河中之水位，至少相當低於引河上部也．因地下水量多不巨，故可令溝之比降稍弱．若引河短，則不能用溝降低地下水位，引河之兩端均不得鑿開，須用抽水機排水．

苟在達到地下水面以後，欲於水中繼續工作，則可將引河下游鑿通，俾挖泥船能以駛入工作．土工完成後，除護岸外，必要時用基檻鞏固河底，然後於洪水時鑿通上端横堤，此時冲刷之力最大，同時舟楫尚未復航，横堤之土冲至下游，雖不免有所妨礙，然必較於低水時將其鑿通，而任漸漲之水冲去者爲小．苟於廢河灣內築類似丁壩（Buhnen）之導水壩（buhnen-artiges Leitwerk），更可增加流入引河之水量（第40圖）．

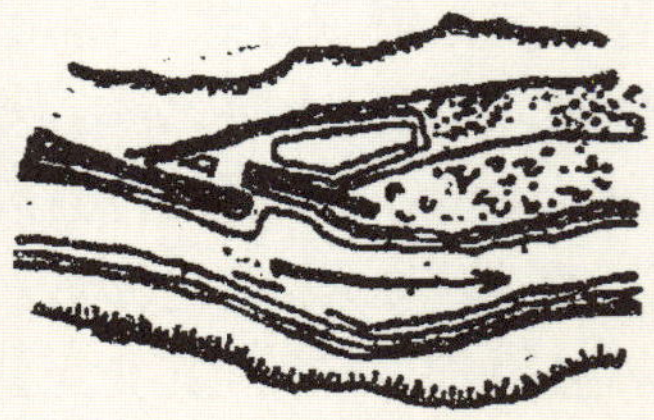

第40圖

第二節　河汊之處置（Flussspaltungen）

河汊不足爲害大河流之航運，影響小河流之航運則殊甚，故河汊之處置，與河流之大小及航行船隻之大小有關．

兹先作下列之計算，研究河流分汊後與未分汊前之情形，以作比較．爲簡便計，假定寬度與平均深度之比不變，即 $\frac{b}{t}=n$．並設支股與幹股比降之差别甚微，支股之流量爲 Q_1，流速爲 $V_1=C\sqrt{t_1\cdot J}$，則流量 $Q_1=F_1\cdot V_1=b_1\cdot t_1\cdot C\sqrt{t_1\cdot J}$．

式内係數 C 與 t 有關，揆諸普通情形，深度 t 多在1.5至6公尺之間，應用赫曼克之流速公式 $V=34\sqrt[4]{t}\cdot\sqrt{t\cdot J}$，則

$$Q_1=34\sqrt[4]{t_1}\cdot b_1\cdot t_1\cdot\sqrt{t_1\cdot J}=34\sqrt[4]{t_1}\cdot n\cdot t_1\cdot t_1\cdot\sqrt{t_1\cdot J}$$

$$=34n.\sqrt[4]{t_1^{11}}\cdot\sqrt{J},$$

所以

$$t_1=Q_1^{0.364}\cdot\frac{1}{(34n\cdot\sqrt{J})^{0.364}}.\qquad(21)$$

用他種流速公式求得者與此相彷.

實際支股之比降,常較幹股者爲小,但分歧點以上,匯合點以下,及分歧段內之比降,可加以治理,使無差別. 作上述之研究時,可假定各段之比降均等,故得兩變動數值間之關係,蓋其餘數值均爲不變者. 上式又可書爲

$$t_1=c\cdot Q_1^{0.364},$$

式內之 $c=\left(\frac{1}{34n\cdot\sqrt{J}}\right)^{0.364}$. 此公式適用於任何一段河流其比降爲 J 者,而與 Q 之大小無關,故可求出統一河槽內之深度 t,然後求分歧段內之 t_1 值,其流量約爲統一河槽內者之一半,若 $Q_1=\frac{1}{2}Q$,t 爲統一河槽內之平均深度,則得

$$t_1=c(0.5Q)^{0.364}=0.5^{0.364}c\cdot Q^{0.364}=0.5^{0.364}t.$$

$$t_1=0.777t\sim0.8t.$$

故河汊之大弊,爲其深僅及統一河槽內者之 0.777,約爲 0.8.

低水時水深殆均不足,爲便利航行起見,應塞支強幹. 且塞支強幹後,復有一優點,即僅須養護一河槽也. 惟須將保留之一股放寬,其應具寬度求得如下:

$$\frac{b}{t}=n=\frac{b_1}{t_1},$$

所以

$$b = b_1 \cdot \frac{t}{t_1} = \frac{1}{0.777} b_1 = 1.3 b_1.$$

故須將寬 $0.3b_1$ 之河岸一帶計入，但支股不知何時方能完全填塞以供耕種之用，掘出之土，祗能填塞其一部分，如兩股之大小不等，則以改造大股爲愈．支股填塞後，所得新地爲 $2b_1-1.3b_1=0.7b_1$．若河流大，則無塞支之必要，可建築其一股，使其於中水及低水時能通航，而另一股則利用之宣洩洪水．

若不能廢除河汊，則多於河汊之上下游建分水堤（Trennungswerk）．上游者之功用在分水，下游者在導兩股水流，使流於同一方向，避免兩股水流斜觸，而生漩渦，及沙石淤積．在兩股寬度與整個河寬相等處，即在理論上之分汊點，分水堤須終止．分水工程之尖端須平坦，漸降至河底，其根端則逐漸放寬．

若欲填塞支股，則應在支股之下端建築鎖壩（Sperrdamm），促速淤填，同時加高分水堤，使中水之小部流入支股，而大部則流經幹股，視支股淤積之程度，再將分水堤逐漸加高．鎖壩之工程，若分期加高，則洪水漫溢甚劇，壩腳須用沉排保護，兩端與岸連接處須周密，以防搜串．分期建築較一次築成爲佳，因河股淤填，可省壩腳寬度，且其上方亦不斷淤沙，而獲得天然之加強．若掘得之土方甚多，足以填塞支股，則可一次將壩築成．

堵塞支股，自有利於航行，惟在施工時，河內現象可能暫時轉劣，蓋保留股內之沙石，在昔本爲固定者，被冲移動，故須隨時準備加以浚渫，以維航道之深度及寬度．新洪水床可預爲築置，因其對於航行無甚影響也．廢股之上端，可建分水壩，以封閉其一部分，其高度在能納低水及中水於保留股內，以利航行（第 41 圖）．

第41圖

第三節　支流河口之治理

河口(Strommündung)當另章詳論之,蓋其受海之影響頗大,本節所述者,限於支流入注幹河之河口.

支流入注於幹河之處,避免河面過度展寬,故同注於一幹河之兩支流之河口如過逼近,有將其一遷移之必要.支流之比降例較幹流者爲大,將其河口移至上游,多爲可能.如支流與幹流在匯合處交切,則河槽放寬之段落甚長,幹河與支流應成一20°至25°之銳角,支河入注處之下游,常淤成沙灘,其故因兩河匯合處之河面過寬,在寬大之河流內,此項沙灘尚無妨礙,洪水時能冲去其一部分,河流小,則須人工疏濬,其費工也,自不待言,且不能一勞永逸,蓋濬後仍將復淤也.

第四節　湍流(Stromschnellen)

河床之土質不一,如某處土質較堅,則其冲刷自較緩,結果該處突然隆起,阻抑水流,增加水面比降,水流因急,形成所謂湍流.此項堅實隆起之處,多爲巖石,常爲航行之阻礙,該段河床比降,視情形良好段內者,差別恆甚大.苟將隆起之礁石炸去,勢必影響上游,使上游水位降落甚劇,致礁石逐漸露出水面,在未炸平前,並不影響航行者,今反成障礙矣.如河流大,可於礁石內鑿一航槽,其兩旁水面仍舊較高,船隻之馬力大者,尚可通過,較佳之法,爲於其旁開渠,並建船閘，以利航行，可不至於影響水流．或建壩並於其旁附船閘，且可利用水力．

第六章　河工材料及建築物

第一節　河工材料

1．石土料　治河工程所用之石料，爲砂礫或較大之石塊．砂不宜過細，流沙(Triebsand)更不可用．砂之外，亦可用黏土(Ton)及膠泥(Klei)，惟須防其溶解於水內，蓋黏土遇水，能於數小時內溶解成泥漿也．至於石之形狀，方者較優於圓者．河流之上游及中游，多在山內，石頗易得．各種天然石如砂石、石英石及石灰石等，在沒於水中時，並無何優劣之別．比重大之石，自較輕者爲佳．石塊之最小尺度可驗定之，平均可選直徑在5至8公分之間．

河流下游及河口，石塊之運輸途程較遠，故較昂貴，石塊多僅用以鎮壓梢工．

2．薪木類　河工用薪，其原甚古，遠溯於成周之際．歐美河工用薪，由來亦久．

所謂梢工(Faschinenbau)，乃用梢組(Faschinenbündel)建築而成．束細嫩樹枝成組，是謂梢組，組之根端粗約30公分，梢長不得短於2公尺，長2.5公尺者較佳，有長至4公尺或過之者．所用之樹枝，根端不宜粗於5公分，俾紮成之梢組，尚有相當之彎曲性．各種樹枝或灌木之枝均可用，最適用者爲柳樹、榛樹或赤楊等類．有刺之灌木不可用，以其易傷工人之手也．楊柳在生長之時砍伐，而即用之於梢工者，能生根滋長．其他木類則須俟枯時砍伐之，此時樹汁最少．欲判別闊葉樹砍伐時期之是否得當，可觀其有葉或無葉，及其有無葉苞．針狀葉樹可連葉用之．製梢組之樹枝，以採下即用爲佳，久則乾脆易折，若以根端浸於水中，亦可保存其嫩性．梢組相互以短尖之栓綁結，短樁上端粗約 8 公分，可用樹枝或細樹秒爲之，亦可毀木爲之．前者有滋長之可能，後者釘着較牢，樁頂則穿硬木釘．用於各梢層間之繩纜，或爲細枝擰成，粗 12 至 18 公分，今多代以兩股擰成熾熱鍍鋅之鐵絲，粗 1.2 公厘，第 42 圖示一梢組．較長者紮縛三處(第 43 圖)．

第 42 圖

第 43 圖

吾國埽工，素來用梢，迨後森林缺乏，梢料取給不易，而黃河埽工及河北省諸河爲埽，乃以高粱桿代之．用之者或帶根或不帶根，然泰半爲不帶根者．亦有用蘆荻者，名曰葦料．

高粱桿及葦，其質輕弱，易於蟄墊，故以是等物料所爲之埽，每年必須培修，耗費甚多也．細軟之草亦有用於梢工者，但以之塡心，而非單獨應用．

3. 紮料　紮縛梢組或梢龍（Wippen, Faschinenwürst），昔在歐洲多用柳條，分大小二種，小者長 50 至 60 公分，粗 0.5 公分，以紮梢龍．大者長 1.0 至 1.25 公尺，粗 1.0 公分，以紮梢組．近則多用熾熱之鐵絲代之，粗 1.2 至 2.0 公厘，細者以紮梢龍及梢組，粗者以紮沉梢．鐵絲均鍍鋅（俗稱鉛絲），以免銹蝕，亦有用石炭油浸透之蔴索者．吾國埽工所用紮料，舊爲綠蔴索，更有用葦草索者，近者鉛絲爲用亦廣，大抵用以紮縛木橛．

4. 橛　釘梢龍於梢工上用梢橛，長 1.25 公尺，粗 4 至 6 公分．沉排所用之橛，粗 4 至 6 公分，長視排之厚度而定．橛料宜用圓直之松木，鋪梢工則用嫩柳木橛亦宜．

第二節　梢工

第 44 圖

凡用薪梢構成之工程，謂之梢工。或就工地將其鋪填，所謂填梢（Packwerk）（第 44 圖），或潛梢（Sinklagen）（第 45 圖）。或於岸上以之製成沉輥（Senkwalzen）、沉梢（Senkfaschinen）或沉排（Senkstücke），然後於工地沉之水中。

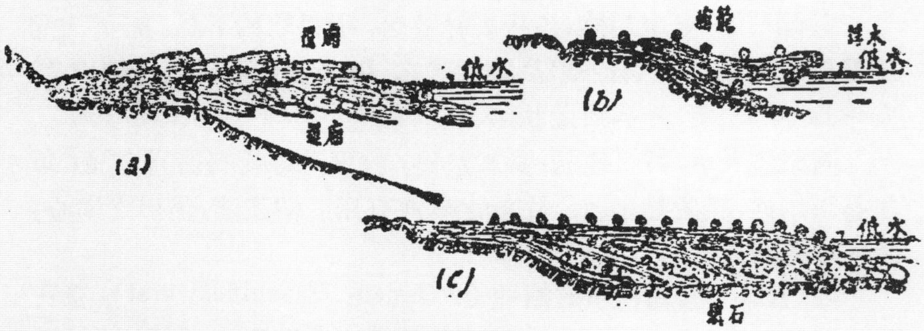

第 45 圖

護岸工程（Uferdeckung）有用橫鋪梢工（Rauhwehre）及縱鋪梢工（Spreutlagen）者，二者均為厚 10 至 15 公分之梢層組合而成，而用梢龍或鉛絲縛於打入之橛上。橛距 0.6 至 0.8 公尺，長 0.6 至 0.8 公尺。縱鋪梢工最好用新鮮柳條製成，因其能滋長生芽。其築置方向與流向正交，橫鋪梢工則順流向。

沉梢製於梢架（Faschinenbank）內（第 46 圖），將梢枝鋪於架內，兩邊築高，使成凹形，以沙礫及小石塊實其內，然後再覆以梢枝，用

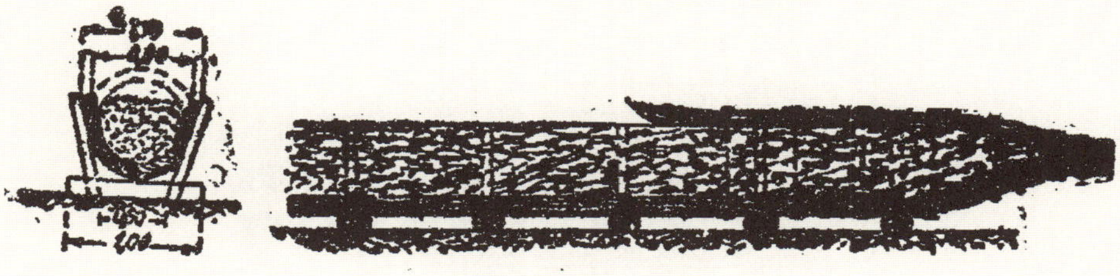

第46圖

第47圖

鉛絲紮縛，形同雪茄烟，兩端因不裹石，須將梢枝歸納紮緊．沉梢粗0.6至1.0公尺，長4至6公尺．沉輥之製法與沉梢同，惟甚長，製於岸上，已成之一端可沉入水中，而另一端仍繼續延長．設河底土質鬆軟，則沉輥着底不平，有折裂之虞．若須沉入數輥，則第二、三沉輥下沉時，須鋪板令其滑入適當之位置(第47圖)．

第三節　沉　排

沉排(第48圖一、二)爲方形，製於用沉排處之上游岸上．製沉排之平場，須具1:10之坡度．製排時先搭排座，鋪長方形木樑於地，方向正交河流，是卽滑道，其長如沉排之寬，相距各1.5至2.0公尺．次以圓木名曰輥子，加於滑道之上，順河流方向，相距各2公尺，輥子兩端，各打木橛一根，以防其滾動．輥子之上，又安放5公分

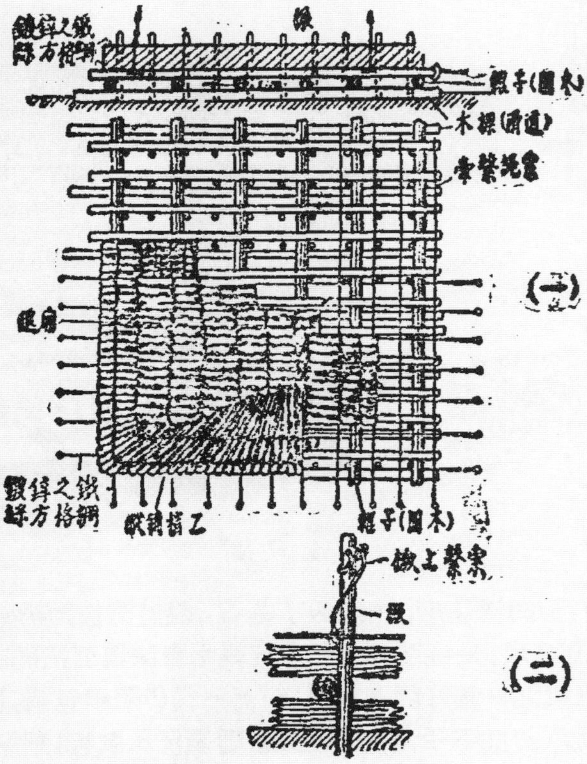

第 48 圖

厚之板條，正交輥子，相距各 1 公尺，輥子及板條均以長繩繫於岸上，俾排成下水時，不至遺失．排座既成，乃開始造排，先以梢龍，或粗 2 公厘之鉛絲鋪於每一板條上，其長須如排之全長．再以梢龍或鉛絲橫加其上，長如排之寬，相距亦 1 公尺，構成正方格網．於梢龍或鉛絲之交叉點打橛一根，橛頂繫蔴繩，其粗如指(第 48 圖二)，一端紮縛於鉛絲交叉點上．於是開始鋪薄梢組，先橫向，次縱向，根端向外，約厚

0.6至1.5公尺.若梢已鋪足,再以梢龍或蒲絲髒成方格網於其上,使其十字交點,與排底方格網之十字交叉點,上下相當.於是拔去排橛,將繫於橛上之繩,紮於上層方格網之交點上,將沉排紮成一體,紮緊時,工人須同時用足踐踏.排之周圍,編籬一匝,俾拋石使之下沉時,不至因排之傾側,石塊墜入水中.沉排旣成,將其拖入水中,浮至工地,四週鈎着於船上,拋石壓之下沉,其下沉也,須四方均匀,不得偏側.欲排之位置合乎規定,繫排之船須拋錨.拋石之法,先同時拋入周圍編籬內,迨沉至水面時,乃漸向排心拋石,同時鬆解吊纜,待沉着河底,速再拋石,以免沉排位置爲水流所冲動.沉排有寬長至100公尺者,過於寬大之沉排,須於水面浮筏(Floss)上製造之.

第四節　沉　樹

沉樹(Sinkbäume)爲暫時建築物,功能促成淤積.又有俄福(Wolf)氏浮壩(Wolfsche Gehänge)者,其效亦若(見後).沉樹不去葉,其根端連於混凝土塊上,以之沉於河底(第49圖),樹身浮蕩水中,使附近水流速度銳減,挾沙力降落,砂礫下沉.

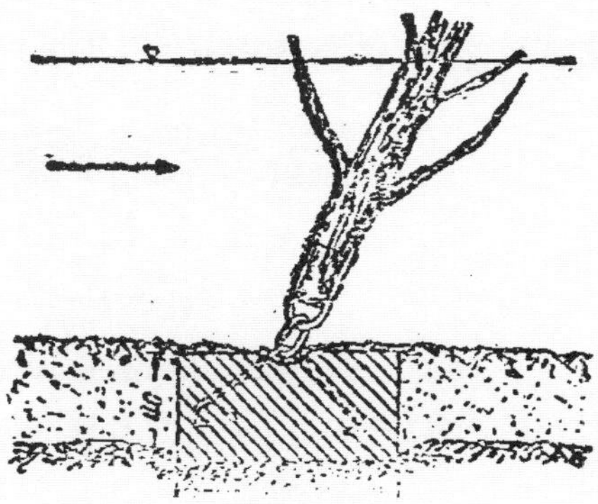

第49圖

第五節　浮壩

俄福氏浮壩之原理,與沉樹同.於河內打樁,樁距2至3公尺不等,於低水面高度張以橫木,而於其下懸梢組,必要時建雙浮壩(Doppelgehänge),則其外行木樁,可支於內行木樁之上,俾能禦洪水之衝擊,水深或洪水大,建雙浮壩,尤爲必要.

第六節 潛梢

潛梢爲深水中丁壩組織之一部分，丁壩之建築方式，當詳下章。潛梢與沉排相類，惟非製成後浮至工地，乃就工地築置，用沙石加重，使沉着河底。一端連岸，於岸內掘坑，埋設梢根，每層梢組厚約0.6至1.0公尺，而由一前進廂梢（Vorlage）及一後退廂梢（Rücklage）組合而成，用梢龍盤鑲。在鋪設廂梢之時，載以浮木（Schwimmbaum），潛梢日後陷落之尺度，約合其高度之十二分之一。

第七節 編籬（Flechtzäune）

編籬之用於河工者甚廣，以長0.7至1.5公尺，粗6至15公分之木橛，打入土中，相距0.3至0.5公尺，以柔韌樹枝編籬其上，高0.3至0.6公尺，深入土中至少0.25公尺。橛與樹枝均應用生嫩尚能滋長之木（例如柳樹）（第50圖）。

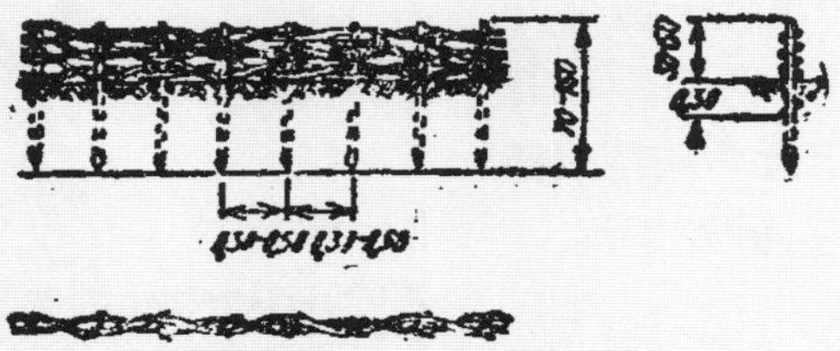

第50圖

第八節 梢龍

梢龍之長度無限制，粗0.1至0.2公尺，用柳樹枝紮成，每隔0.25或0.33公尺，用粗1公厘之熾熱鉛絲紮緊。枝之根端均藏於內，製於梢龍架內（第51圖）。每隔0.9至1.0公尺樹二樁，一斜一垂直，交叉之處，紮以鉛絲。梢龍須趁尚能滋長之時用之，穿以粗0.06

至 0.10 公尺，長 0.6 至 1.5 公尺之樁籤，使釘着於梢工上.

第 51 圖

第九節　鐵絲籠，石籠，竹籠

鐵絲籠乃用粗 2 至 4 公厘之鍍鋅鐵絲編成，孔寬在 15 公分以內，籠之大小，視建築物之大小而定. 石籠則以粗枝爲骨子，用梢料編成籠形，用於水流荒蕪之河道內（如山溪、荒溪）. 吾國河工有用竹篾或柳條裝石者，製殊而用相仿.

四川都江堰所用之竹籠工，所用之竹料爲質最柔而堅韌之白甲竹，捶破爲篾，編製成籠，長 10 公尺，直徑 0.567 公尺，環篾寬 0.06 公尺，順篾寬 0.05 公尺，孔徑 0.22 公尺，每籠約用竹料 130 斤，捶花削節，均有損耗，籠成約重 85 斤. 將空籠安置施工處，納卵石其中，使滿. 此古法築堰工程之一，以其取材甚易，且有彈性，受水壓力不大，可由孔隙穿漏. 以若干籠連接堆置，即可作成任何形狀之攔水埂、滾水壩、既壩等工程.

考竹籠工在二千年前即已發明，漢建始五年，河決東郡，氾濫兗、豫四郡三十二縣，沒官民屋舍四萬所，延世以竹落長四丈，大九圍（手圍），夾小船載小石治之，三十六日堤成，帝嘉之，改年曰河平，封延世關內侯，拜光祿大夫. 第 52 圖示竹籠形狀.

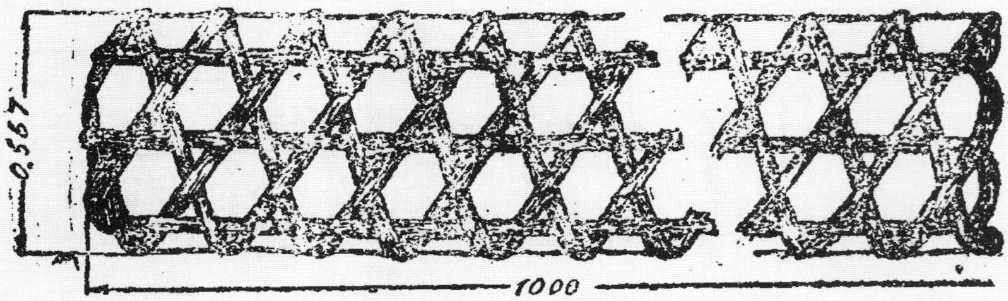

第52圖

第十節 插枝種草

於春季翦柳枝，粗1至2公分，長0.4至1.0公尺，插土內，距離0.15公尺，能生根滋長，數年後即能發揮防止冲刷之功效。或插之成行，斜當流向，或插之成圈，圈之直徑約0.6至1公尺，或散亂插之均可。

以草皮鋪岸坡上，在未生根前，應防爲水所冲，草皮鋪後二年，方能抵抗水流之冲襲。

第七章 河工建築物之種類及構造

第一節 概 要

河工建築物可分爲三大部分：

1. 固定之束取建築物，如丁壩及順壩(Parallelwerke)等是。
2. 活動之束取建築物，如浮壩、浮樹等是。
3. 掩護之建築物，如護岸及護底工程是。

第一類固定之束取建築物，如丁壩、順壩、潛壩及鎖壩之建築地，或原爲變動者，或正欲藉此種建築物以使之變動，多在水中，故宜用能堆積或能沉入水中之材料(石或梢)爲之．缺石之處用梢，惟應於可能範圍內用石．梢類宜用於活動之束馭建築物，但河口之工程，常爲例外．

石堆者能持久，梢建者則否，尤以在挾沙量甚富之河流內，梢工易爲沙石所嚙蝕．

第二類活動之束馭建築物，爲浮樹及浮壩，乃暫時之建築物，達到目的後，常可將其除去．

第三類掩護之建築物，在保護河岸及河底，使不爲水流所侵襲，又可視爲束馭建築物之善後工程．因束馭而獲得新淤之地，更須加以保護，蓋其抵禦水流冲刷之力，較舊岸爲弱也．

第二節　丁　壩

1．概要　丁壩爲用石堆或梢建之堤，一端連岸，橫梗水流之中，藉以束狹河槽，其功效見於壩田(Buhnenfeld)淤填之後，是時岸線已前移至壩之首端．新築而未淤填之丁壩，阻抑水流，有如橋樑．壩首之間，水流增速，流過壩首間後，向兩旁展流入壩田內．在水流甚急之山溪內，建築丁壩，不能收效，河心且有淤成沙脊者．故建壩之目的，必俟壩田淤滿新岸線成立，方可謂爲達到．壩之長者愈於短者，蓋後者對於淤土無充分之保障也．故丁壩多建於能容長壩之處，而與新岸線之位置有關，均在凸出之一方．丁壩之距離，或選爲新河寬之兩倍，俟淤至相當程度後，再於其間添築一壩．或即令壩距與新河寬等，當視河流情形以定之．若預計淤填必速，可選前法．添築於兩壩間之新壩工程，因不深，亦較省工，此添築之新壩，足以加強淤積並鞏固之(第53圖)．

丁壩之位置，可向上游，正交河流，或向下游，即所謂上挑丁壩(Aufwärtsbuhnen)，正挑丁壩(Normalbuhnen)及下挑丁壩(Abwärts-

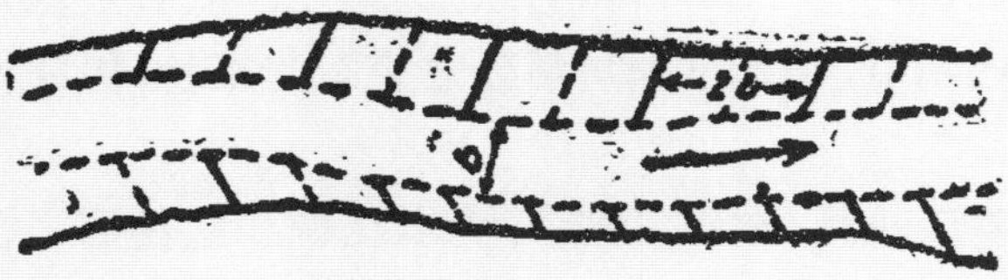

第 53 圖

buhnen)是也.普通以上挑丁壩爲最佳,其於河底之作用較溫和,溢流之水,趨向河心而不冲岸,故河岸所受侵襲較下挑者爲小.但壩端之冲刷較深,惟工程之目的,乃在使其有巨大之功效,建築物本身之利害,乃其次要者.特須時加防護,使壩身不至損壞耳.上挑丁壩雖爲普通所採用者,惟亦有例外,而須採用下挑丁壩者,設河岸堅固,足禦水流之冲襲,而河底過硬,必須藉較大之水勢以冲刷之,則拘泥成規,實爲謬誤.

由上一壩首至下一壩首間,水流之面積,並非在壩首間縮小,至壩田中部展寬,在下一壩首間復又縮小.水流乃在壩首下方向旁展流,流過壩田後,觸及下一壩,折而向岸,在壩田內成爲迴流(Rundströmung)(第 54 圖),此種迴流乃淤積之原因,無此則淤積絕不可能,迴流同時又足以消減水勢,非僅丁壩之束狹水流,壩田內發生漩渦,造成較大之糙率,具治河之功效也.

第 54 圖

深渦之後,淤成沙脊,與下一壩連接(第 55 圖).沙土流經深渦,沿沙脊移動，而淤於壩田內．據德國恩格思氏試驗，深渦沙脊，對於促進壩田內之淤積，均有極大之影響，惟壩首端之深渦，若互相連接，則殊危險．蓋壩首前成一深溝，溝內流速較大，對於船隻，發生一種吸引作用，船隻有觸壩之虞，可築固河底以防止之．恩格思所作丁壩試驗之結果，可歸納如下：

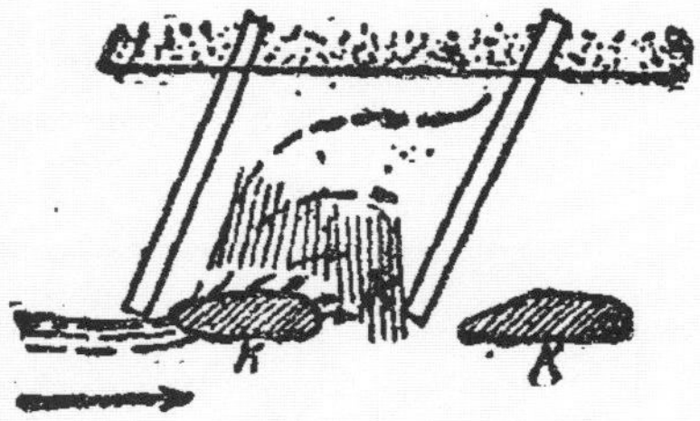

第 55 圖

枯水之時，越壩之水不多，壩田內淤積之處，偏於河心及下方，洪水時淤積之處，則偏於河岸及上方．因洪水時期淤積之沙，其移動於河底上者，乃由上一壩首流入，故不致為低水時冲出而在中水時加高之沙脊 R 所阻．至中水時沿壩下方冲成之溝，則又造成下次洪水時之淤積．冲成之溝，對於壩首安全固有害，對於淤沙則有利云．

上挑丁壩在護岸及淤沙方面，均優於正挑及下挑者，後者越壩之水，趨向河岸，危害河岸最甚，同時淤沙功用甚微，獨壩首冲成之渦較淺，然究屬弊多利少也。

在直河身內，丁壩之距離，不宜大於治理時規定之低水面寬．

壩首之深渦，有利於洪水時期之淤積，若固築壩首河底，杜成深渦，則壩首以平坦者為有利於洪水時之淤積．苟壩首能冲成深渦，則壩首之形狀，對於洪水時之淤積，並無關係．

多數治河計畫，今均以低水位為標準，蓋是時航行受阻最甚，丁壩工程可自舊岸伸至低水抹線(Streichlinie bei N. W.)，壩首高與低水位齊，然後漸降至河底，愈平坦對於航行愈有利．

2．丁壩之種類　丁壩之根端，須深埋入岸內，俾雖在洪水時，亦不至為水流所搜串．埋於岸內者為壩根，大河流內之丁壩，其壩根有長至 40 公尺者，普通長 3 至 5 公尺即可，第 56 圖示石建丁壩，由

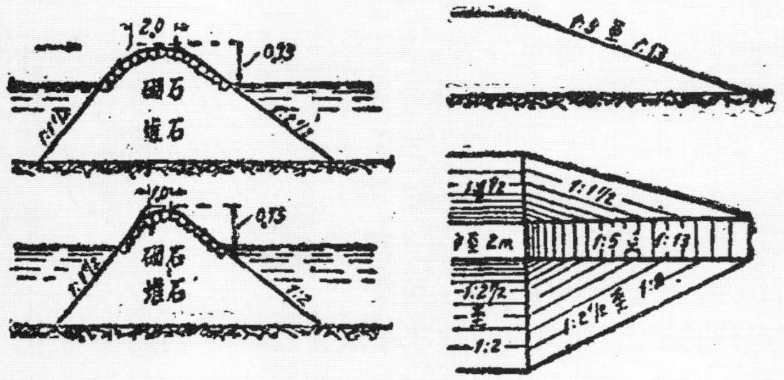

第56圖

此圖可見丁壩從下游之一方，均築置較強固，蓋其在水流漫溢時，易受損傷也．壩首之坡度，肯繫於河流之比降，比降弱，可取1：5，比降強而河槽橫斷面不一致，可降至1：15．砌石較堆石爲能持久，尤以在結冰時，砌石較爲安全，石塊不至凍結水內，而隨流漂去．砌石層當力求其深入水中，下水方壩首附近，常須用沉輥保護，並拋石護底，或於壩前置沉排，以防冲成深渦，間亦可以砂礫代石塊，用砂填築壩心，但須用砂礫或石塊鎮壓之也．

梢建丁壩，其施工普通較爲艱難，先於岸內掘壩廂(Buhnenkammer)(第57圖一、二)，由廂內鋪出第一層前進廂梢，厚30公分(第57圖三、四)，是爲第一層浮梢、前進廂梢之上方，祇見梢之根端．第57圖(四)、(五)僅示浮梢層之下半部．由前進廂梢前端向岸鋪後退廂梢，其上方僅見梢之杪端．第一層浮梢用梢龍盤鑲繫於樁上，然後以砂礫壓之下沉，再於其上鋪置第二層，於是得第57圖(三)所示之形狀，是時丁壩尙未完成，一部梢層已沉着河底，一部尙漂浮水中．第57圖(五)示丁壩已完成，壩脚用沉排或滑梢特別保護．築時須用手搗實，俾其充分實密，惟不得穿壩打樁，免失其活動性．

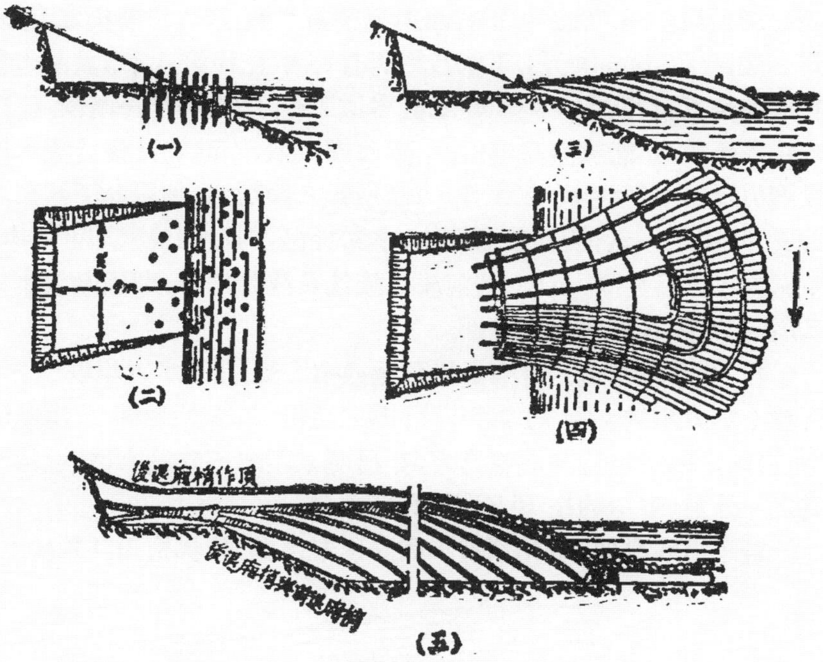

第57圖

施工前須詳測壩基，以便確定潛梢各層之尺度．有於丁壩上栽種者，因根株之盤結，使壩頂特別強勁．苟植物修剪整齊，則栽種亦有利．但持異議者，則謂其足致使淤積之不規則云．

河流含有大量泥沙，而河床易於變動者，宜用透水丁壩，以納泥沙，且因透水之故，雖當急流，而所受水壓不若不透水者之大．

在河流下游，情形雖異，而用丁壩收效亦宏．例如阿特馬斯(Atmath)河，在1890年尚浚泥95,000立方公尺，藉同年興工之丁壩工程，束水刷沙，自1896年以後浚渫工作，幾完全廢除．德國水工專家方修斯(O. Franzius)氏根據治理維塞爾(Weser)河之經驗，亦以丁壩之應用範圍，不僅繫於比降，而與泥沙量有關．雖方修斯氏之意，以爲在潮區(Flutgebiet)內，丁壩乃絕對有害者(見後第八章)，其說亦曾驗於通至鹿特丹(Rotterdam)之新水道工程，然究不可一概論．苟暫時用之得當，亦能收淤高壩田，冲深河槽之效，而減輕日後於深水內建築導堤(Leitdamm)之工作．方修斯氏之論斷，有加以如下補充之必要：河川之大者，因橫斷面縮小，水勢耗蝕，對於潮浪（Flutwelle）冲刷力之影響甚微，反之，若河流之流速及流量均小，則因潮浪水勢之削弱，能使其冲刷作用降低．

3．潛壩之種類　潛壩多用石塊或梢建築，其下水方坦坡(1：3)常較上水方坦坡（1：1）爲平．潛壩之功用，在填塞深潭，故橫梘河中，由此岸以達彼岸河底復高之處．潛壩之距離不宜過大，普通爲河寬之一分數，平均約在15至20公尺之間．

若用梢建潛壩，則先用短小沉排填最深處，用沉梢覆其坦坡上，

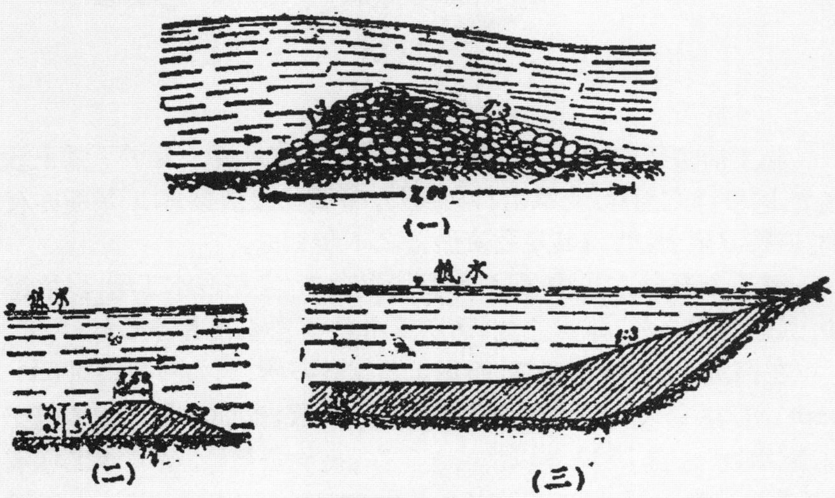

第58圖

並逐漸將沉排放大．專恃潛壩而不用泥沙填兩潛壩間時，其效不宏。潛壩之上水面抬高，設兩壩間河底未完全淤高，則其間水面又降低，[illegible]潛壩爲[illegible]淤河底之一種鞏固工事，欲水面抬高，惟藉填土．[illegible]河內所建潛壩之距離，爲河寬之$\frac{1}{5}$．潛壩之頂，須低於[illegible]30至50公分，俾所拋之石，如有豎立者不至突出河底．維塞爾河內所建之潛壩，由岸向河心具有1：40之坡度．

潛壩功能淤滿深潭，其築置法有二：或分層築置，隨河底之填高，逐漸將壩加高，或一次築成，再事後填高．前法較爲經濟，第58圖示潛壩之正面及橫斷面．

第三節　順　壩

1．概要　若丁壩之間已淤滿，新岸線已成立，則有加以保護之必要，可沿新岸線築與河流平行之建築物，此項平行於流向之建築物，亦可無丁壩而單獨建築之，是爲順壩．若急於收治導之功，則不能待壩田之淤積，須令河心流動之水，與壩及岸間不流動者隔離．如順壩工程着重於低水時期之治導，則其頂須高出尋常中水面20至30公分．壩根須妥埋岸內，以防搜串．在無水漫溢之時，壩上端水面，約與壩下端河內之水面等高．設河流比降爲1：2000，順壩長500公尺，則在上端壩內方水面，約較壩外方者低0.25公尺，此種水面高差，可於順壩與舊岸間建築格壩（Querbauten）以減小之，蓋順壩

第59圖

俾具有相當之透水性也．格壩又能阻水量較高時，壩後冲成深溝(第59圖)．順壩後淤沙極緩，蓋流動於河底上之笨大石礫，不能越壩流入壩後，但以他處挖得之沙土填壩後，則甚合宜，因其不至被冲去也．

順壩後之淤積可設法促進之．法於順壩內緊接格壩之下方，留缺口，俾水能流入，其效甚著．

2．順壩之種類　順壩以堆石築成者，爲最佳並最能持久．築壩之碎石塊，可由船上或架上傾入水中，內部用細石料，外殼用粗者．在通航之河流內，宜用石砌，惟必須俟壩身陷實後，方可鋪砌．壩頂寬度，多爲1至1.5公尺，靠河坦坡1：1.5至1：3．若工程分年進行，可減工費，第60圖示工程分三期進行，一部分工程，聽其自然淤高．

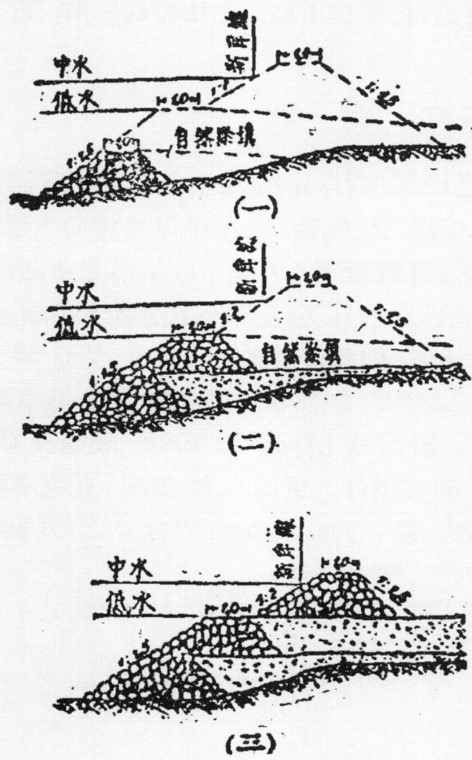

第60圖

第61圖示順壩之橫斷面，壩心爲細石料，外殼爲大石塊．

梢建順壩多用沉梢，惟須注意築壩後，低水位是否將降低，若然則梢枝之腐敗甚速也．苟新岸已成立，並經保護，則梢枝腐蝕不足爲害，特其陷落較劇耳．

順壩與舊岸間之格壩，俟於順壩落成後築置之，其靠順壩處之頂高，或與順壩等高，或較其高20至25公

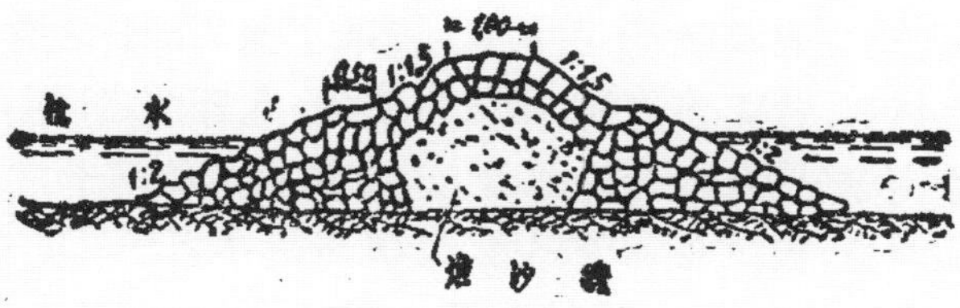

(一)

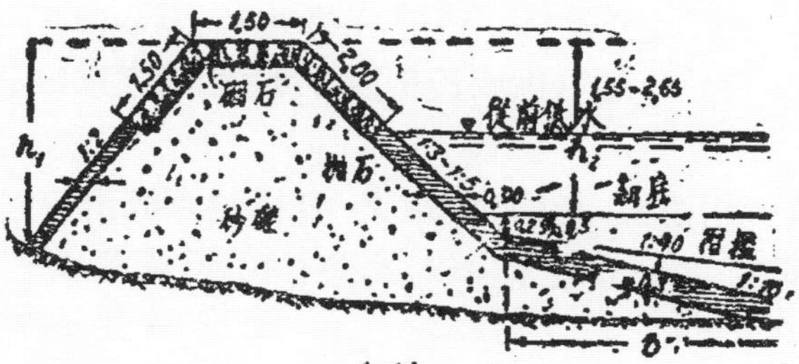

(二)

第 61 圖

分，由河心向舊岸漸高，約具1：100至1：30之坡度．格壩須深入岸內，但不得高出河灘，設水不深，則無用沉梢之必要．水深在0.8公尺以內時，可令工人着不透水之橡皮衣，入水工作，用塡梢建築，其工作之進行，與在乾涸中無異．

第四節　活動之束馭建築物

1．浮壩　上節所述治河工事，多少含有強迫性質．活動束馭建築物之創作者，德人俄福氏有見於此，曾作以下之評語曰：「由固定束馭建築物與流水隔絕之死水，祇能局部淤積，且其淤積甚緩，大部分沙石或沉澱物，仍沿丁壩首或沿順壩流動於河槽內，致令河床局部淤高，或冲深．結果比降或減或增，並使水流蜿蜒於兩岸之間，淘刷束馭建築物，甚或淤塞河槽，以至旁決」．固定之束馭建築物，見效旣緩，需費亦鉅，活動之束馭建築物則輕便省費，爲效甚速，實爲吾人所迫切期待者也.

活動之束欵建築物,不着河底,無礙水流與沙石之宣洩,河工上用之,歷史甚久.昔賈魯治河,用沉舟之法,人皆稱之,用以代壩而逼水,彼時故河業已通流,但決河勢大,水流多於故河十之八,又適當秋漲,洄流湍急,因沉舟爲壩以逼之.沉舟逼水之法,亦曾見用於德國之薩爾(Saar)河,公元1774年薛麥爾(Schemerls)氏用沉樹堵塞多惱(Donau)河之廢股[1],1878年格帕特(Geppert)氏用厚板擋水,以冲去沙脊[2],迨後俄福氏創製浮壩,活動之束欵建築物,始具體化.

製浮壩所用梢組,粗約30公分,在根端束成兩股,梢端則爲一股.以粗約8至12公分之木兩根,貫穿各梢組,使連成一排(第62圖至第64圖)寬約2.3公尺,梢組長約4公尺.繫梢排之樁平行於抹線,樁距2.5公尺,離岸3至4公尺.樁粗約0.20至0.25公尺.微露於中水面以上,以免洪水時被冲而損壞.用鉛絲將梢組羈縛於樁上,高與低水面齊.梢端從岸(第65圖),每隔二孔空出一孔.浮壩所以能收淤沙之效者,其故因水流橫斷面積束狹之處,水面必壅

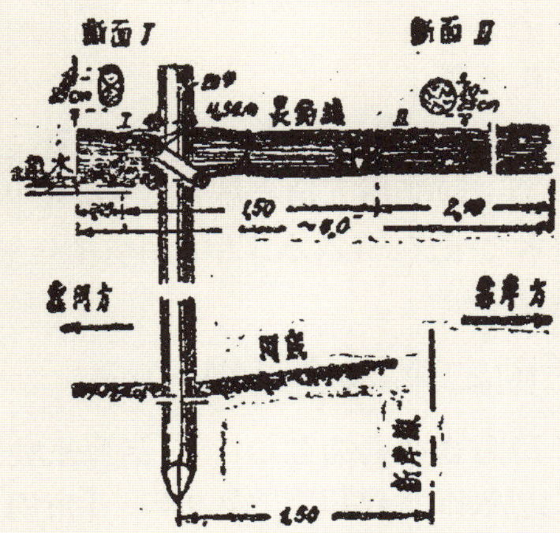

第62圖

註(1) Kreuter: Der Flussbau, Handbuch der Ingenieurwissenschaften, III Teil, 6 Band, S. 140.

註(2) Kreuter: 同上, S. 136.

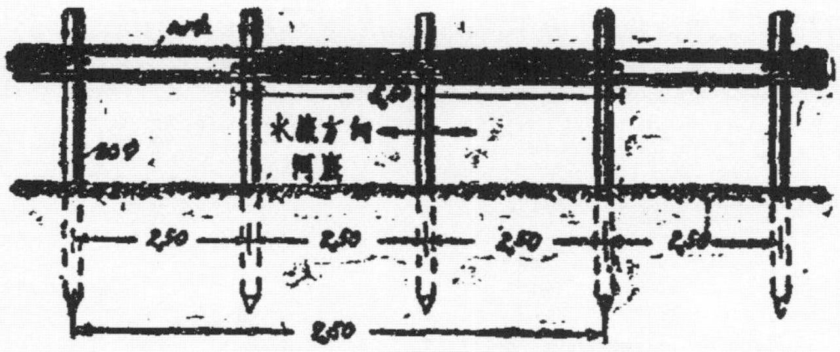

第 63 圖

第 64 圖

高，此種現象，在打入木樁時，卽已見之．懸於樁上之梢組，漂浮水內，其位置最初爲水平者，逐漸因沙石之加重，梢端低沉，爲流水所搏而微震．因水流橫斷面積繼續減小，壩後水流亦減，而壩前之水面被堵抬高．浮壩前後水面旣高低懸殊，故壩前後河底刷深，被壓流入壩下之水，因

（一）動能耗蝕，

（二）須克服與梢組間之摩擦，

（三）觸於壩後較靜之水流上，

（四）流向改變，

（五）溜勢削弱

等種種原因，流速銳減，所挾沙石遂沉澱於壩後．因每隔二孔空出一孔，故沙石多由此孔流入，而停於壩後，於短時間內將其淤滿．設水流過急，則須靠岸再打樁一行，以支持前行，兩行樁之距離爲 2.5 公尺（見第 64 圖）．

淤成之新岸線，不必急於加以鞏固．宜待其成立固定不變之狀鎚．繫梢組之樁，如位置得當，則淤沙之地位，不完全靠近新岸線，尙有餘空，足以砌石護坡．第 65 圖示新岸成立之各階段．圖（三）內新淤之岸，已用塡梢或橫鋪梢工保護．圖（四）內新岸已成，因新橫斷面縮小，故新岸前河底刷深．

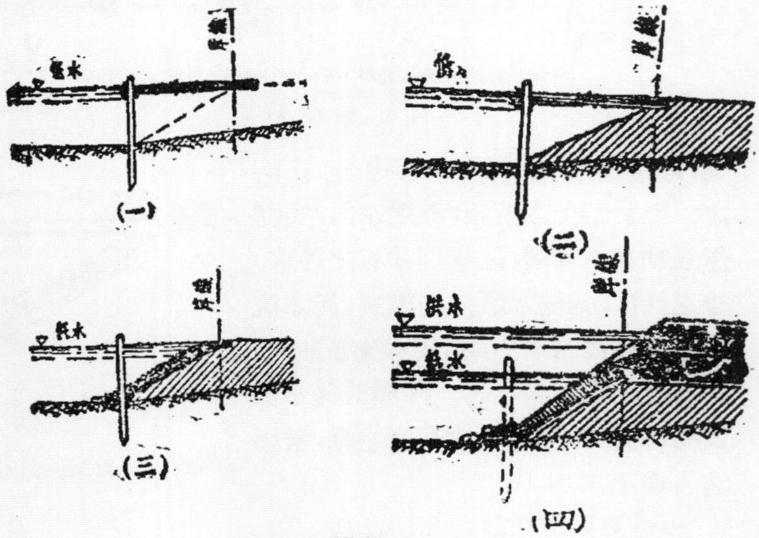

第 65 圖

浮壩之功用甚多，不獨能淤沙，且能導流．建築固密之浮壩，尤以與導水堤或河岸連接時，能影響一相當段落內水流之方向，可以之暫代導水壩，予水流以相當之引導，迫其捨棄原來流向，並冲去附近沙灘，是爲「導水浮壩」(Führungsgehänge)．

河岸之漸就頹毁，而僅須權加保護，以杜其繼續坍塌者（譬如該段之治理工程，興工在卽，或乏款一時無修築之望），則築「禦浪浮壩」(Abweisgehänge)，類能收效．可自岸起斜向打樁一排，以橫木密張之，下懸梢組，阻水流使不能近裂岸，此項禦浪浮壩，不可築置過長，如破壞岸線甚長，可分築短壩，如屛幕狀．禦浪浮壩多築於河之凹岸，藉以緩水勢，常無淤沙功用．因當溜衝，故不可過長，否則侵入壩後之水過多，而失去其防禦作用．

浮壩淤沙功效最著之處，在河身由直入曲，或由較良好段落入於荒野段落處．水流掠浮壩而過，流向與之交成銳角（在上端僅有數度），愈向下游，角度愈增，淤沙之效能亦愈減，至 30 度左右，其效全失．浮壩之長短，關係甚大，應長若干，甚不易作數學上之規定，蓋河道之情形及大小不同，築置浮壩之目的不一，築壩處局部情形各異也．過長之壩，例應避免．在河岸與浮壩復又靠近處，必須停止築置，否則流入浮壩後之水，因壩後流槽縮狹，被束奪縫流出，自不免刷深壩後河床矣．第 66 圖示一浮壩及預測之壩後淤沙程序，先築至 *A* 點，俟淤至 *A* 點後，再展築至 *B* 點．

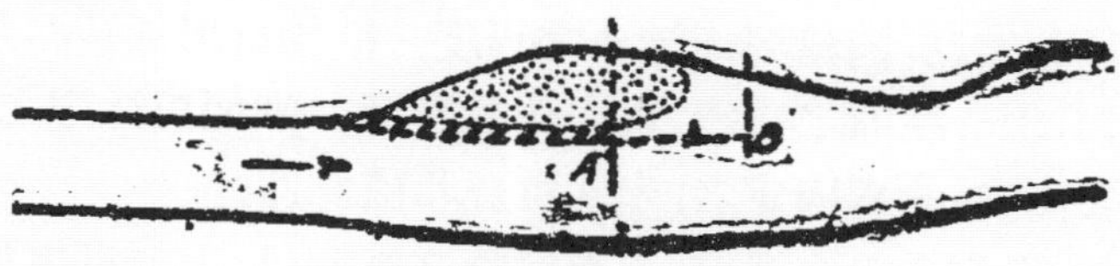

第 66 圖

浮壩之活動性雖大，淤沙雖迅速可靠，然欲用之得當，亦非易事．凡溜勢湍急，水深過大之處，及河灣凹岸，新闢引河下游，均不宜用之．他若在洪水來勢過驟，石礫粗大之山溪內，泥沙少而細之平原河流（Flachlandfluss）內，冬季結冰及水運頻繁之河流內，浮壩皆不合用．

俄福氏浮壩之缺點，在所懸梢組之高度及位置，不能加以調節，而河流內所挾沙石之性質，亦足影響其功效．設河流內所挾沙石量不甚大，則壩後沙石之淤積必緩，設水內所含泥沙復甚衆，則泥沙滲入梢組內，將有過速之虞，在是種情形下浮壩之設計，須經久而不改變其作用．設流量之變動甚劇，洪水時期甚久（發源於深山之河流，夏季洪水由於冰雪之熔解者類如此），則浮壩之設計，須能適合流量之變遷，換言之，即須維持壩前水位於某一範圍內，於是有第 67 圖所示之設計.

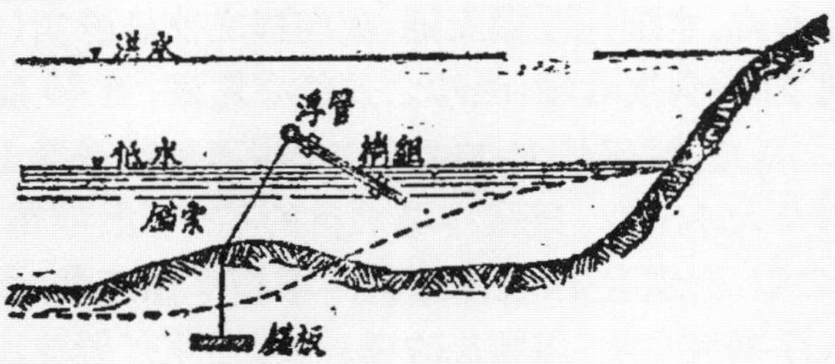

第 67 圖

壩前抬高水位，繫於壩之方向，即壩與流向所成之角度，流量及水流橫斷面積，因建壩而縮小之程度. 欲維持壩前抬高水位於某一範圍內，須令浮壩之構造，為完全活動者. 俄爾氏浮壩之樁，及梢組懸掛之高度，均為固定者，未能符合此種條件.

第 67 圖所示之浮壩，具有完全之活動性，其設計復着重於減少冰澌危害及航行阻礙. 俄爾氏浮壩之建築時期，受氣候之限制，必須俟凍解後，始能着手進行，並希冀能趁冬季復臨前，收得充分淤沙之功效.

第 67 圖內所示之浮管，亦可用透石炭脂之木塊代之. 浮體之升降，可收放纜索以操縱之. 必要時可使降貼河底，惟木塊損壞，能影響其上浮性，又錨索之長度，亦有一限度，其能適合水位變遷之範圍，因之亦定，過長之錨索，升降範圍太大，足以影響浮壩之功用.

避免冰澌危險之途徑有三:

(一) 令結構相當堅固，使在低水面下仍不失其功效.

(二) 令結構相當堅固，使降着河底，能禦冰澌之侵襲.

(三) 在冬季結冰前，將受危害最甚之部分(尤以梢組)除去.

上述之第一法，決不能抵禦過強之冰澌．第二法不能抵禦河底冰(Grundeis)(挾沙量多時更易結河底冰)．第三法於結冰前除去受危害最甚之部分，而於凍解後復裝置之，使工程費用增加，並在冬季不能收淤沙之效．

綜觀上述，僉知浮壩不能完全避免冰澌之災患，是否有方法避免之，尚屬問題．故在結冰之河流內，似以用固定之束馭建築物為最可靠．

2．浮牐　浮牐(schwebende Schützentafel)之功用與其他活動之束馭建築物同，可以升降以適合水流之漲落．俄福氏曾於德國之易薩(Isar)河內，採用梢製之牐，惟梢製之牐，在水中愈久，升降愈不易，總之在水位漲落頻繁之河流內，不宜用之，而於門內存泥沙後，其作用近乎固定之束馭建築物，故不若用升降較靈活之木牐．木牐用鐵索懸於樁上，並加重使沒於水中，此種垂直之牐，功能隨合水流，以改變其作用．

活動擋水牐主要之優點，為能適合變遷之流量與沙石量，不至存沙，故壽命較長．因位置能加調節，故能完全適合河流情形，不至危害航行，不繫於河底性質，是以適用於沙石甚細之段落內．惟水流由牐頂漫過時，能冲成深渦，所需樁架，甚為笨大，因之其應用範圍，乃受限制，且在結冰之河流內，牐雖能除去，而樁所受之危害甚大，勢不得不加強樁架之結構，故在結冰之河流內，不宜用之．在洪水來勢甚驟之河流內，用之亦不無危險，蓋水位過高時，不易操縱牐之升降，而全部工程遂不免被毀於洪流也[①]．大凡此種能以升降之建築物，恆須加以嚴密之守望，擔任此項工作之人員，須經過訓練，並謹慎可靠．

公元1906年，法國工程師奧杜安(Audouin)曾於羅瓦(Loire)河中邁因(Maine)河口之上游3公里處，試用浮牐，因該處河床中心淤沙過甚，兩旁水深過大，因之在低水時，兩灣過渡處水深祇達0.50

公尺，航行不得不中斷．奧杜安建平行於岸線之牐，計長54公尺（第68圖），工成三月後，經過一次春汛，河底冲深達1至1.5公尺，其範圍約寬60公尺，沿牐成立之航槽（Fahrrinne），水深最低約在150公尺以上，惟當水大風急之時，舟楫或不免觸及牐身也．

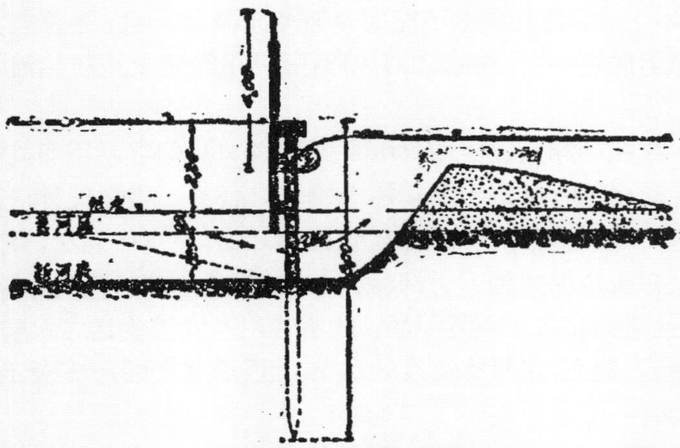

第68圖

沉樹之爲功，已如前述，其作用在使水流平靜，俾沙石沉澱淤積．用鐵鏈繫小闊葉樹於混凝土塊上，使其能轉動自如，沉之水中，樹與混凝土塊之連接如不偃，沉樹即能在水中依就其適當之位置．利用沉樹治理寬廣散漫之河流，或填塞深淵，其費用均甚省，此項沉樹日後多深埋於新河底之內，不復能起出．新淤河底，須拋石塊加以保護．

第五節　護岸及護底工程

護岸工程或將其立即全部築成，或任河流本身擔負一部分工作，前者將石塊拋於岸坡之上，以保護之，或於岸前築低堤，以□擋護岸工事. 第69圖至71圖示護岸工事.

護岸梢工有縱鋪、橫鋪二種,已詳前述,但泰半尚須拋石保護之.德國維塞爾河之護岸工事,今已不用梢楗,而用石塊.龐大之護岸工程,與順壩無異.

若欲藉河流本身力量之助,可於沿岸堆石,迨冲刷至石堆腳下時,石塊滾落覆於岸坡之上,再用人工加以築固.

護底工程,或用沉排沉輥,或用石塊沙礫.若河流內所挾石塊不巨,沉排常沒水中,並用石塊妥為鎮壓,幾可視為永不能損壞者,但拋石護底,其法較易,且較能隨合河底之變遷.

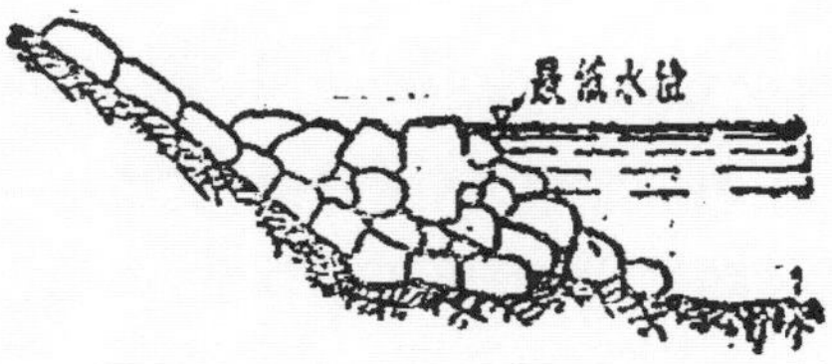

第69圖

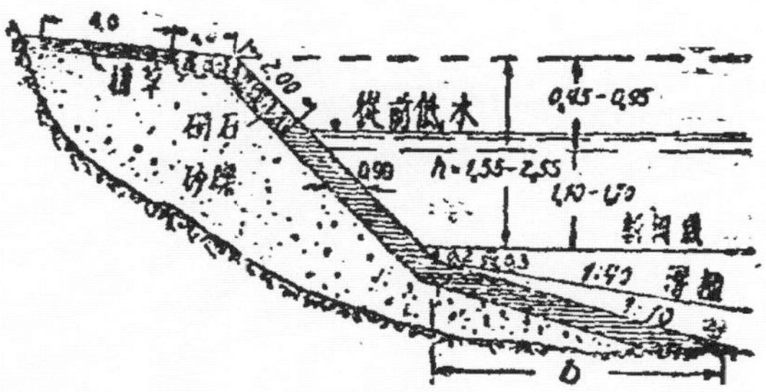

第70圖

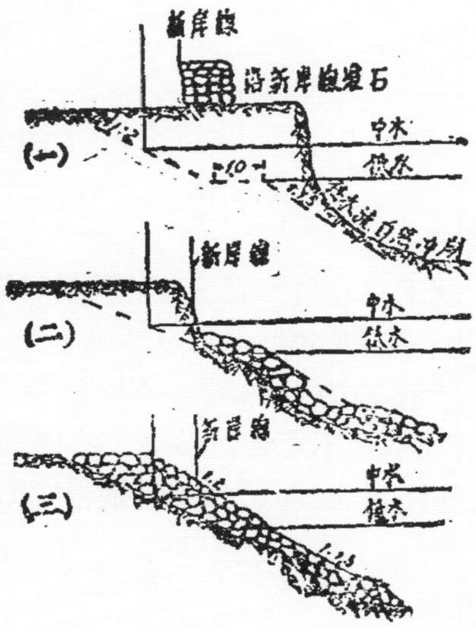

第六節　丁壩與順壩之比較暨各種建築物述評

丁壩與順壩，何者為佳，其說不一，但各有利弊，殆無疑義．若新秣線遠離河岸，則以丁壩為宜，如逼近河岸，則以順壩為宜．故在凸岸，當築丁壩，而在凹岸則築順壩，有如第72圖所示．結果凸岸丁壩首端，河床冲深，河床橫斷面不似前此之不規則矣．

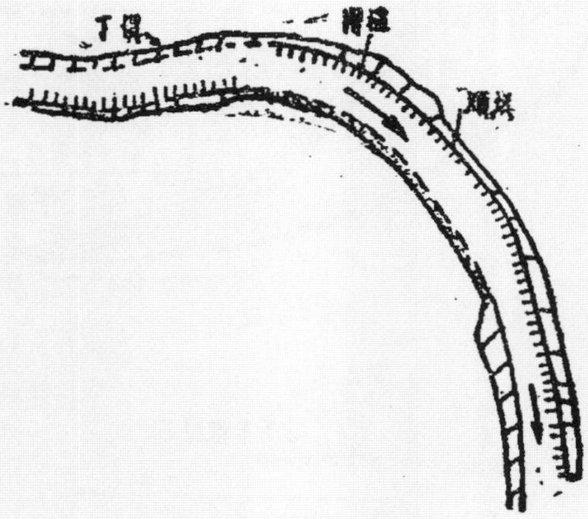

第72圖

就交通方面言，順壩絕對優於丁壩，沿順壩之水流較為平順；不似丁壩端之發生漩渦，且築壩後，卽可收治導之功效．

就設計方面言，則丁壩能延長，能縮短，設計時之錯誤，能加糾正，實優於順壩．後者之位置如不得當，過寬或過狹，均須重建，若須將其後移，且須完全拆除之．

就工程費用方面言，以丁壩為較省，不獨建築費較廉，因其淤沙速，故養護費亦微，但終以兩者並用，為利最大．

活動之束取建築物，極為經濟，且因活動，故有彈性，設計上卽偶有錯誤，亦不至若何顯著．浮壩與沉樹功效之宏，實不容置疑，苟河流挾沙量大，堪與其他建築物抗衡也．

第七節　河工建築物之輔助工事

1．浚渫　河底之沙石，有因表層浚去後，而陷於移動狀態者，因之水內泥沙量增加，此於施行浚渫前，不可不審慎者也．且在富於沙石而善變之河床內，專恃浚渫，不能收改善航道之功，而須藉河工建築物，以使沙石之移動合規．河流挾沙，對於航行之影響，不在其量之多寡，而繫於枯水時淤積之是否合乎期望，俾航道之通暢，得以維持不隳．是沙石爲患之癥結，不在沙石之量，而在沙石淤積之形狀也．支流河口附近，暨河灣下游，恆淤成沙脊，爲河流潰決之主要原因．河槽兩旁較深，沙脊位於中央，妨礙航行，自不待言．若藉束驟建築物以使其被冲移動，則下游所受之弊，或將甯出所獲之利益，在此種情形之下，宜[illegible]（[illegible]壩田內），則更佳．

在潮區之內，若水力不能冲動淤積泥沙，或因漲潮落潮之故，風之影響，海濱水流(Küstenströmung)之影響，海水之密度(1)(Dichte des Seewassers)，致使航道淤塞，欲航行不中斷，恆有藉浚渫．但在沉澱物稀少之河流內，卽在河口區，專恃浚渫，亦不能收治河之功也．他若善變之沙土河床，或河床土質鬆軟，所能抵抗之挾沙力甚微，或河流分歧，冲刷力薄弱，其每年夏季浚深之槽，至冬季、春季復又大部淤塞，若不兼施治導工事，摒除河汊，則浚渫之功，不經年而復滅，是以浚渫僅可視爲輔佐工事，苟不與治河工事同時並舉，必徒勞無功也．

2．鬆動　河床上停滯之巨大石塊，若經人工之鬆動，則細小者失其支持，而易爲水所冲動．鬆動沙石之工具，可用鏟、耙、犂、圓耜、刮具，亦有用噴水浚渫機(Spülbagger)冲動之者．鬆動之作用甚暫，亦有使沙石移動增劇之虞．

註(1)河水淡而海水鹹，當其在口外相遇之際，鹹水因自身之沉澱作用，壓迫其已滲入之沙土，轉而復入於淡水之內，此乃造成河口沙灘之重要原因．關其混合之情形，與沙土何以因此沉澱，至今猶未能確切剖明，卽普通河工書籍，亦鮮有論及之者

3. 轟炸　河底礁石，恆爲航行阻礙，非水力所能冲動，亦非人力所能鬆動，苟不能改移航道以避之，又不能束水以抬高水面，則惟有炸去之。炸灘之結果，與裁彎取直工程相似，因河床之加深或展寬，致使其上游之水面降低，發現向未覺察之新障礙，不可不加注意(參閱第55頁)。若改善之目的在暢流，則清除障礙，加深河底，除轟炸外，尠有他法。若其目的偏重於便利航行，則應研究炸灘後，有無束水(建束水工程)、堵水(築壩)、歧流(開鑿旁繞渠 Umleitungskanal)之必要，而須權衡其是否合乎經濟矣。

轟炸之功效，乃爲永久不磨滅者，雖其費用較巨，然僅爲一次者。

第八節　治河工事與河性

河性不同，治理之方略亦異。蓋河流各有其流量、挾沙量及縱橫斷面，其流域內氣候不一(冬季結冰或不結冰)，水上交通繁簡各殊，是以適於此之方略，未必合乎彼。猶若醫療疾病，病者體質各有強弱，病象各有輕重，必須愼爲診斷，然後投以合宜之藥石。今之言治河者，咸主先作模型試驗，其故卽在於斯，亦以治河工程重大，免設施不當，虛糜工費也。茲綜述河流之天然要素，與河工建築方式間之關係於后，以作設計時之參照。

1. 水位與流量　裁彎取直工程，常繫於河內流量，在流量枯小之河流內，裁彎取直工程之費用每甚大，蓋不能利用水流冲刷之力也。至於利用水力，冲開引河，亦有其弊，卽冲動之沙土，常淤非其處，且若比降甚陡，引河有過度冲深之虞。

固定之建築物與流量間之關係，繫於其在河床內之位置及高度，暨建築之方式。水淺流緩，利於固定建築物之施工，低水與洪水之差別愈大，水位之變動愈頻，則其收效愈速。建築物之收效，不可冀其過驟，唯逐漸見效者爲可靠，此於丁壩爲尤然，蓋丁壩橫亙於水流之內，其作用至強有力．高於洪水之丁壩，保護河岸之作用最佳，壩田之淤積亦有規則，惟洪水受束過甚，挾沙力激增，壩首有被淘刷之虞．低於洪水之丁壩，則無此弊，惟因洪水漫溢，壩田之淤積較緩，而不規則耳．

若丁壩束水攻沙之力不足，則水面有抬高之可能，潛壩則匪壅高水面，且其上游淤高，而下游則被冲深．

順壩對於水流之阻力最微，但其淤沙之功用甚緩，壩頂愈低，淤沙之功效愈顯．若於順壩之後建築格壩，並留缺口納淤，雖能促速淤積，然僅限於中水之時，洪水時水流漫過格壩，更刷之使深．順壩之頂，亦有與低水位等高或更較低者，其在低水時之功效雖佳，但水位較高時，則效用全失，且因水流漫溢頻仍，其建築必須堅固．

活動之建築物功效雖宏，但至脆弱，故祇宜用作中水及低水時之治導工事，其緊梢組之樁架，在洪水時受水流之侵襲甚劇，是種建築物，不宜用於水位不常變，而其變動甚驟之河流內．若水位常變，而其變動甚緩，則收效較速．

設水流之冲刷力，不能維持需要之航水深，則有賴疏浚，或人工鬆動沙石，以補水力之不足，或施轟炸．

2．冰凍　當裁彎取直工程尚未完成之時，如遇嚴寒侵襲，則工程之成敗間不容髮．蓋冰塊能壅塞引河口，逼水流入舊河槽內．惟若引河之口自始即開闢至應具寬度，冰塊得以暢通；則無此患．

丁壩首端常生漩渦，足阻冰層之結成．壩首壩頂受冰塊之衝擊，須砌石保護之．溢過潛壩之冰塊，常侵及河底，須妥為掩護．順壩導洩冰塊，較為平順，故遇冰澌，其情況較丁壩為良好．

活動之建築物，如浮壩等，最不能經受冰凍，雖在結冰時可將梢組及艙板除去，然遺留河內之樁架，受冰塊之撞擊，甚且冲出，隨流漂去，危害下游殊甚．

至於浚渫、轟炸，均能清除河床之障礙物，有利於水流之宣洩者，自亦有利於冰澌。

3. 比降　水流之冲刷力，繫於比降，比降如大，則有利於裁彎取直工程之施行，蓋能藉水力冲寬引河，以節工費。惟河道縮短，比降增加，易致河床過度冲深，結果危害河岸，降落地下水位。又比降小時，例多宜裁彎取直，因洪水之宣洩，賴以較暢也。

丁壩工程，初多用於比降弱之河流內；近曾試用於比降強之河流內，亦能收效，惟壩首須平坦。水流過急，挾沙過於巨大之處不宜建之。至於順壩，似不甚受比降之影響，僅在山溪內，須於壩後建堅固之格壩，以與岸相連。

活動之建築物，對於水流之阻力較固定者為微，故能當激流，且在比降微小之河流內，其功效降低，蓋沙石之流動，僅限於水位較高之時，而其為時，則甚暫也。

在比降強大之河流內，設河底非水力所能冲深，始藉浚渫。在比降微小之河流內，疏浚之為用較薄，在比降過弱之河流內，人工鬆動沙石，不能奏效，沙石雖經鬆動，水流仍無力冲去之也。

4. 挾沙　彎裁取直工程進展之緩速，繫於河床之土質，土鬆則工易而費廉，設流清沙少，則藉裁彎取直工程以暢水流，實較束水或疏濬為佳，反之在富於沙石之河流內，裁彎取直反足以加劇沙石之移動，非所宜也。

河床土質如弛鬆，則建丁壩導流，不可操之過急，換言之，即丁壩改變水流方向，不可過驟，挾沙之顆粒如細微，對於壩身較為安全。

順壩導水，較為平靜，故沙石之性質如何，關係尚不重大，在富於沙石之河流內，宜採用之。

浮壩最宜用於挾沙最豐富之河流內，以其收效迅速也。惟沙石粗大，則不宜建浮壩，而當建浮牐。在挾沙量小之河流內，浮壩收效甚緩，故歷時久．若歷冬夏，則有被毀於冰澌、洪流之危險．過細之泥沙，滲入梢組內，加重梢組，並掠奪其活動性．

浚渫機之種類，視沙石之性質而異，沙石多，比重微，顆粒圓，則浚渫之功效消失最速．沙石少，則藉疏浚輔助河工，或能收一勞永逸之效．

5．航運　通航河流內之裁彎取直工程，全部引河，須賴人工開掘，而不能待水力沖成之．伸直河道後，流速常激增，致不利航行，同時引河上游之航水深亦減．

丁壩潛壩，均有礙航行，舟楫常有觸及丁壩之虞．下挑丁壩，對於淤沙及護岸均遜於上挑者，然於航行，則較有利．拖船之鐵鏈，有損傷丁壩首及潛壩之可能．河流內建築順壩後，造成之河底，較爲均勻，因之水面比降亦然，故就航運方面言，順壩實佔絕對優勢．

浮壩之樁架，妨礙航行，易爲舟楫所損傷，浮牐亦然，其樁架則較強大，舟筏乘風逐流，其勢甚險，能摧毀提高之牐門．

浚渫工作每甚短暫，若浚渫機不阻塞航道，不至妨礙航行，至於炸灘之時，則須停航．

附錄二　治河工事與河流利益

1．漁業　河流之利益，因治河工事而妨礙其發展者，莫過於漁業．欲防止河床之被水流浸蝕，不得不保護並固築之．缺皐深潭，廢股支槽，咸在填塞與廢除之列．因之魚類產卵之所，或被摧毀，或與流水隔絕，益以汽輪揚波，阻礙卵子之孵育，危害漁業，實有不容忽視者．昔者謂水流內植物苞茂，爲有利於魚類之繁殖，實則河岸有樹木之陰影，阻凝光線及溫度，乃屬有害者．故護岸工事與漁業利益，並不相悖.

湖泊水庫,功能調節流量,防止氾濫,其利甚溥.但湖內水面常變或陡變,均於漁業爲有害.又若水流內建築堰壩之處,游魚被阻,不能往返自如,故須附設魚磴(Fischpass)或漁閘(Fischschleuse).大川巨流,常有魚類往返江河海洋之間,大者如鮭,小者如鱒、鰣、鰻、鱔之類.河流之小者,雖無魚類往還鹽水淡水之間,然亦不能阻遏其泳行之樂.鮭魚浮於海,而產卵於江河之上游.鱔魚游於江河,而產卵於海.鱔魚初孵出之時,溯江而上,以達於小支流內,長大又隨流而下,建壩之處,若附有水渦輪設備,而無魚梯(Fischtreppe),鱔魚輒隨流入於水渦輪內,爲旋轉之輪葉所寸斷,匪特影響漁業經濟,抑且有悖蒼天好生之德也.

2.農業　治河之目的,首在袪患,防止氾濫,舉凡護岸、護底、築堤、修防、築置洪水橫斷面等工事,咸屬之.治河之要着,在暢水流,從事防洪工事前,當先固定尋常水位之河床.

洪水固富於沃性者也,能助長植物之滋長,亦能毀滅之,故築堤防溢,有利亦有弊.如遇沙土地基,且具有一種澄濾作用,使侵入堤後之水,貧於養料,不利於植物之吸收.

他如裁彎取直工程,增加比降,有利於洪水之宣洩,但河底沖深,低水位降低,地下水位亦隨之,致不能爲作物所吸取,則於農事亦爲有害.

3.航業　保護河岸,固定尋常水位之河床,使河槽依就洪水流向,對於農業固有利,而於航業之需要,則殊未能切合.最初治理荒蕪之河流,但知約束散漫之水流,使其足以攻沙爲度,而對於水位之變遷,並無任何科學上之根據(缺乏水文記載),此種措施,固能收沖深河床之效,增加航水深,惟在潮區內,橫斷面束狹,及其形狀大小之驟變,均有礙於潮汐之發展.

通航船隻之大小，繫於河道之彎曲半徑。過去認河道彎曲蜿蜒，爲河床不規則（或冲成深潭，或淤成淺灘）之成因，故咸主伸直河道。薛麥爾氏於其所著河工經驗一書[1]有云：「彎曲蜿蜒，爲河流百病之源」。德國佛利德力大帝（Friedrich d. Gr.）曾於1767年頒布法令，亦以爲欲便利航行，減少護岸工事，杜止淤沙，避免冰塊壅塞水流，擴展牧地耕地，莫若化彎爲直之爲愈也。

是以以往對於整理通航河道之主要目標，胥集中於伸直河道，鞏固河岸，迨後始注重於河床之改造，求其寬度深度及形狀之有規則。谿線不固定之弊，咎在河床形狀與河流方向之不當，而河岸坡度之過陡，亦與有過失。但河岸坦坡之斜度，繫於行船之法，上行如拉縴，則航道之位置與河岸有關，坦坡不得過平。如用汽船拖駛，則不受上述之限制。

伸直河道之結果，能使經過治理段落之上部河底冲深，水面降低，流速增加，下部河底淤高，水面上升，而沙脊之位置復不固定。河道伸直愈甚，谿線之變動亦愈劇，此種現象乃在天然彎曲河道內所不經見者。沙脊之移動，非沙石量增加之故，乃治理不得法所致也。

故在治理河流，使能通航時，須儘量遵循天然路線，並須兼顧航行上之需要（例如在船隻停泊之處，當使航道逼近岸線），定線工作相當繁難。

河流之航運價值，繫於航行船隻之噸數，今日交通上之需要，遠過於河流通航工業發展之程度，而吾人對於估計河流之航運價值，已不過受河流天然條件之限制，河流之比降、挾沙量、流量，均能人工加以調整（水庫、治河工事）。航水深度，則可築壩以改善之（渠化工程），至於航行者（船主、引水、駕駛）之技術，亦甚關重要，而於判斷某段河流能否通航時，允宜注意及之。

註(1) "Erfahrungen im Wasserbau", Wien und Triest, 1809, S. 183.

4. 工業　工業上用水之處有三：即水力之利用，飲水之供給，污水之化稀是也. 而以水力之利用爲最重要，蓋地球之煤藏有限，而水力之運用無窮也. 水力之二要素：水量與水頭，均可藉治河工事改變之.

水流挾沙，對於水力工程之影響，最爲不利. 能淤塞河道，磨蝕水渦輪葉. 雖在引水工程之入口，有攔沙、淤沙之設備，或在河源作根絕沙石之措置，然終不能完全澄清水流也. 若河流挾沙，祇限於洪水時期，可啓閘刷沙，以免壩後之淤積. 若中水及低水亦挾沙，或因水量之經常被引用，沙石宣洩不暢，則河流有淤塞之虞. 至於浚渫之功用不永，其費用則甚高也.

飲水之取給於河流者，近歲逐漸減少，但若地下水、泉水或湖水之水質不佳，水量不足，則不得不取給於河水. 河流之下游多泥沙，上游則含石礫，上游清而下游濁，清澈之水，殊宜直接取用. 河流之曾經治理者，其泥沙量必微，對於給水工程，極有大助.

在荒蕪之河流內，水量與沙石量之變動甚劇，故其消化污水之能力，不若曾經治理者之強. 污水之化稀，在於河水與污水之澈底混和，而其條件，則首在河流縱橫斷面內流速分配之均勻. 人類逐水而居，生殖既日繁，則化除污水及保持河流之清潔，實爲維護人民健康之要圖也. ●

第八章　河口及其治理法

第一節　概　要

1. 治理河口之目的　河口(Flussmündung)在交通上爲由海入內陸之門戶，治理之目的，在使海船能入口，及洪水能宣洩無阻.

苟貨物由海船直接載入內陸愈深，則其運費愈廉，故治理河口爲一具有極大國民經濟意義之問題．河口之設計，在使吃水深之海船，能深入內陸之商港．土木工程師之職責，在研究河口之疏濬，能達到何種程度，及如何使工程費用最低．

此種治理工程之費用，常超過千百萬，但其利益亦遠高於其利率．治理成功後，能使內地成立大商埠，工商業因之發展，如我國之上海、天津，英國之格拉斯哥(Glasgow)，德國之不來梅(Bremen)．因原料輸入與出產品輸出均便，故能與外國工業抗衡，利權不至外溢．即銷行於本國市場者，其運費亦省．總之其間接利益甚大，不論工業發達與否之國家，咸有治理其河口之必要，蓋治理河口亦爲成立新工業之要圖也．

英國之富庶，未始非其全部大河口早日獲得治理之故．而德國在第一次世界大戰前，商業之突飛猛晉，設非萊茵、維[illegible]及易北(Elbe)諸河口之治理，實不可能也．

同時農業所蒙之利益亦極大，昔日洪水宣洩不暢，逐滯上游，今則暢流入海，上游氾濫之災患減少．

2．河口之性質及分類　河口區域與上游不同之處甚多，故治理河口之觀念，亦不同．

河口在海內，並無一定之界限，在水工上，可以下舉二點，作河口在海內之界限：

（一）陸地岸線及水中沙梗終止之處．

（二）河流與海流相設，可以測視之處．

此二點頗相近，但不完全相合．第二點亦乏意義，因其非固定之點，而與河內流量及海內水位有關，二者均變遷靡常，故此點在同一河流內，恆因流量之大小不同，差別至10公里左右之鉅．

河口在上游泉陸方之界限，亦如下游泉海方界限之無定．河流之具有三角洲(Landdelta)者，在河流分歧點以下，即可目爲河口．

如河口因潮流沖刷，形成漏斗狀（Fluttrichter）者，則潮汐現象停止之處，不應即認爲河口之界限，因其常深入陸地百餘公里，而在此段內，河流之性質，全部無特殊之變更，外表多保持內河性質也。是以應以河面突寬，而其性質有類海灣之處，爲河口之上方界限。

重要者，在潮汐強大之河流內，其全部潮區（Flutgebiet）應與河口受同一之處理，雖其外表與上游無異，但其治理則須依照完全不同之原則也。

河口須按下列二觀點區分之：第一、按河流之大小與種類，及其挾沙量之多寡與性質，第二、按該河流注入之海洋之種類，潮汐之強弱。關於第一點，尙有待下列之補充。

如河流挾帶之沙石甚巨，潮水及海濱水流均不能將其沖出河口之外，而河口外之海底，又爲平坦之坡，深度不大，則沙石淤於河口，使其愈淺，並淤成新地。河流分由數口入海，如同光芒之分射，每一歧出之河口，復各淤成新地，或更分歧，此種扇形之河口，及其間淤成之新地，名曰三角洲。

如新淤之地，不露出於水面之外，則稱之爲水下三角洲（unterseeisches Delta）。如淤沙不至使河流在水面下分成數股，則稱之爲攔門沙（Barren）。攔門沙爲水面下之沙脊，位置多固定，橫梗河中，與上游淺灘相似，減少進口處之航水深。設河流先流經一與外海隔絕之海灣，然後入海，則在流入海灣處，淤成三角洲，由海灣流出處，或有一河口，或有數河口，並無三角洲，此項河口稱之爲間接河口（indirekte Mündung）。不流經內海灣之河口，稱之爲直接河口（direkte Mündung）。

若河流內之挾沙量極微，或能爲潮水及海濱水流所沖去，或即有淤積者，亦不過成爲攔門沙。河口爲潮流沖刷，靠海漸寬漸深，此種統一之河口，多見於有潮汐之海洋，名爲漏斗（Fluttrichter, Ästuarium).

介乎上述二種形狀之間者有之，混合上述二種形狀者亦有之，嚴格言之，潮汐弱或潮汐強，並不足以肯切標識河口之種類，尚有關於河流之大小，挾沙量之多寡，與乎潮水之高度(Tidenhub)，尤以海邊坦平時爲然.

絕大之潮汐，不足以阻止大河流河口三角洲之成立，而微弱之潮汐，反能使小河流河口不淤成三角洲. 河流愈大，三角洲之成立愈易，潮汐愈大，則漏斗之成立愈易，三角洲與漏斗之成因，並不相觝觸. 大河流之河口淤成三角洲，而潮汐則將洲上各股冲成漏斗，如在萊茵，奧利諾可(Orinoko)及剛格(Ganges)等河口，可以觀察得者.

無潮汐之三角洲則不然，如尼爾(Nil)河及多瑙河者，河口淺，沙梗高，而無漏斗.

因潮汐冲刷力之強弱，足以影響治河方法，故不應分河口有無三角洲，而應區別之爲:

(一) 潮汐弱之河口，

(二) 潮汐強之河口.

第二節　潮汐弱之河口

1. 水流情形　潮汐弱之河口有兩種，或直接流入海內，是爲直接河口，或流經內海灣，而後入海，是爲間接河口. 兩種河口之三角洲亟相彷，不同者，直接河口之外，如有一方之海流，則三角洲被冲而稍偏耳.

凡河口均有因海水之突漲而逆流之可能，更以在內海灣之外出口(Aussenmündungen der Haffe)爲經見. 海水上升如極速，流注灣內之河水，不能使灣內水面與之同等上升，則海水經外出口流入灣內，至內外水位等高爲止. 及海水降落，則不獨壅積之河水須外流，灣流入之海水亦須復行洩出，因之水流甚急，結果灣口沖寬刷深．此項水流情形，繫於河內水位及水量，海水面之高低，風向及風力之強弱，海灣之大小及容量，此種條件，在各河流均不同，故海灣外口水流情形，繫於局部之狀況，而無普遍之例規．

上述逆流情形，發生於直接河口者較少，僅限於高潮之時，甚為短暫．海水上漲如甚慢（如地中海），則河水被堵，逐漸升高，其流向卻在下方，亦不至回轉．

海內及河內之水位，若按低水、中水及高水三種計，則能得九種不同之情形：

海	高水，高水，高水，	中水，中水，中水，	低水，低水，低水．
河	高水，中水，低水，	高水，中水，低水，	高水，中水，低水．

在每種情形之下，水流之情形各不同．在河水高而海水低之時，入海水流最盛．最強之逆流，則發生於海水位高而河水位低之時．逆流能發生於海水高而河水為中水與低水，及海水為中水而河水為低水之時，即在九種不同之情形中，有三種情形如此者．

河流之出口，殆均有攔門沙．河水之挾沙量及海水之含鹽量愈鉅，則攔門沙之範圍亦愈廣．含鹽多之水，使漂浮物體沉澱較速，故地中海各河流河口之攔門沙，多較歐洲東海各河口者為雄厚，以其含鹽多也．內海灣之外口，因水流方向之變易，其內外方常均有攔門沙，河水流入海內，礙於海流，其所挾之沙乃沉澱於口外，而成攔門沙．如海水流入灣內，海濱水流所含之沙為其挾入，因灣內水流幾靜止，遂即沉澱於口之內方，此種攔門沙之長度及形狀時變．

潮汐弱或無潮汐之河口，其進口深度，隨攔門沙之深度而定．故欲增加航水深，俾海船能以駛入，非將攔門沙掃除不可．所以治理無潮汐河口之目的，首在浚深攔門沙，如可能，最好使之與河口其他部分等深．然後再全盤浚深河口各部此種治理工程,不能專恃治河建築物,常須輔以浚渫工事.若攔門沙遠在河口之外,使治河工程無法施行,則唯賴浚渫.

破浪堤、順壩等建築物,能增強水流之沖刷力,吾人必須熟稔水流速度.但河口水流現象,已如所述,流速如何,不似在潮區以上之易於求得也.水位上漲,不能卽斷定入海流速亦增,甚或爲水流靜止,或海水倒灌之現象.因海水之上漲恆甚速,故欲同時觀測河口區各處之水位,殆不可能.須採用自動之水則(selbstzeichnender Pegel),然後根據之以計算水位之上漲,由於海水及由於河水之成份各爲若干,及是否河水上漲時,海水甚且降落.由水則所繪之圖,並可得知聚積於河槽內或內海灣內之水量,此項水量,關係所生之沖刷力甚鉅.

2. 直接河口之治理　治理河口區以上之河身,祇在研究如何治理之法,治理河口,則因河身分歧,擇何股而治之,必須預爲之計也.

若治理河口之目的,首在排洩洪水,以利農事,則主要者在設計足以排洩洪水之洪水床.如攔門沙有礙洪水之宣洩,方濬渫之.在較大之河流內,多以推進航運爲前提,則須設計中水及低水河床,並挖掘攔門沙.第73圖示河口區上部河床橫斷面之形狀.

第73圖

河口區下部之沙脊(Sandbank),猶若上游之河灘(Vorland),而岸堤之足以束馭洪水者全無.第74圖示美洲密西西比河,河口分爲四幹股,幹股復又分爲支股.其高潮(Spring-Tide)爲0.4公尺,低潮

(Nipp-Tide)爲 0·2 公尺.該河流入墨西哥海灣(Golf Von Mexiko),海內之潮汐弱,其性質與地中海相以.

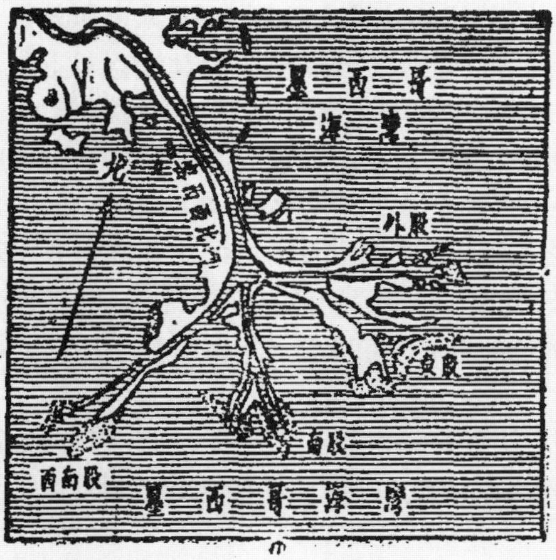

第 74 圖

治理時分河床橫斷面爲洪水床、中水床及低水床.洪水床不獨須能宣洩洪水,兼須容納倒灌之海水,使不至危及堤防.中水床內之水位最常亦最久,其水深視船之大小須在中水面下 8 至 12 公尺,其兩岸不宜僅在中水高度,須築高於洪水之港堤(Molen),以範圍之,藉以歸納水流,並維持航行安全.歸聚之洪水,對於攔門沙具有極強之沖刷作用,使浚渫工作減輕,低水床須通至攔門沙內,俾在低水時期過久之時,攔門沙不至淤高過甚,工程之施行,宜如下述:

用上挑丁壩或順壩束馭中水,在河口區域之上部,如所建丁壩過短,則建順壩.在河口區域之下部,兩旁僅有沙脊束馭水流,而無河岸之處,則中水床須完全用平行於水流之堤範圍之,可用沉排並拋石建築之.

低水床之構造法,與此相同,惟其堤甚低,須用格壩連於中水堤上,否則水流將沿堤後而流.最好以挖得之土填築低水堤後.在導水堤凹入處,河床祇須有一旁之限制,河口最下方波濤甚大,輕微之堤,恆無法築置,須建高於洪水之禦浪堤,深入海中,否則海濱水流所挾之沙，不久卽將其淤塡．建築禦浪堤後，淤積甚緩，俟其淤積，再延長堤身．

禦浪堤不得阻抑洪水，其間再用石堆小堤，作低水床之界限．

至於應擇何股而治之，則有下列經驗數則，可作參考：

（一）三角洲河口(Deltamündung)之治理，治理目的在通航運．

(1) 如爲大川巨流，則擇其最小之通航股而治之，其故爲小股內流量最小，所以挾沙量亦最微，該股河口三角洲及攔門沙之擴展必最緩．因水量小，其水流在海內消滅亦速，所挾之沙沉澱亦早，淤成之攔門沙離岸較近，而通至攔門沙之導水堤，亦較短而省工．通航之股愈小，工事愈簡，工費愈廉，而愈經濟，交通愈益發達．

(2) 經過治理之河股，其流量不得因他股堵塞而增加．施工股之流量雖增，但挾沙量亦增，各股之挾沙量，乃爲流量之函數．若欲攔門沙範圍縮小，則水量之增長，必須遠速於挾沙量之增長．因他股之堵塞，水量與挾沙量同增，則未堵塞股口之攔門沙必淤高，同時位置亦外移，所以常須延長禦浪堤．各股未堵則否．

(3) 如有數小股，其口外海濱水流強弱不一，則治理口外海濱水流較強之一股．

(4) 如有兩股河流，一大一小，其較大者口外海底陡而深，小者口外海底平而淺，則治理較大之一股．

(5) 如無海濱水流，且風向常對海岸，則以另闢河口爲宜，新河口須偏離三角洲及攔門沙，並須於河內建閘，以阻沙石．

（二）治理目的在利農事．

主要目的在排洩洪水及浮冰，上舉各則，可揣度局部情形，加以採用．普通多擇口外海底深之一股，亦可另闢新口．較小河股，常須堵塞之．間可抬高低水位，以抬高地下水位，但不得形成洪水之氾濫．

3．間接河口之治理　間接河口爲流入與外海隔絕之海灣內之河口．其治理法與上節所述者同．其口外無海濱水流乃其特徵．苟特別注意河口之航行，則宜闢新河口，並建船閘．新河口如能於灣旁出海，實爲最佳之法．然後可渠化(Kanalisieren)通入灣内之一股．今日疏浚工事甚爲進步，不必藉河水增加河口水流沖刷之力也．

世界上多數好海港，均位於與外海隔絕之海灣內，故須特別着重灣口之浚深．

欲維持灣口之深度，必須掃除攔門沙，冀得一有規則之河槽，按航行之需要，以定其寬度，勿束之過甚，免所生之水流，妨礙航行．

因流向之變動，攔門沙位於灣口之內外兩方．沙之來源由於海濱水流，而非由於河流．蓋灣之作用，有若澄清池，河內挾沙均沉澱也．水流之沖刷力，恆不足以維持需要之水深，職是於內方建低導水堤，其距離在出口處較窄，在灣內較寬．此堤導水流入灣內，使其流勢逐漸消減，沙石不至淤於一處，所以攔門沙展長而較深，所築之堤有隨時延長之必要，並須輔以浚渫．在灣之內方，亦多不建高大之禦浪堤．

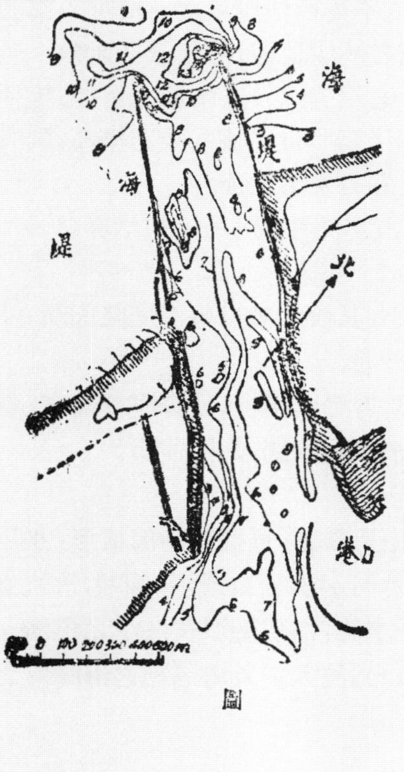

圖

在灣之外方，爲顧及航行安全計，不得築低於水面之堤，須建高禦浪堤．在海濱水流方向變動之處，常須於口外兩方建築之(第75圖)．其方向以垂直於海岸爲最簡單，實際因顧及海流及水深，材斜置之．禦浪堤為海濱水流之障礙，擠之向外，故禦浪堤逐漸淤積，所以須將堤延長，使伸入深水內 8 至 12 公尺，如入口水深繼續淤淺，則有將堤延長之必要.

第三節　潮汐強之河口

1. 潮浪在河內之情形　如渠內有兩流速不同之水流相遇，則在相遇之處，成一頂托(Aufstau)，即水面增高. 但因造成此浪峯(Wellenberg)之水流所具之動力(lebendige Kraft)不等，故此浪峯擠動之方向，與動力較大之水流同，使流向相反之水流與之混合，所具之流速，適等於該兩水流所具動力之差. 此種現象，發生於潮汐強之河口，當潮浪流入河口之時.

漲潮之時，水流由海入陸，灣口愈狹，流勢愈激. 潮流速度初小於河流速度，後則較大，所以最初河流方向不變，但後潮流較強，必保持其流向，但其流速則減小. 在河口發生一頂托，形成一浪峯，當潮流上漲甚速之時，浪之頂點在海內而不前移，僅河內水逆流，迨後潮流上漲稍慢，則浪之頂點，向上擠動.

在漲潮之時，此頂點與海之間，水量均向上流，若一上坡之彈丸，在其動力耗盡之時必靜止. 其動力不僅耗蝕於克服坡度及摩擦，與其流向相反之河流，亦具有一種阻止之作用. 潮浪不斷與流向相反之河水混合(1)，因之其流速亦不斷降低.

迨海內潮退，河內始成立一真正之浪峯，此時該由兩流向相反之水量相觸而成之潮峯，已在河內繼續上擠，水面由海向上遞漸升高. 退潮之初，水量必須由河內復流入海內，但最初僅河口附近如此，蓋在上方逆流之水，阻水之退也. 退潮時間如持久，則潮峯後之水面，向海降低，近峯之處，水之流向仍向上，離海則轉而向下，水量不斷由潮峯流入海內，不獨河內阻力使其動力消失，因水量流入海內，

註(1)在混合前甜水在上，鹹水在下.

水量減少，其作用愈削弱．

溯流之水量如多於由上方流來之水量，則該頂點雖仍能上播，其高度則銳減，以至等於零，卽與河內普通水位相合，該處爲河內潮界(Flutgrenze)．潮界下方浪峯最末部分之水，爲壅滯之河水，其大部均有就下之勢，惟愈近頂點，則其下趨之勢愈減．在頂點上游，必有潮流與河流速度相等之點，卽潮流消滅之點，該點爲潮流之界(Grenze der Flutströmung)．

漲潮之時，海水流入河內，落潮之時，流入之海水及被壅積之河水，同時流出．故海水入河愈多，被壅積之河水亦愈多，則在落潮之時，流入海中之水量亦愈大，沖刷之力亦愈強．故潮汐強之河口，不宜將其束狹，爲求增加流入之潮水量起見，應合法的將其放寬．

潮浪(Flutwelle)之形狀扁平，其週期等於海內潮期[1](Flutperiode)．

第76圖示一逆流而上之潮浪，連接各浪峯(Wellenscheitel)S_4，S_5，S_6，S_7，……之線名曰高水線(Linie des Hochwassers)，連接各

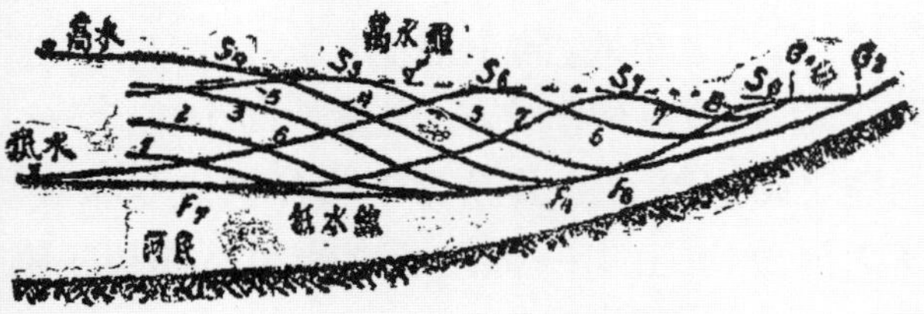

第76圖

註(1)海濱之水，每二十四小時內有兩次之升降，循環不息．水面上升謂之漲潮(Flut)，水面下降謂之落潮(Ebbe)．漲潮時間最高之水位，名曰高水位．落潮時間最低之水位，名曰低水位．二者相差之高度，名曰潮高(Flutgrösse oder Flutwechsel)．前後兩高水位或前後兩低水位相隔之時期，名曰潮期(Flutperiode oder Tide)．一月之間每十四日有高潮(Springflut)一次，高潮前後之八日，均爲低潮(Nippflut)．

浪腳(Wellenfuss)之線名曰低水線(Linie des Niedrigwassers).前一浪腳與後一浪腳,必須在同一軌道上移動.若潮峯由河口流至潮流界所需之時間,大於潮期,則有數潮浪相繼進入河內,尤以河內水深比降小,海內之潮高(Tidehub)大時為然,例如黃河即如是.

浪之形狀,繫於河床形狀,如後者之橫斷面及比降之變動均勻,則浪之形狀亦為有規則者.如河床有突寬之處,則浪在該處降低,如有突狹之處,則浪升高.二者均致令動力及水量連帶受損失.水內有沙脊及梢建工事時,其結果亦同此.

潮流在河內與潮峯播動之方向雖同,但其速度則各異.此種情形,在落潮時尤為顯著,落潮時水下趨,而潮浪則上溯,其方向且相反也.凡浪均在斜面上播動,浪腳受河槽之阻力而遲滯,因之其勢愈陡,潮浪在河內亦如此,故潮浪之前坡(der vordere Fluthang)較後坡為陡,是以漲潮之時間亦較短,而落潮之時間則較長.第77圖及78圖示潮曲線(Flutkurve)及潮浪線間之關係,潮曲線之後部愈陡,則潮浪之前坡愈陡,浪之抑高,泰半由於淺流之水觸及浪腳所致.

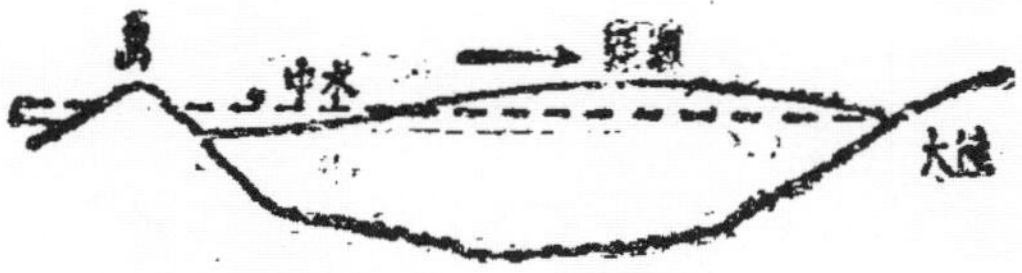

第77圖

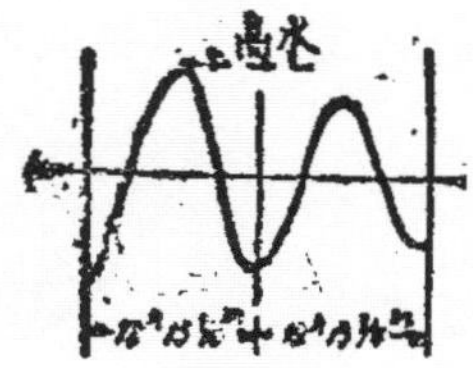

第78圖

若河流之深度與潮高較甚為微小,或其水流特激,阻滯潮流,形成陡削之壁,溯河而上,此種有類削壁之浪,或稱為湧潮(Bore oder Mascaret),其高度有達5公尺者.每小時流速竟至50公里.

河內潮浪每點播動之速度約可按公式

$$V=\pm\sqrt{2g\cdot h}+u \qquad (22)$$

求得之，式內 $g=9.81\ \mathrm{m/sec^2}$，$h=$ 橫斷面之重心與水面之距離，$u=$ 河流之流速．設河寬岸陡，高水時水深爲 H，則公式(22)可書爲

$$V=\pm\sqrt{g\cdot H}+u. \qquad (23)$$

應用上公式之唯一條件，爲浪高須小於低水時之河水深，因其所求得之值恆過大，故在不規則之河流內，若欲作精確之計算，此公式頗不適用，但可應用之於運河．浪峯之速度，常大於浪腳者，與公式正相吻合．所以潮浪之峯上溯較遠，故漲潮之時間縮短，而落潮之時間則延長．

2. 高水線及低水線　高水線與低水線爲河流狀況之象徵，有下列不同之點：

（一）河口爲喇叭狀之港灣，如布利斯托運河(Bristol kanal)，則低水線向喇叭之尖端漸降，高水線則向喇叭尖端漸升．此項平緩曲線之升高或降落，能長過 10 公尺，合共長過 20 公尺．如河口橫斷面向陸方愈縮狹，則高水線及低水線之升高與降落愈甚(第 79 圖)．

第 79 圖

（二）深河流之具有有規則之河岸及河床形狀者，其高水線初聳升，在大部分潮區內幾水平，最後突升至潮界與低水線相合．低水

線初由海向河降落，然後漸升．河床形狀愈有規則，兩線升降之變化亦愈有規則(第80圖)．

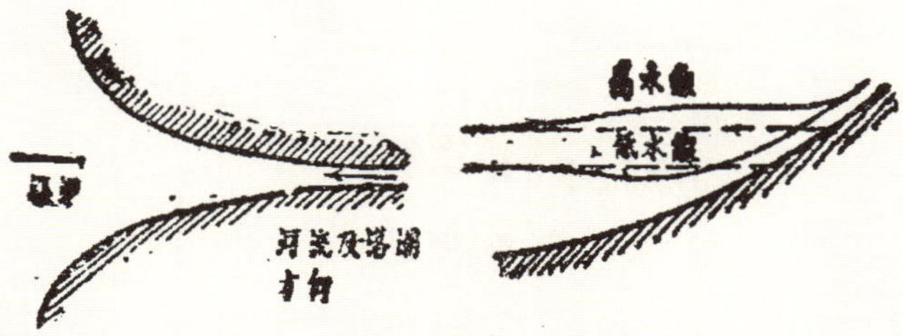

第80圖

(三) 河流之寬度及深度如變更甚劇，或河心有洲島，河流分歧，則高水線升降多次．河面突寬則降落，突狹則升高，但必須有大量海水能流入河內．其高水線較低，而低水線較高，故二線高度之差別較在有規則之河床內爲小(第81圖)．

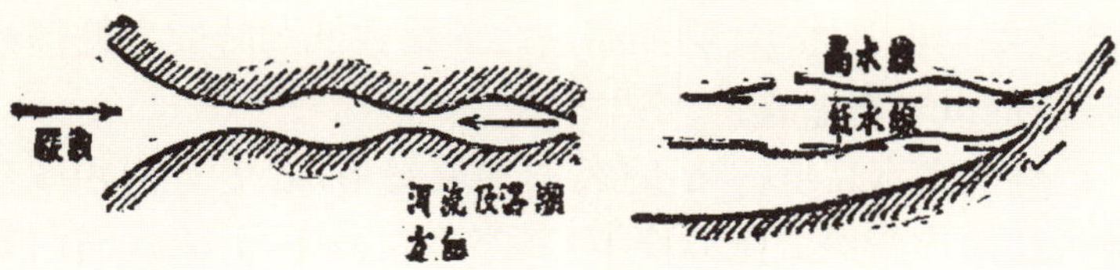

第81圖

(四) 無喇叭形河口之河流，且河口狹窄，則流入河內之潮水量甚微，潮浪消滅甚速，整個高水線幾均由海向河降落，小河流類多如此(第82圖)．

第82圖

（五）寬而淺之河流，或河內水深而流急，則生湧潮（第 83 圖）。

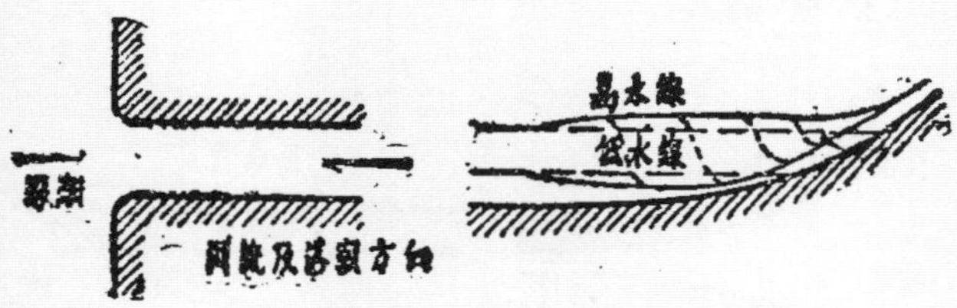

第 83 圖

上述（二）種情形爲治河時之目標，治理時力求低水線之降低，則河流高水線與低水線之高差最大，潮界較（三）種至（五）種情形上移，所以河流在高水時具有最大水深之段落最長，同時潮期亦最久。

3．河與海內水位變動之作用　以上之觀察，乃假定河之流量及潮流量不變，但實際上，絕非不變。最常見者，河內流量固定，而潮高常變，或爲高潮，或爲低潮，但間或河內流量有在數日內陡漲，而海內潮高之差別則甚微者（例如高潮之前後或低潮時間）。此種情形乃吾人所應加以考究者也。

（一）海內高水高度約略不變，河內流量增加．　如河內流量上漲，則潮浪在河內所遇之阻力亦增，其水勢消滅亦速，流入河內亦不若以前之遠，潮界與潮流界均較河內爲低水時下移，潮浪之頂及腳（浪峯、浪谷）均升高，但浪腳之升高，較浪峯爲甚，所以河水漲，潮高之差別亦微，但航水深則仍增。潮流線（Flutlinie）之變動，在潮區之上部最甚，臨海漸減，其影響遠在河口以上，在流入之海水超過河內流量數倍之處，即已消滅，不復能察覺有何變化。

（二）海內潮期變動，而河內流量不變．　驟漲之海內高水（海嘯），使潮界上移甚劇，並抬高河內之高水線與低水線。但高水線之抬高較低水線爲甚，而河內潮高增長，高潮之前，海水上漲極有規則，流入河內之潮水，一期較一期爲高，每次均壅滯大量河水於河之上游，因之高水線全部升高．海內高水升高，但低水則降低，所以河內之低水線，在最低之落潮，亦須較一班潮期爲低．在上游因河水之壅積，致低水上升，所以高潮時河內低水線之比降增加，而與低潮時之低水線，在河口以上之一點相切．

故高潮時各處之高水線均較高，低水線在上部較低潮時之低水線爲高，在下部則較低．

（三）潮期變動，河內流量亦變．　潮界之移動，以及高水線與低水線之位置，變動甚劇，不能作普遍之規定．

海嘯之等高者，在河內所引起之情形亦迥不相同，視其前爲高潮抑爲低潮而定，惟河流上游之高水，在治理後恆降低，蓋流量之宣洩，較前爲暢也．

4．流量之測定　潮汐強之河口之特點，爲河口之流量，能用人工加以改變，而治河之目的，卽在增加流量，藉以收改良河口之利益，確定此項增加流入之潮水量，乃治理工作第一要着．

欲確定可能增加之流入潮量，及適合於此之河床形狀，必須知悉治理前流動於各重要橫斷面內之流量，此種知識，爲設計之樞紐．

流經一橫斷面之水量，僅能爲一短暫時間求得之，其求法如下：欲求某時間內之流量，可用自動水則，測定該橫斷面以上，潮界以下，各點之水位．於此時間之開始及終了，各測一次．由測得之水位，叠繪潮浪線(Wellenlinie der Flut, Flutwellenlinie)(第 84 圖)．該圖內

第 84 圖

乃假定該橫斷面之下游有二浪，該二浪在觀察時間內，已由 A_1 進至 A_2，由 A_3 進至 G. 在觀察之始，河內之水量爲 $A_1B_2A_3$ 線下者，觀察終了時，河內水量尚有 $B_1A_2B_3$ 線下者，是較前爲少，二者之差，必於觀測時間內，經過該橫斷面洩去. 觀測終了時，較開始多出 B_2 上之面積，但少去 A_1 及 A_3 下之面積，此外尚有上游流來之水量 q.

命 A_1 及 A_3 以下之降落爲 s'_1, s''_1, s'''_1，及 s'_3, s''_3, s'''_3，如是類推；B_2 以上之升高爲 h'_2, h''_2，餘類推；屬於各高度之平均水面爲 $O'_1, O''_1, O'''_1, O'_2, O''_2$，餘類推；此外，在此時間內由上游流來之水量 q 不變，則經此橫斷面流洩之流量

$$Q=-\Sigma s_1\cdot O_1+\Sigma h_2\cdot O_2-\Sigma s_3\cdot O_3+q,$$

或簡作

$$Q=+\Sigma h\cdot O-\Sigma s\cdot O+q.$$

該平均之水平水面 O_1 等，可以視作該觀察期間開始及終了時測得面積之平均值. 各個和數乃爲上下均由潮水面（Flutfläche）範圍之體積. 欲求某一橫斷面之流量，有測定此橫斷面以上全潮區水位之必要. 設已測得一橫斷面之流量爲 Q_{n-1}，則其下一橫斷面之流量 Q_n 可由 Q_{n-1} 求得，視各面積之位置如何，酌將 $\Sigma h\cdot O$ 或 $\Sigma s\cdot O$ 加於 Q_{n-1}，或由其減去卽得.

Q 或爲正，或爲負，或等於零，相當於落潮，漲潮，或水不流動，視橫斷面之位置如何而定.

欲測量之準確，自須多設水位站，求流量不獨須遍及多數之橫斷面，同時須遍及高水與低水期間之各時間，且須選常有之潮流，蓋其作用對於河口之改造，決定性最大. 過高或過低之潮流，最好將其除外，因不能確保其必發生也. 由多數之潮流曲線求其平均曲線，以作繪潮浪線之根據. 潮流線者，連接潮區內某地在不同之時間內測

時之潮水位而成之曲線也．由潮流線繪潮浪線，即連接潮區各點在同一時間之潮高也．

此項初步工作完成後，可從事於計畫治理工程．治理後預計能流入河中之潮水量，乃爲一未知數，而繫於橫斷面之形狀、大小、高度以及比降之強弱等，此數者均須加以選定也．設計之技術，在上數者之選擇得當，俾水流得符預期，而假定之水量得流入河內．橫斷面之選定與計算甚易，但河內之阻力能甚大，潮水流入河內，未能如假定之深，則新橫斷面築成後，並不完全爲水所充滿，是選擇不得當也．所以須於選定橫斷面等等後，先約略計算其新流量，凡治理以前所有之障礙，須掃除之，然後可按所設想較大之底深及改良之橫斷面，繪改良之潮浪線．

漲潮時潮水之速度，可用流速公式 $V=\pm\mu\sqrt{2g\cdot h}+u$ 約略求得之．由此以求潮浪曲線及落潮曲線（Ebbekurve），並以治理前之曲線作參考．由求得之流速及所繪之曲線再計算流量，然後可知所規定之橫斷面，過大抑過小．

此種計算須重覆多次，至各點均切合爲止．

至於判斷所選之橫斷面，過大抑過小，仍照河工學之常例．水流速度不得過小，亦不得過大，過小則河床淤塞，過大則潮流之力，因阻力之增加，耗蝕過速．動能 $\frac{1}{2}mV^2$ 之損失，不僅可於橫斷面內察覺之，且爲潮區上部之損失，蓋流入之潮水減少也．

5．下游之河床及其治理法　治理之目的與上游者同，在求水深充足均勻，惟所用之法，則完全不同．在上游無論何時河地，應按同一之流量計，在潮區不獨須使潮流量之進入河內者增加，且須使其流入河內較深；在上游須使寬淺之橫斷面縮狹，俾其冲深，在潮區之下游，則多須放大橫斷面．

德人佛朗修（L. Franzius）曾云：「潮浪在各點所遇之阻力愈微，

則漲潮時流入之水量愈多，使漲潮及退潮時之水力增加，刷深河床，並保持之」. 此語不啻為解決此問題之定義也.

潮水冲刷之真正價值，不在其逆流入河之時，而在潮落回流之時. 當其逆流入河之時，且將沙石帶入，徒耗工作能力，故須使潮流入河時不損失其工作能力，並力求落潮時冲刷力之增加. 欲達到此目的，必須掃除下述足以阻礙潮浪及足以削弱潮勢之障礙物.

至於定線，不似上游之須採取曲線，彎曲在下游更有害，即曲灣不大，亦因其增加河身長度，自為不利者. 惟實際因工費過大，不能掃除微小之曲灣. 設低水河床已經確定，不容其淤積，則需要直槽，欲保持其不淤積，則其岸線應完全為直行，並逐漸向下展寬，河床突寬，恆致令淤積之不規則，至於最理想之下游河身，自為直線.

河灣過銳，追使水流突變其方向，並消耗潮流之動能，刷深凹岸，淤高凸岸，因之橫斷面不規則，一部分水流速，一部分水流慢，二者均為消耗水力之緣由. 過銳之河灣，須裁去之，或將其伸直. 海港之位置愈近潮界，則水深愈微，若港內之潮高不大，且有裁去大河灣之必要，以縮短通海途徑，藉以增加潮高.

短灣可填凹岸而挖凸岸，以改良之，填凹岸自不得用丁壩，而須建導水堤，並以土填堤後. 彎曲半徑加大，則惟有裁彎取直之一法. 如河口作大喇叭形，則因寬度大，土方過巨，工費過大，故裁彎取直工程，僅限行於潮區之上游. 所應考慮者，即是否將裁去之河灣完全填塞，抑祇封閉其上端，俾漲潮時潮水能流入廢灣內，而增加落潮時之潮水量，以遂冲刷下游之功. 填塞廢灣時，開掘引河之土有所安置，使工程費用降低，不填塞，則治理功效增加.

河汊　河汊之成立，由於河內有洲島或沙灘之故，是項河汊，增加水流阻力，而消減水流動能，較諸河灣為甚. 若分歧之河股不等長，則潮流通過短股較速，而由彎曲較大之長股之上端流入，消減該股內一部分潮勢.較大之河汊,均須堵塞,極小之河股,影響不大,可任其存在.

堵塞河汊時,應將擋水堤(Sperrdamm)築於擬廢除河股之上端(第85圖),雖其工費較建於下端爲巨,然廢股在漲潮時能容納一部潮水,藉增下游之潮水量並冲刷之功效.若將該股堵塞,則其上端應高出洪水位,以防潮水過高時之漫溢.設兩股等寬,則裁長股,設寬股略長於狹股,則裁狹股,須視情形以決定之.

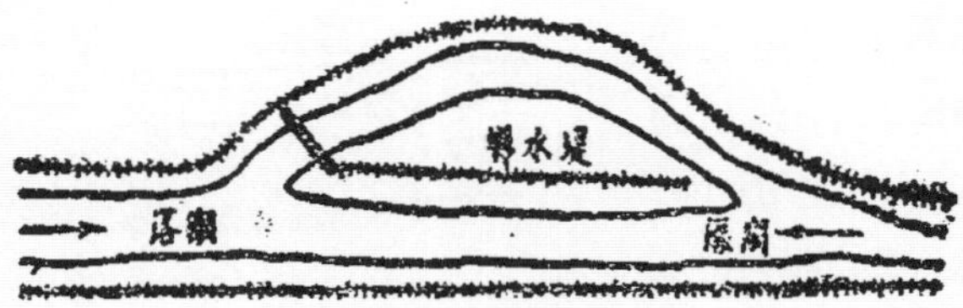

第85圖

擋水堤脚切須防其被冲刷,如地基鬆軟,宜用沉排,並應加速築成,以防工未成而洪水已至,致有潰決之虞.因保留之河股終須將其放寬,故即可以掘出之泥土培堤之兩方以鞏固之.

河床忽寬忽狹,致洪水線突然升高,俄又降低.此種不規則之河床,足使流速不能充分發展,流速減小,動能亦受損失,應使河床寬度均勻,逐漸向上縮小.

攔門沙　攔門沙爲橫梗河內之沙灘,位置固定,除河口外,亦常發現於潮流之上方邊界.因該處水流常被堵而抬高,但無增強之冲刷作用繼之,僅有尋常河內水流,故須賴浚渫之輔助.至於掃除口外攔門沙,最可靠之辦法,則除增加潮水量外,尚須輔以浚渫.

潮水高度充分大時,攔門沙並不足以妨礙航行,惟吃水較深之船,須候水位較高時,方能駛過.苟船隻恰於潮水方退之時到達,則常被迫停候至下次潮至,降低港之價值,使不能與他港競爭,口外攔門沙(Aussenbarren)，遠在水中，多無法施行工事，則惟賴浚渫.

治河之建築物，如掩護工事，導水堤防等亦可應用於治理河口，惟其應用之處則不同.

範圍低水與中水河床之工事，不得高於兩旁之洪水床，蓋在落潮之時，兩旁潮水須能流入低水槽內無阻也. 當漲潮之時，水由中心流向兩旁，落潮之時，則反之. 低於低水之導堤，較高於低水者之建築費與養護費均微，第86圖示一低水河床之導堤，洪水之導堤則遠較此為堅固(第87圖). 堤心為填沙，上覆膠泥，禦水堤面砌石，背面種草. 導堤之後，最好以掘得之土填滿之，此項導堤在潮區上游，逐漸變為較高之順壩，壩與岸之間，則常連以格壩.

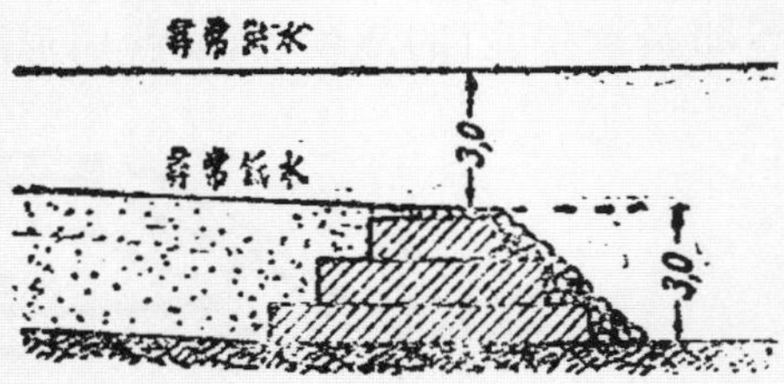

第86圖

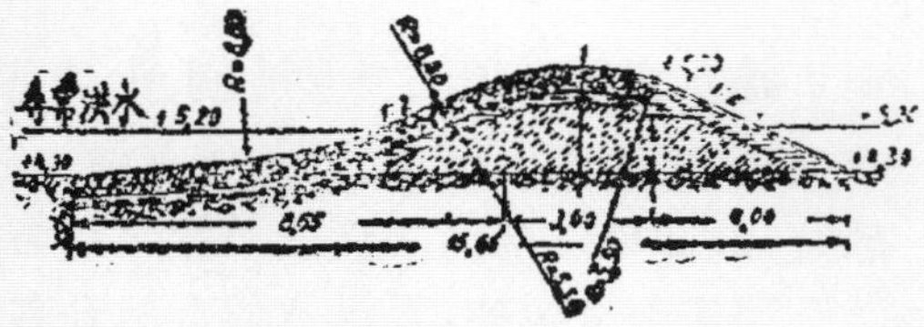

第87圖

洪水床不需過細之工事，惟須寬大，但不得有過分不規則之處. 如有不規則之處，則在合乎經濟之範圍內，或填或掘，以使其均勻. 亦不必過事求其均勻，蓋寬床兩邊之水流甚微也. 低窪之地，常望其淤高，既能得肥沃土地，又可使洪水床均勻.

河床糙率，務求其微，河床之粗糙，或天然形成，例如突出之巖石、河床之暗礁等，或人工誤為之，如丁壩等類工程. 如水流被束流速驟增，則其消力之作用最大，在潮區內建多數丁壩，其害尤大，能消減潮勢，所得結果，適與所企圖者(刷深)相反. 少數丁壩對於潮量多不發生何種影響，而頗能收局部功效.

在潮區之內，當施工之時及工竣之後，需要浚渫之機會較上游爲多.例如:

（一）在施工期間　如治導工事施行後，水力不能冲動土壤，欲促速治理功效之實現，則須浚渫.例如有強大之沙灘阻塞潮流，若將沙灘挖去，則在治理之時，潮流能深入河內，以刷沙入海.

（二）在工竣之後　在潮區之邊界及中部，咸需要浚渫.潮區之界易淤沙，如欲保持深水槽，須不斷加以浚渫，該處水流力量不能將淤積之沙冲去.在潮區中部，常因河內流量特大，或潮水特高，而致淤積，但在情況復原後，所淤之沙，亦自行冲去，惟需時甚久，有礙航行，故須人工疏浚之.計畫時卽須籌置大量挖土機、平底船及冲刷器(Spülern)，宜用蒸汽平底船，可減運土費用.

關於交通方面應注意者，卽高水時入口之船，乘潮浪而入，如水深充裕，則其行駛速度約等於浪峯之速度.出口之船則與潮浪逆向而駛，治理時，應使出口之船於落潮之時或在漲潮之前駛出，獲得所需之航水深.

第九章　堤防工程

第一節　堤之功用及種類

堤(Deiche)乃堆土而成，靠海用以防高潮，傍河用以防洪水，蓋均藉以保護低窪之地者也.

堤可大別之爲海堤(Seedeiche)及河堤(Flussdeiche)，二者之間並無顯明之界限.蓋河口之海堤，固綿延至河內，海之作用可以達到之處，在危害堤身者非海內高水而爲河內高水之點，卽可目爲河堤，其過渡處毫無區別也.

河堤之功用,不獨在保衞低地,且須能改善河流.河堤範圍洪流,使沙石之移動暢順,阻沙石淤積過早.同一河流之內,其最大洪水量(以每秒鐘若干立方公尺表之)常有劇烈變動,忽減忽增者,主要原因,厥在河堤之距離不一,狹處束水使流速,寬處水勢散漫而流緩.河堤所受之侵襲,由於水流及冰凘之成分多,由於波濤之成分少.河堤祇須高於最高洪水位0.3至0.5公尺.

海堤之功用,不在約束水流.海堤多受浪之威脅,水流之侵襲不足道,以視海嘯時之波濤,固微乎其微也.故海堤須高出可能發生之大浪,海堤之潰決,非由於波濤之衝擊,即由於洪水之漫溢.堤身浸透,亦爲潰決原因之一.潮區之高水,若遇竟日之颶風,雖落潮而不退,在此期間內,堤之大部沒於水內,而爲水所浸軟,同時復受浪之衝擊.惟此種浸潤之危險,不若在河內之大,蓋海內高水爲期不過數日,河內高水則能綿亙週餘也.

是故浸潤之於堤工,甚關重要,浸潤線(Durchweichungslinie)足以左右堤身橫斷面之設計,當於第二節論及之.

堤分正堤(Hauptdeiche)副堤(Nebendeiche)二種,在德國又名正堤爲冬堤(Winterdeiche),有類我國之遙堤,副堤爲夏堤(Sommerdeiche),有類我國之縷堤.蓋在德國北部,農作物發育時期爲夏季,夏堤與冬堤間之灘地,實賴夏堤以保護農作物,其功用祇在利農,而非以治河也.在德國最大洪水期爲春季三月及四月,故夏堤甚便,而在我國則與之相反,最大洪水期爲七月及八月,與農作物發育期同時,不能與德國強同也.

我國河工向分堤爲五類:曰縷堤,臨河曰縷,所以逼水以速其流者也.曰遙堤,遠河曰遙,所以備大漲者也.曰月堤,地當險要,慮外堤有失,再築一堤於內以防未然者也,以其形似半月故名,或稱夾堤,越堤(內繞曰月,外繞曰越).曰格堤,縷堤與遙堤,或縷堤與月堤平行之段如甚長，築小堤横格其中，以防縷堤被冲，水流長驅於兩堤之間，而不可過者也．曰戧堤，戧之爲言護也，所以護正堤者也，蓋水壓力與深度俱增，故戧其堤脚，使加厚焉（第88圖）．

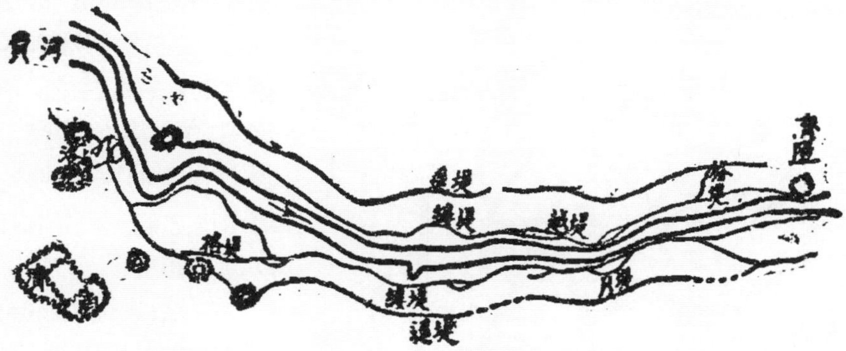

第88圖

堤之外灘地甚狹，無高灘緩水勢，首當溜衝者，曰險堤（Schardeiche oder Gefahrdeiche），須將堤後移，或於其後加堤一道，以防出險．舊堤之失其用者曰廢堤（Schlafdeiche），險堤之後如有廢堤，在則足資屏障，亦至可貴也．第89圖示各種河堤，第90圖示各種海堤，圖內堤身均特別放大，未按照比例繪製．

第89圖

第90圖

以上均主堤也．主堤以外有翼堤(Flügeldeiche)，一端與主堤相接，一端斜向伸入河中，功在防禦特別險要之堤身，使不當水流與冰澌之衝，嚴格言之，不宜名之爲堤，實乃禦浪堤(Wellenbrecher)、導水堤之類，多須用石砌築其坦坡．

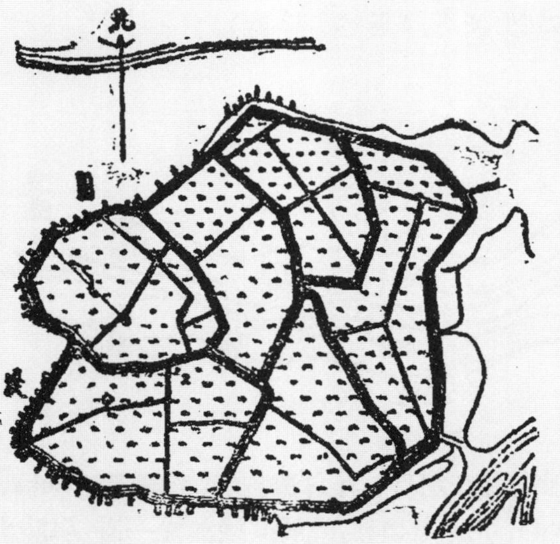

第 91 圖

圈堤(Ringdeiche)所以圈護田廬者也，又曰圩(第 91 圖)，在滲入堤後之水過多之處，須於其內方再築堤一道，以防低地之浸水(第 92,93 及 94 圖)．靠海之處，有於主堤之後築堤以捍高潮者，其功用相仿．

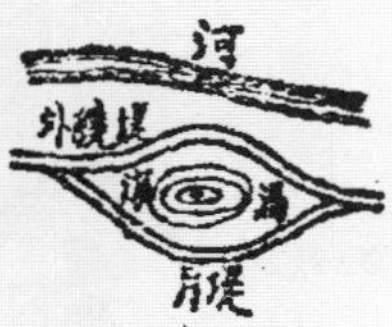

第 92 圖

第 93 圖

第 94 圖

第二節　海堤之位置，橫斷面及高度

海堤之橫斷面及其高出最高水位之尺度，繫於海岸之形狀及風向，堤身垂直於風向者最不利．

故築堤時所定堤線，關係至鉅，堤身正當風向之處，應將其作圓，極忌尖銳之轉角。

堤前如無淤積之寬沙帶（Watt），應於其前留充分寬之灘地一條，此種灘地能緩浪勢，培修時又有取土之所。灘地至少須寬120公尺，波濤過險之處，須寬至350公尺，視局部情形而定。自低水岸線至堤腳之一帶，均稱之為灘地。灘地之保護與堤之保護並重，若不注重護岸，則灘地冲去後，堤將成為險堤，其養護及防守，將遠繁於護岸護堤兼施之時也。

堤頂須高於暴潮之浪峯，以該處曾發生之最大暴潮作標準。堤身愈垂直於浪之方向，堤之外坡愈陡，堤外灘地愈窄，則浪高愈增。長堤之頂呈波浪形，其浪峯位於最危險之處。堤頂超出最高水位之尺度，雖可寬裕計之，然不能必保其不出險，蓋暴潮有無高出歷來所發生者之一日，固無人能預料之也。

浪愈激，堤之外坡應愈平，直接當海波濤最險之處，用1：12之坡度，在河口內最安全之處，至陡不得超過2：3。

堤之外坡宜為隆起者或凹入者（第95，96及97圖）。最要者為外方戧坡（Aussenberme），蓋此能消滅浪勢。舊堤之無戧坡者，應補築之，內方坡度在1：1½至1：2之間。堤之形狀關係於堤身安全固大，主要者仍為外坡之掩護，堤頂及內坡之種草，堤之外坡內不得打樁，蓋其將為波濤所撼動，而為全堤毀壞之肇始。上述之浸潤線，對於橫斷面之設計，影響甚大，浸潤線自最高水位與水方斜坡之切點開始，其坡度繫於堤身土質，平均在1：6至1：8之間。外方堤坡應力求其平，免浸潤線在堤之半腰透出。

第三節　河堤之位置，橫斷面及高度

河堤之築置，不獨須選擇適當之地勢，同時洪水床不得束狹過

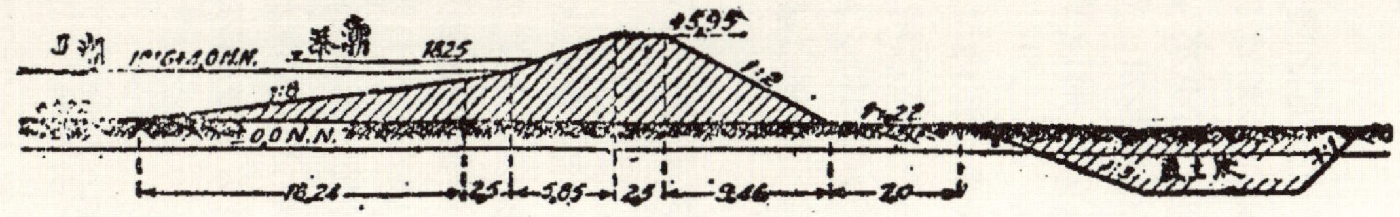
暴潮
0.0N.N.
18.24
2.5
5.85
2.5
3.46
2.0

第95圖

最高暴潮
中等高水
碼石
戗坡
堤心
1:12
1:1½
F.H.=N.N.-3.43m
3.60
7.60
15.00
20.40
12.00

第96圖

最高暴潮
中等高水
砌石
F.H.=N.N.-3.43
11.00
12.00

甚．束狹洪水床之弊，不獨見於本段，且將侵及其上游．故須慎選河床之適當寬度，使洪水面之抬高，不至超過規定之尺度．求得最高洪水面之抬高曲線(Staukurve)後，即可知水面抬高之尺度及範圍．

設計河堤橫斷面之觀念，與海堤同，主堤外方斜坡須平，約為1：3至1：5，繫於所用土料之性質．內方斜坡約為1：1.5至1：2．橫斷面之形狀，亦繫於浸潤線之位置，有因滲透之水量過多，而於內方堤腳築溝排水者，實甚危險，宜堆石保護堤腳．第98圖示一小河流之堤，第99圖示德國河工之夏堤，該圖乃溢水段之橫斷面也．堤頂及內方斜坡砌石，以備冬季洪水之溢流．堤頂寬度以能通車為度，約寬3至4公尺．

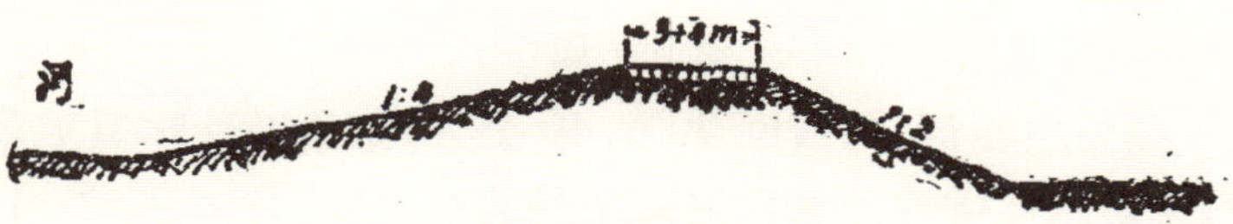

第98圖

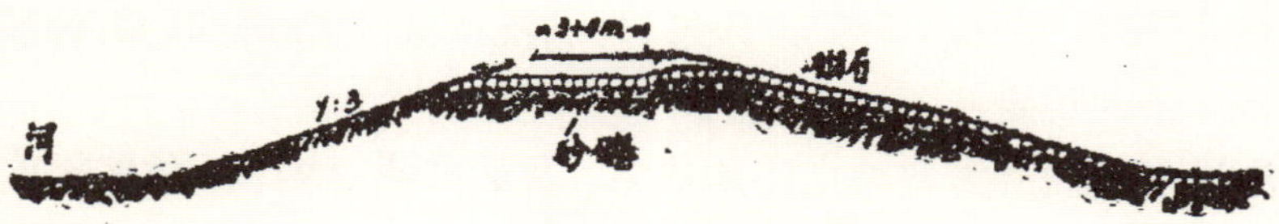

第99圖

第四節　築堤之材料及築堤法

堤基須可靠，但遷就可靠之堤基，亦不宜過事紆繞．堤基須為堅固土壤，應顧及堤身之陷落，而於建築時預留陷落尺度(Sackmass)．

築堤前須清除堤基，以增堤基與堤身間之連繫．枯草腐根必剷除清淨，如能犁成壟畦更佳．堤基如為沙土，宜建黏土核心，深入不透水層內．

築堤材料以膠泥及黏性沙土(Lehm)爲最佳,堤土內不得含有植物之根株、木塊等,以免將來腐朽後,堤內留存空隙.

在無膠泥之處,可混合黏土與沙土,或即用天然之黏性沙土.純粹之沙土必須含黏土核心,或具不透水之外殼,後者最好用膠泥爲之.第100圖示其一例,厚度如下:外方堤腳斜坡上厚0.5公尺,上方斜坡上厚0.4公尺,堤頂上厚0.2公尺,內方斜坡上厚0.2公尺.

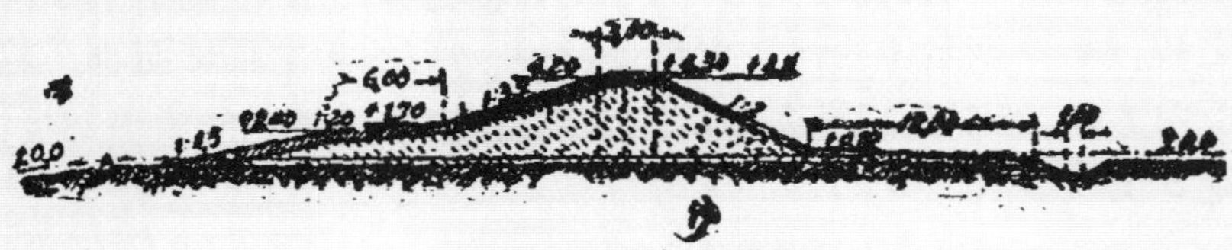

第100圖

堤土須分層築置,每層厚30至40公分,鋪築時使略具坡度,傾向水方,俾雨水能排洩.昔日驅馬馳騁其上,以踐實之,今多用輥輾實.手搗之法不可靠,爲堅及鬆土之壓縮,須加料20%至25%,爲堅及日後之陷落,須加高8%至10%,如遇軟地基,例加高25%,俾陷落後堤高恰如規定.

海堤多毀於外方斜坡之冲刷成穴,及浪之翻越堤頂,故保護內方斜坡,殊爲必要.

堤面須鋪茅草,以禦尋常潮浪,草厚2至3公分,最好用麥草,並用草索結於土內,此法祗可行之於膠泥土壤.此外尚有於茅草上鋪灌木者,以柳枝編蓆覆堤面上者,用海草或用帆布者,均用木橛釘於堤面上,各該種護堤材料,均須於每年秋季易以新者,結果其費用視永久之堤面並不見省,且不及後者之安全.

堤前如有高於尋常潮水之灘地,則多鋪草皮或種草保護之.草皮須用新鮮者,否則不易生長,草皮鋪就後,撒以沃土,種草須慎擇草種,而須就教於嫻於園藝者.

最佳而持久之堤面，乃爲鋪石，或用天然石，如花崗石，玄武石，硬沙石，或用混凝土塊，每塊重約 100 至 500 公斤，下墊碎石子，如爲沙堤，則須墊膠泥土.亦有用磚鋪堤面者，其效亦佳.

險堤或築堤及一切常水衝之堤，須於鋪石之下，墊沙礫或石子一層，以防由石縫侵入之水，冲洗堤土. 鋪石須厚 30 至 40 公分，沙礫層厚約 25 至 30 公分.

河堤之保護層，不必如海堤之厚，但亦不宜過省，多數河堤均種草，亦有鋪石者，特尠見耳.

第五節 堤之養護及防守

堤之養護及防守，須嚴其法紀，密其組織，由濱河居民擔負之.發現毀壞之處，如鼠穴、獾穴，須立即填塞之.洪水時冲成之穴，亦須搶堵，蓋其爲潰決之起因也.堤坡上不能任樹木生長，堤頂如受車轍損傷，則修繕之，堤身如陷落過甚，則加高之.

堤前灘地之保護，甚形重要，灘地之存亡，堤身安危繫之.如灘地被冲，則須築丁壩或掩護工事以防止之. 近河居民咸有貢獻物力人力及司防守之責，如洪水高過堤身之半時，即須日夜看守，並運集材料以備搶修，儲備沙袋以資堵塞孔穴. 水流侵入之處，常不易發現，可於堤內方冒出之處，堆沙袋或築圍堰(Fangdamm)圈繞之(第 101 及 102 圖)，堤內罅隙即能逐漸淤塞，靠海之處，如遇暴潮翻越堤頂，內方斜坡所受危害甚劇，應速防止之.如堤後斜坡滑陷，須於前方鋪

第 101 圖

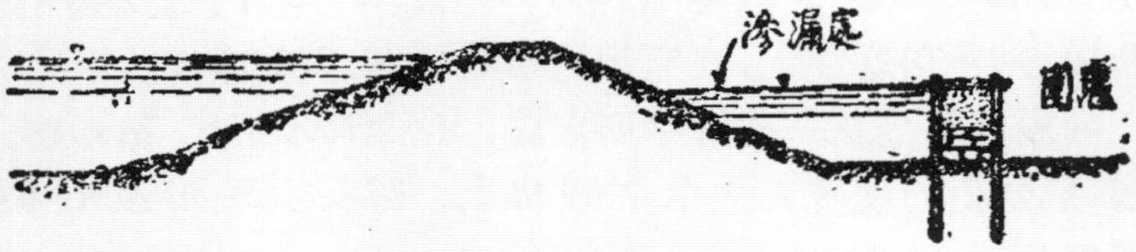

第 102 圖

圍堰(第 103 圖). 河堤如遇漫溢，可加高之. 水上漲之勢每甚驟，可堆沙袋數行，亦可建小圍堰(第 104 圖)，或僅打樁一行，而於其前堆沙袋數層.

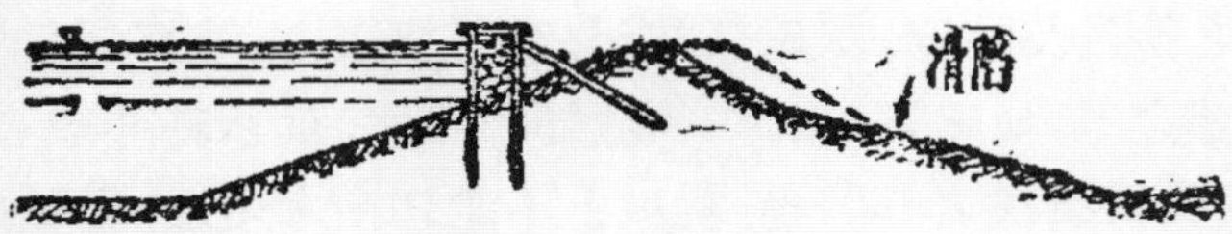

第 103 圖

第 104 圖

如察知堤之潰決不能避免，則須迅速傳令居民遷避，可鳴汽笛警告，將來或可利用無線電廣播.

堤決之災患，視決口之大小而定，決口之處，恆冲成深濄，欲在原址重建築新堤，甚爲困難. 在冲成深濄之處，新堤須繞避之，或外繞(參閱第 92 圖)，或內繞(參閱第 94 圖). 外繞束狹河床，亦常流衝，當衝之處，更爲危險. 且其靠陸方斜坡逼近深濄，而有滑陷之虞. 故多先採內繞法，俟深濄淤積，再於原址建堤代之. 堤後深濄永無淤填之機會，遺留堤後，有如池沼.

堵塞深廣之決口，不能等待水位之降低，且臨海每日有兩次潮水之侵入，亦非所容許．堵口之法，可由兩方築置沉排，塡土其間，或於外方暫築攔水堤(Kajedeich)，以保護新堤工程，或用船載石沉之決口處，以減流入水量，而利建堤工作．公元1907年，比國之歇爾德(Schelde)河堵口，曾用是法．考沉舟之法，元賈魯亦嘗用之，明萬曆間僉事俞汝爲奏議以爲塞決簡便之用，無如此者．淸靳輔辨其用爲代埽而逼水，非以塞決合龍也，其論甚當，爰錄之於后:「夫河底淺深坦陷不一，惟草柳性柔，一經壓擠，則周遭充滿，故塞決必用埽．今以至平之舟底，而沉之深淺坦陷不一之湍流，則埽很透溜之患，必有不俟終日而見者．若沉舟之後仍用埽工繼之，則所費不貲，何如專用埽之便而省．……魯之沉舟，蓋以代埽而逼水，非以塞決而合龍也．蓋彼時故河業已通流，但決河勢大，水流多於故河十之八，又適當秋漲，洄漩湍急，埽不能下，……因急沉舟爲壩以逼之，所謂搶救也」．

靳輔於論防守險工，亦至精闢，亦錄之於后:

「防河之要，惟有守險工而已．黃河之易決，莫如中州，其地土鬆而沙多，每一坍陷，輒至數百丈．然其地寬曠，不與水爭地，其築堤甚遠，至近者亦三五里，此堤不守，復築一堤以守之，河流去堤身既遠，則游波寬緩，亦不能深入，勢必復引而他去，而淤灘仍爲平陸，故雖險而易守也．江南自徐、邳而下，大抵皆城郭室廬，村鎭繁庶，不得不盡地戒嚴，亦其勢然矣．守險之方有三:一曰埽，二曰逼水壩，三曰引河．三者之用，各有其宜．當風抵溜，其埽必柳七而草三，何也，柳多則重而入底，然無草則又疎而漏，故必骨以柳而肉以草也．禦冰凌之埽，必丁頭而無橫，何也，冰堅鋒利，橫下埽則小擦而靡，大磕必折也．然掃灣之處，則丁頭埽又兜溜而易冲，必用順埽，魚鱗櫛比而下之，然後可以擋溜而固堤．至十分危急，搜根刷底，上掛而下坐，埽不能禦，則急於上流築逼水壩，回其溜而注之對岸，或一二三道，恐河底捍烈，壩一摧而堤卽不可救也．若開引河，則其費甚鉅，又必酌地形而爲之．若正河之身迤而曲，如弓之背，引河之身徑而直，如弓之弦，則河流自必舍弓背而趨弓弦，險可立平．若曲折遠近不甚相懸，河雖開無益也．諸如此者，殆如禦敵然，埽之用，是固其城垣者也．壩之用，捍之於郊外者也．引河之用，援師至近，開營而延敵者也．夫吾既修其內備，而外又或捍之或延之，敵雖強未有不遷怒而改圖者，保險之法盡矣」．

第六節　堤之附屬建築物

堤爲人類交通及內地水流(Binnenwasser)排洩之障礙，故須建通道(Durchfahrten)及水門(Siele)以溝通之，因通道之工費鉅，與堤交叉之途徑甚多，故多用斜坡路(Rampen)代之．後者不得削弱堤身，第105圖示一河堤之斜坡路，靠水方者從向下游，其坡度繫於堤高及交通之種類，如爲重要之渡口，坡度不得較1：30爲陡，普通鄉村交通，可選1：10至1：15．

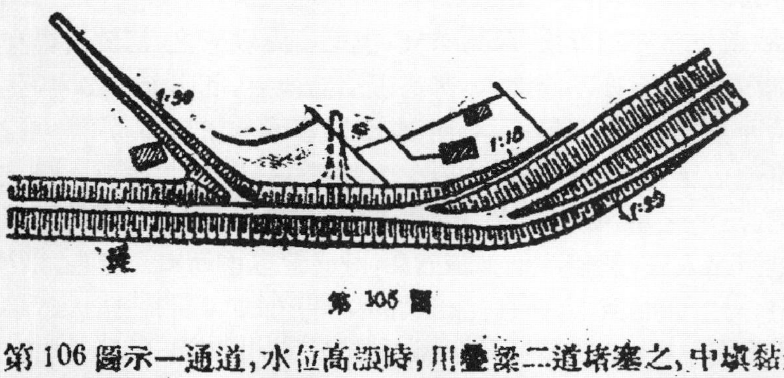

第105圖

第106圖示一通道，水位高漲時，用疊梁二道堵塞之，中塡黏土搗實，若交通繁盛，宜用八字門(Stem ntoren)．水漲自動關閉，則交通之阻隔不至過久．兩旁之墻，須令其一部分突入堤內2公尺，路底

可置於堤高之半腰，則不致有潰決之危險。

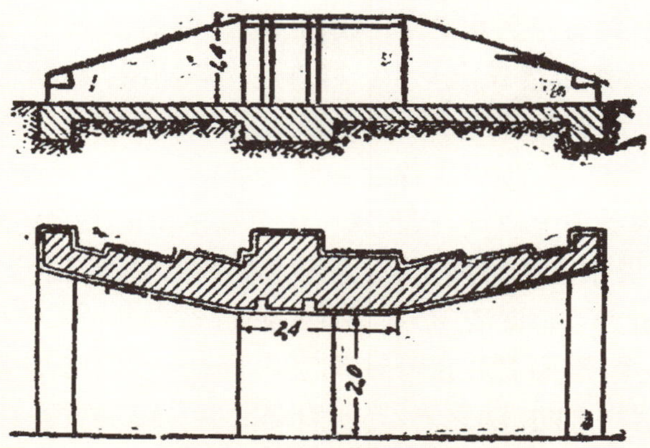

第 106 圖

堤防切斷內地水流宣洩途徑，水門之大小，繫於水量之多寡，須用門司其啓閉．外方水漲，則閉門以杜其流入．海堤之水門常有門兩重，河堤則祇需一門．在潮來甚驟之處，門之啓閉宜爲自動者．外方水位高於內方者時則自動關閉，反之則開啓．

附錄三　縷堤考

曩者我國之關心治黃者，嘗致書德國水工專家恩格思氏，檢討明潘季馴治河學說，對於治河工事——縷堤，討論尤詳，獨未及縷堤之由來，殊有加以補充之必要．爰就管見所及，筆之於紙，冀以彰治河學說之無中外古今之分，並以就正於海內專家，亦拋磚引玉之意云爾．

縷堤者，位於外堤間之內堤也．外堤亦稱遙堤，藉以防範最高之洪水．潘氏所著河防一覽有云：「縷堤即近河濱，束水太急，怒濤湍流，必至傷堤．遙堤離河頗遠，或一里或二三里，伏秋暴漲之時，難保水不至堤，然出岸之水必淺，旣遠且淺，其勢必緩，緩則堤自易保也」．恩格思氏亦承認潘氏之見解，謂藉遙堤以防潰，藉縷堤以導流爲合理，特指出潘氏在尋常水位時用以約束河道之縷堤，不能以堤論，而係固定中水河槽，護岸工程之一種．並臆度縷堤之築法，爲先築成堤形，再於堤後用土塡實，指其爲一種頂高不出河灘之導水堤．復強調堤乃高出洪水位之防潰工程，而導水堤則爲高僅及於河灘之護岸工程，二者絕對不容混淆．余以爲此不過建築物名稱之一種定義，實無牽強之必要，重要者乃在研討其功用．河防一覽有云：「順水之性，堤以防溢，則謂之防．防之者，乃所以導之也」．縷堤實兼具防溢導流之功，其所防者，乃尋常之水．至於縷堤之築法，必堅固能當溜衝，雖漫溢而不至潰決，殆無疑義．余意恩格思氏與其辨縷堤爲不高出灘地之堤，毋寧謂專爲固定河槽而設之堤，不應高出灘地．縷堤實非專爲此而設，亦非潘氏設以治河者．此可於潘氏答客問語中知之，其言有曰：「縷誠不能爲有無也，宿遷而下，原無縷堤，未嘗爲遙病也．假令盡削縷堤，伏秋黃水出岸，淤留岸高，積之數年，水雖漲不能出岸矣．第已成之業，不忍言棄，而如雙溝、辛安等處，縷堤之內，頗有民居，安土重遷，姑行司道官諭民五月移住遙堤，九月仍歸故址，從否固難強之，然至危急之時，彼亦不得不以遙堤爲家也」．至於兩堤相夾，中間積淹之水，或溢入之洪流，或縷堤決入黃流，何處宣泄，潘氏亦言之至詳：「決可入水，亦可出水，水落之後，放水歸槽無難也．縱有積澇，秋冬之間，特開一缺放之，旋卽塡補，亦易易耳．若無格堤處，所積水順堤直下，仍歸大河，尤不足慮矣」．是可見縷堤之築，實非潘氏之初衷，縷堤之性質，亦正如德國北部所用之夏堤，特其功用除如夏堤之防護堤內居民外，更多一層治河之作用也．

潘氏治河之原則，與歐、美河工專家之意見，初無二致．固欲護岸納流於固定之河槽內，並採用複式橫斷面，以灘地容洪流，冀灘地淤高，河槽刷深，河床橫斷面由複式而變爲單式焉．其答客問給予吾人以下之啓示：「……若謂堤之外卽水耶，堤外爲岸，岸下爲河，平時水不及岸，堤若贅疣，伏秋異常之水，始出岸而及堤．……」

余嘗謂治河之法，半經驗，半學理，不應有時間畛域之界限，於此而益信．

參考書籍

1. 歐陽玄: 至正河防記
2. 潘季馴: 河防一覽
3. 靳 輔: 治河方略
4. 李儀祉: 水功學
5. 鄭肇經: 河工學
6. 余家洵: 山溪之治理（水利月刊第十卷第六期）
7. 余家洵: 泛論治河（工程學報第一卷第一期）
8. 全國經濟委員會水利處: 恩格思治導黃河試驗報告彙編（水利專刊第五種）
9. E. Marquardt: Die Methoden des Flussbaues
10. A. Schoklitsch; Der Wasserbau
11. O. Franzius: Der Verkehrs was serb
12. H. Engels; Handbuch des Wasserb ues

德華專門名詞對照

lebendige Kraft 動力，99
Lehm 黏性沙土，118
Leitdamm 導堤，70
Linie des Hochwassers 高水線，100
Linie des Niedrigwassers 低水線，101

M

Mascaret 湧潮，101
Mass der Geschiebebewegung 沙石移動度，23
Mittenbewegung 中流，3
Molen 港堤，築頂堤，93
muldenförmig 盆狀，3
Muren 石崩，16

N

Nassbaggerung 水中浚渫，51
Nebendeiche 副堤，112
Nippflut 低潮，100
Normalbuhnen 正挑丁壩，65

P

Packwerk 填梢，58
Parallelwerk 順壩，64

Q

Querbauten 格壩，71
Querbewegung 橫溜，3
Querdamm 格壩，71
Quergefälle 橫比降，3

R

Rampen 斜坡路，1?2
Randbewegung 邊流，3
Rauhwehre 橫斜石工，?8
Räumen'skiaft 沖刷力，2
relative Geschiebefracht 比較沙石量，23
Ringdeiche 圈堤，113
Rü klage 後退壩梢，62
Rundströmun: 迴流，63

S

Sackmass 陷落尺度，117
Sammeltrichter 匯集區，14
Sandbank 沙脊，95
Schar leicbe 險堤，113
Schlafdeiche 廢堤，113
Schleppkraft 挾沙力，2
schluchartige Abflusskanal 流槽，14
Schlüsselkurve 水位與流量間之關係曲線，24
Schuttkegel 沖積扇，14
schwebende Schützentafel 浮牐，79
Schwimmbaum 浮木，浮樹，62
Seedeiche 海堤，111
selbstzeichnender Pegel 自動之水則，95
Senkfaschinen 沉梢，58
Senkstücke 沉排，8
Senkungskurve 水面降低曲線，51
Senkwalzen 沉輥，58

中華民國三十四年十二月初版

河工方略

全一册 定價國幣三元
（外埠酌加運費匯費）

編著者 余家洵
發行人 吳秉常
印刷所 正中書局
發行所 正中書局
(2C09)

監：鄭
校：向

滬·本 0.5/1——0.15

後記

我是從數學史學習中逐步瞭解治黄史的。漢代《許商算術》的作者許商，好天文術數之事的王景、李尋善，他們既是數學家，又以治理黄河而聞名。我國現存最早的河工著作《河防通議》，將中國古典數學天元術運用到治黄工程中，創造了中國古代工程數學的一個高峰。除了數學史之外，内蒙古師範大學科學技術史研究還以少數民族科技史和地方科技史見長。李迪先生曾指出地方科技史研究的重要内容是人與自然環境變遷、科技遺迹與自然環境以及環境與生産的關係，此類研究具有明顯的現實意義和重要價值。想要通過大科學史研究，弄清變遷的原因和未來的發展趨勢，産出對于地方各方面的開發有更大、更直接價值的成果，這類研究大多離不開文獻。之後，李迪先生更是直接指出科技史研究不僅是對過去的科技工作和科技成果的回顧與總結，而且要着眼于現代，讓古人的發明創造爲今人服務，繼續在現代發揮其應有的作用。我將先生大科學史的治學理念視爲座右銘，在科研工作中更加注重讓科研成果服務于國家戰略與區域發展需求。

二〇一九年九月，習近平總書記在黄河流域生態保護和高質量發展座談會上指出，黄河流域在我國經濟社會發展和生態安全方面具有十分重要的地位。黄河流域生態保護和高質量發展是重大國家戰略。同年十月，黨的十九届四中全會提出『加强邊疆治理，推進興邊富民』，首次把邊疆治理寫入黨的文件。内蒙古師範大學組織科研力量，積極申報研究闡釋黨的十九届四中全會精神的國家社科基金重大項目，其中『中國特色社會主義民族區域自治制度自信研究』項目獲批。我承擔其中的『鑄牢中華民族共同體意識下的民族自治地方文化自信研究』子課題，而黄河是首選文化要素。二〇二四年，該項目順利結項，我也對黄河文化所藴含的時代價值有了更深的體會。

有鑒于此，我帶領文化遺産智能應用服務中華民族共同體建設『英才興蒙』團隊，以黄河爲主題，開展了文獻、文物、傳統工藝等多模態資源庫建設和跨模態應用示範工作。這次與内蒙古人民出版社合作出版的《黄河國家治理文獻集成》，旨在梳理和總結文獻中所藴含的歷史經驗和文化信息，爲當代及未來的黄河治理和地方文旅産業發展提供參考與借鑒。

感謝内蒙古民族文化産業研究院、巴彦淖爾市圖書館等单位的傾力相助，感謝内蒙古自治區黨委宣傳部、内蒙古出版集團、内蒙古人民出版社對本項目的支持與幫助。

在此，也向致力于黄河治理和大河安瀾的歷代先賢與當代典範表達崇高的敬意：你們的不懈努力與無私奉獻，爲黄河的安寧與人民的福祉築起了堅實的防綫；你們的智慧與勇氣，將永遠銘刻在中華民族的歷史豐碑上，激勵後人不斷前行。

董杰

二〇二五年一月

北疆文化